카마수트라 3 - 완결

초판 1쇄 발행 | 2017년 11월 01일

지은이 ⓒ KEN 2017
일러스트 ⓒ 애나 2017

교정교열 | 문보람
총괄 디자인 | 89번가
편집 | 나비노블

펴낸이 | 김혜랑
펴낸곳 | (주)메르헨미디어
등록일자 | 2016년 12월 28일
등록번호 | 제 2016-000253 호
ISBN 979-11-88503-38-4 04810
ISBN 979-11-88503-35-3 (세트)

nabinovel@nabinovel.net
http://nabinovel.net

카마수트라

완결 **3** KEN 지음
에 나 일러스트

나비노블

Content
카 마 수 트 라

CHAPTER 15
닽갑지 않은 진실, 뒤바뀐 목표

가우란의 호위를 믿을 수 없다는 내 말이 충격적이었는지, 그는 술탄 궁에 가는 내내 자신의 쓸모를 주장했다. 내가 그의 사랑을 믿지 못했을 때보다도 더 과한 반응이었다. 아무래도 내가 그의 사랑을 믿지 못하는 것보다 쓸모를 믿지 못하는 쪽이 더 충격적인 모양이었다.

그에 은근히 비위가 상했던 나는 모르는 척 그의 말을 한 귀로 듣고 한 귀로 흘렸다. 하지만 그는 집요했고, 술탄 궁에 가서도 계속 귀찮게 굴 것 같았다. 남들 보기 좋은 꼴은 아니겠지. 결국 나는 반쯤 억지로 「너 참 쓸모 있다. 네 덕에 여기까지 왔다.」라고 덧붙일 수밖에 없었다. 그렇게 술탄 궁에 도착하기도 전부터 나는 지쳐버렸다.

술탄 궁에 도착한 우리는 평범한 알현 절차를 걸쳤다. 카마가 왔다는 사실을 비밀로 부친 모양이었다. 그래도 미리 일러둔 것이 없진 않은지, 보통은 술탄 암살을 예방하기 위해 진행되는 신체검사가 패스되었다.

우리는 시종의 안내를 받아 복도를 걸었다. 지나가며 보이는 시종들 모두가 신군인 가우란을 보기 바빴다. 솔직히 쓸모없다 놀리기는 했지만, 가우란은 위장방패 역할을 해주는 것만으로도 충분히 도움이 되기는 했다.

복도를 지나 좀 더 걸어 들어가니, 뻥 뚫린 나선형 중앙 계단이 나타났다. 천장이 보이지도 않을 정도로 위로 하염없이 치솟은 술탄 궁 미나레트를 올려다보니 새로운 막막함이 치솟았다. 나는 불안감을 감추지 못하고 탄식했다.

"설마."

"네?"

바로 옆에 있던 가우란이 되물었다. 나는 울상을 감추지 못하고 가우란과 모크샤를 번갈아 쳐다보며 물었다.

"설마 걸어서 올라가야 해?"

순간 치민 절망감에 바닥에 주저앉고 싶을 정도였다. 아그니에서 바르나까지 오면서 숱한 고생을 했지만, 이번 일은 역대급이었다. 그만큼 미나레트는 높고 높았다. 현실을 부정하는 내 질문에 가우란의 얼굴에 안타까움이 스치었다.

"안타깝게도 그러합니다. 힘드시면 말씀하십시오. 제가……."

"내가 업고 가줄까?"

"뭐? 왜? 부끄러워!"

가우란이 말하기가 무섭게 치고 들어오는 모크샤의 말에 나는 화들짝 놀라 바락 외쳤다. 얼굴에 열이 확 올랐다. 하지만 모크샤는 되레 뻔뻔스레 코를 치켜들었다.

"우리 사이에 부끄러울 것도 많네, 참."

모크샤는 코웃음 쳤지만, 씩 웃고 있는 얼굴에 알 수 없는 뿌듯함이 감돌았다.

누군가에게 자랑하는 듯한, 재수 없는 태도였다. 아마도 상대는 가우란이겠지. 가우란은 나를 업을 수 없으니까. 가끔 보면 나를 위하는 것보다도 가우란을 약 올리는 게 주가 되는 것 같단 말이야. 쳇. 이놈이나, 저놈이나. 나는 괜한 짜증에 뚱하니 모크샤를 바라보았다.

가우란이 덧붙였다.

"접견실은 그리 높이 있지 않습니다. 너무 걱정하지 마시옵소서."

"휴. 꼭대기까지 올라가야 하는 건가 걱정했잖아."

나는 안도의 한숨을 내쉬었다. 모크샤와 가우란이야 익숙해졌다지만, 주변 시종들은 내가 한숨 쉬기가 무섭게 어깨를 움찔거렸다.

마치 화장실에서 밥을 먹는 사람을 본 것 같은 태도였다. 물론 이쪽 문화에서 금기시되는 행동이라는 것도 알고, 나도 고치려고 노력을 해봤지만 20년 넘게 아무렇지도 않게 해온 행동을 교정하는 건 쉬운 일이 아니었다. 아니, 인지하는 것부터가 문제였다.

생각하기 전에 숨을 뱉어버리니까. 언제쯤 고쳐지려나. 그 때문에 나는 또 한숨을 쉬었다.

술탄의 접견실은 미나레트의 중간쯤에 있었다.

미나레트 자체가 워낙 높은지라 중간만 하더라도 꽤 높은 높이였다. 그래도 이 정도는 걸어 올라갈 만했다. 나는 부지런히 계단을 올랐다.

물론 올라갈 만하다는 거지, 절대 편하다는 소리는 아니었다. 에스컬레이터가 시급했다. 여기 사람들은 맨날 이렇게 높은 계단을 오르락내리락하는 건가. 바르나가 제문과 기록을 담당한다는 말도 있고, 바르나의 술탄이 너무 공부를 많이 해서 머리카락이 희게 세었다는 얘기도 있고 하여 은연중에 유약한 문인들을 생각했는데, 이 미나레트를 보니 그런 생각이 싹 사라졌다.

처음, 이 세계에 떨어진 곳이 바르나가 아니라서 다행이다. 그랬다면 나는 절대 옴짝달싹도 안 하고 방에 콕 처박혀서 빈둥빈둥 시간을 보냈을 게 분명하니까.

이런저런 생각을 하다 보니 어느새 접견실 앞에 도달했다. 생각보다 금방 도착했다는 사실에 나는 안도했다. 시종이 우리의 도착을 고했다.

"신군 가우란과 그 일행이 도착했습니다."

"어서 모시거라."

바르나의 술탄이 우리를 맞이하였다. 준비된 듯 바로 맞이하는 걸 보니 우리를 기다린 모양이었다. 그의 이름은 기억이 나지 않았지만, 화려한 터번 밖으로 흘러내린 흰 머리카락은 기억에 선명했다.

술탄이 머리 숙여 절을 하니, 소금처럼 새하얀 머리카락이 사부작 바닥 위에 기울어졌다.

"어서 오십시오, 카마시여. 참으로 오래간만이옵니다."

"비꼬는 건 그만두지. 재미없어."

오래간만은 무슨. 별일 없다는 듯 여상스레 대꾸하는 것이 능청스러웠다.

칼리프 때도 느낀 건데, 이게 아무래도 술탄들의 직업 특성인 것 같았다. 나는 투덜거리듯 대꾸하며 상석으로 가서 앉았다. 들어설 때는 신군 가우란의 일행이었지만, 술탄의 앞에서는 카마와 그 일행일 뿐이었다.

나와 달리 자리를 허락받지 못한 가우란과 모크샤는 문가에 서 있었다.

"저쪽은 모크샤. 아그니에서부터 날 도와준 내 호위야. 그리고 가우란은 한 번 만나봤으려나? 인드라에서 칼리프가 붙여준 신군이야."

"흐응……."

술탄의 시선이 가우란을 지나 모크샤에게 닿았다. 그러기가 무섭게 두 눈이 가늘어졌는데, 모크샤가 저주받은 자라는 걸 깨달은 모양이었다. 하지만 반응이 어딘지 모르게 이상했다. 혐오와 경멸을 가식으로 감추는 것이 아닌, 신기한 현상을 발견한 학자의 눈초리였다. 왠지 모를 찜찜함에 나는 쩝, 입을 다셨다. 술탄은 그저 빙긋이, 의미심장한 웃음을 짓더니 이내 그들에게 자리를 건넸다.

"둘도 이곳에 앉게. 카마를 모셨다니 내 감사의 뜻을 표하네. 카마시여, 식사는 하셨습니까? 허기지실 것 같아 제가 식사를 준비해뒀습니다."

1층 로비에 있었을 때만 하더라도 배고프다는 생각은 없었는데, 계단을 올라오면서 에너지를 보충하느라 위장이 텅텅 빈모양이었다. 때마침 꼬르륵 소리가 났다. 배가 고프지 않다 거짓말하기도 민망했던지라 나는 작게 고개를 끄덕였다.

"아직."

"식사를 내어라."

술탄이 손을 짝짝 치며 명령을 내리니, 시종들이 들어섰다.

손이 많이 간 화려한 음식이 줄줄이 이어져 나왔다. 배고픈 게 맞긴 했지만, 이상하게 인드라에서도 같은 식이었던 게 떠올랐다. 사람이 도착하기가 무섭게 음식부터 줄줄이 내놓는 것이, 음식으로 기를 죽이려는 것처럼 느껴지기도 했다. 하지만 이 정도로는 어림도 없지. 아그니는 채소와 과일이 제법 풍족한 편이었고, 인드라는 생선 요리가 주였다. 하지만 바르나는 별반 특이한 점이 없었다. 사막의 나라라서 그런지는 모르겠는데 접시 위 음식이 전부 갈색빛으로 화사함이 없었다.

그렇게 속으로 바르나의 음식을 살피고 있을 때, 시종들이 무언가를 힘겹게 나르는 소리가 들렸다. 뭐가 나오려나 싶어서 그쪽을 빤히 봤다. 커다란 그림자가 방 안에 불쑥 들어서기가 무섭게 나는 깜짝 놀랐다.

접시의 지름은 팔을 크게 벌린 정도였고, 그 위에 있는 것은 노릇노릇하게 익힌 고기였는데 무슨 작은 언덕 같았다. 압도당할 만큼 엄청난 사이즈에 나는 접시가 바닥 가운데에 놓이기까지 입을 벌리고 멍하니 바라보고만 있었다.

가까이 오니 그것을 자세히 뜯어볼 수 있었다. 그제야 나는 그 거대한 고기의 정체를 깨달았다. 그건 낙타를 완전 통구이로 한 요리였다. 신기한 듯 요리를 바라보기만 할 뿐, 감히 손을 댈 엄두도 내지 못하는 나에게 술탄이 요리에 대한 설명을 해주었다.

"익힌 달걀을 생선 배 속에 넣고, 요리한 생선을 닭 배 속에 넣고, 요리한 닭을 양 배 속에 넣은 뒤, 요리한 양을 낙타 배 속에 넣어 통째로 하루가 넘는 시간 동안 구운 요리입니다. 생신과 멸신을 형상화한 요리인 만큼, 장수를 기원하는 요리이지요. 물론 반신이신 카마께는 별 의미가 없는 요리입니다마는, 바르나의 정성이라 생각해주십시오."

술탄이 손짓하니 시종 둘이 커다란 실톱 같은 기구로 낙타 구이를 자르기 시작했다. 고기의 크기가 큰 만큼, 혼자서는 자를 수도 없어 보였다. 한참의 톱질 끝에 고기가 잘리며 푸쉬이, 속에 갇힌 뜨거운 김이 올라왔다. 진한 고기 육수 냄새와 향신료 냄새가 식욕을 자극했다.

시종이 제일 안에 있는 달걀을 꺼내더니, 껍질을 벗겨 작은 그릇에 옮겼다. 그 달걀이 배달된 곳은 바로 내 앞이었다.

"이 요리에서 제일 귀한 것은 바로 단 하나밖에 없는 이 달걀이지요. 고기의 육즙이 배어들어 있어 무척 맛있습니다. 그래서 귀인에게 대접하곤 하지요. 카마께서 드시옵소서."

나는 슬쩍 가우란과 모크샤를 보았다. 콩 한 쪽도 나눠 먹는다는데, 그렇게 맛있는 음식을 나 혼자만 먹는 게 좀 민망했다. 하지만 둘 다 별 표정 없이, 내가 먹는 것이 당연한 듯 앉아 있으니 내가 괜히 나눠 먹자며 부산 떠는 것도 그랬다. 게다가 결정적으로 기대하는 술탄 눈길에서 무언의 압박이 느껴졌다.

달걀은 마치 맥반석 달걀 같았다. 장조림 같기도 하고. 한입 베어 무니 흰자가 탄력 있게 혀끝에 감돌았다. 맛있긴 맛있네. 솔직히 맛이 그렇게 뛰어난 건 모르겠고, 아무래도 상징적인 의미가 강한 음식인 것 같았다. 나는 우물우물 달걀을 먹어 치웠고, 술탄은 그제야 만족한 표정을 지어 보였다.

내가 달걀을 다 먹고 난 뒤에야 제대로 된 식사가 시작되었다. 나는 잘 모르지만, 뭔가 식사하는 순서가 있는 것 같았다. 그러고 보니 바르나는 경전과 규율을 담당했다. 설법과 예법, 조문, 제식의 예를 철저하게 관리하고 있는 바르나 사람들은 예법에 관한 것이라면 무척이나 세세한 것까지 기억해서 까다롭게 지킨다는 이야기를 기억해냈다.

술탄이면 더하면 더했지 덜하진 않겠지. 주신제 때 열광적인 태도로 경문을 읽던 술탄의 모습이 떠올랐다. 혹시 식사예절이 부족하다고 혼내면 어쩌지. 설마. 그래도 내가 카마인데. 생각만 해도 끔찍했다. 고작 달걀 하나 먹었는데 벌써 턱 하니 체기가 들어앉은 거 같았다. 나는 라씨를 쭉 들이키며 속을 달래려 노력했다.

식사하면서 대화를 나누는 예절은 없는 모양이었다. 술탄은 제사라도 치르듯 고상하고 우아하게 식사를 했다.

달걀은 그냥저냥 맛있다, 정도의 감상에서 끝이 났지만 낙타 고기는 생전 처음 먹어보는 식감이었다.

낙타가 말 대체품인 만큼 말고기 비슷한 맛이 나지 않을까 어렴히 생각했었는데, 말고기보다 훨씬 부드럽고 농후한 맛이었다. 기억에 남는 다른 특이한 요리로는 타진이라는 것이 있었는데, 특이한 냄비 뚜껑을 이용하여 물 조금과 재료 내의 수분을 갖고 하는 냄비 요리였다. 토마토와 양파가 들어가는 것이, 왠지 익숙한 맛이었다. 볶음밥 같은 음식도 있었는데, 먹어보니 밥이라기보다 무척 작은 파스타 같았다.

음식은 맛있었다. 다만 문제는 내가 접시를 다 비우기가 무섭게 술탄이 다음에는 뭘 드셔보라 제안하는 것이었다. 마치음식의 순서를 지정해주는 것 같았다. 그렇게 먹다 보니 나는다른 의미로 체했다. 너무 많이 먹은 것이었다.

과식이라니. 나는 들키지 않게 갈비뼈 사이 움푹 팬 정중앙을 엄지로 꾹꾹 눌렀다. 더부룩한 속은 쉽게 풀리지가 않았다.

술탄이 짝짝, 손뼉을 치자 시종들이 남은 접시를 전부 치웠다. 음식의 잔향이 접견실에 남아 있었지만, 곧 시종이 향을 태우니 그윽한 향내만이 남았다. 미나레트에 들어설 때만 하더라도 하늘에 떠 있던 해가, 식사를 끝내고 나니 사막 저 먼 곳으로 사라졌다. 어둠이 창에 드리우고 초에 불꽃이 하나둘 피어올랐다.

식후 디저트로 차가 나왔다. 유리잔에 파란색으로 무늬가 그려져 있고 금박 장식이 입혀져 있었다.

향이 향긋하고 민트 잎이 올려져 있는 것이 민트차인 모양이었다. 뜨거운지 김이 모락모락 났다.

이번 역시도 내가 첫 문을 열기 전까진 아무도 마시지 못할 기세라 나는 등 떠밀리듯 찻잔에 입을 대었다. 호로록. 뜨거울까 조심조심 들이킨 민트차는 깔끔할 거로 생각한 것과 달리 심하게 달았다.

내가 마신 뒤 술탄이, 그리고 가우란이, 마지막으로 모크샤가 순서대로 차를 마시기 시작했다.

당황하여 눈을 데록 굴렸다. 다들 잘 마시는 것이, 원래 이렇게 마시는 차인 모양이었다.

뜨겁고 단 민트차로 입가심을 한 술탄이 큼큼 헛기침을 하며 운을 띄웠다. 이제야 본론을 꺼낼 생각인 모양이었다.

"어찌하여 이 먼 바르나까지 오셨는지는 모르겠지만 카마를 뵈시게 되니 영광입니다."

"정말로 모를 리가. 바르나의 술탄이 영민하다는 건 누구나가 다 알고 있던데."

"하하하."

술탄의 웃음이 접견실에 청명하게 흩어졌다. 미인이 웃으니 백합이 피는 듯 주변 분위기가 화사해졌다. 하지만 내 표정은 떫을 뿐이었다. 모르는 척 떠보는 것도 한두 번이지. 나는 심드렁히 대꾸했다.

"내가 왔는데도 별로 놀라질 않는 걸 보아하니 내가 아그니를 탈출한 게 동네방네 소문 다 난 모양이네. 하긴, 칼리프도 알고 있었는데 바르나의 술탄이 모를까."

게다가 인드라에서 행적을 드러내기도 했었다. 자마드가 전령을 보낼 정도니, 바르나의 술탄이 알고 있는 것도 당연했다.

"앙투안이라고 불러주십시오, 카마시여."

그래. 앙투안. 그런 이름이었었다. 이제야 기억이 났다. 사람 이름을 한 번 듣고 기억하는 것은 내 적성이 아닌 모양이었다. 앙투안의 얼굴을 기억하고 있는 게 용했다. 물론 앙투안의 얼굴이야 원체 화려한 생김새니 잊기가 더 힘들었지만.

"카마께서 아그니를 도망치신 것은 진즉 알고 있었습니다. 현재 신군과 같이 계신 것으로 보아 인드라에도 들르신 모양이군요. 하지만 거기 머무시지 않고 굳이 이 바르나까지 멀고 힘든 길을 오셨다는 것은, 무언가 바르나에 볼일이 있으시다는 거겠지요. 신군의 보호를 받고 있는데 설마 안위에 위협을 느끼셔서 이 사막으로 오신 것은 아닐 테고 말입니다."

앙투안은 조곤조곤 내 상황에 대해 열거했다. 거기까지 파악한 거면 거의 다 파악한 거 아닌가. 나는 맞다는 듯 고개를 끄덕였다.

"카마께서는 어떤 연유로 이곳 바르나에 오셨습니까?"

"뭐라 생각해?"

"뭔가 궁금한 게 있으신가 봅니다."

그것도 정답. 나는 픽 웃었다. 앙투안은 당연하다는 듯 말을 이었다.

"카마께서 바르나에서 찾으실 만한 것은 이 지식밖에 없으니까 말입니다."

앙투안이 자신의 머리를 톡톡 건드렸다. 인드라나 아그니에 비하면 바르나의 환경은 척박하다 해도 좋았다. 반면 바르나인들의 지능만큼은 다른 나라들에 비하면 월등히 높았다. 바르나인들이 자부심을 느끼는 것은 그들의 두뇌였다. 이 척박한 환경에서 바르나인들이 살아갈 수 있는 것은 전부 뛰어난 머리 덕이며, 그것이 바로 주신이 준 은총이라고 생각했다.

과연 그가 해결책을 제시해줄 수 있을 것인가. 나는 소망을 품은 채 말했다.

"이 권능을 버리고 싶어서."

"권능…… 말씀이십니까?"

"응. 칼리프는 자기는 모른다고, 아마 너는 알 거라고 하던데."

천하의 앙투안도 내가 권능을 버리고자 찾아왔을 거라고는 미처 생각지 못한 듯 쉬이 말을 잇지 못했다. 그의 미간 사이에 주름이 졌다. 나는 기대를 품고 앙투안의 입술 움직임 하나하나에 집중했다. 하지만 한참 끝에 앙투안은 내 기대를 무참히 저버리듯 고개를 내저었다.

"저도 권능을 버리는 법은 모릅니다. 신군의 경우는 주신을 부정한다면 권능이 사라지는 것으로 알고 있습니다마는, 그들은 전부 주신의 광신도라서요. 그런 경우가 없지요. 그저 가설일 뿐입니다. 게다가 신의 자식인 카마와는 경우도 다르고요."

그랬다. 이 세계의 사람들은 신실한 주신의 종이었고, 아마이 세계에서 최고로 신에 대해 불신한 자를 꼽는다면 단언컨대 내가 제일 우위에 설 것이었다. 신성모독이란 모독은 전부 내 머릿속에서 이뤄지고 있을 텐데도 이 빌어먹을 권능이 여전히 남아 있는 걸 생각하면, 주신을 부정한다는 선택지는 그른 것이었다.

"주신께 부탁하는 수밖에 도리가 없습니다. 주신께서 내려주신 능력을 인간이 거둘 수 있을 리가 없지요."

"주신이 썩 들어줄 것 같진 않단 말이지……."

"그래도 그 수밖에 없습니다."

불안스레 이야기를 꺼낸 것과 달리 앙투안의 대답은 단호했다.

나는 느릿하게 고개를 내저었다. 탐탁지가 않았다. 괜히 주신과 이야기를 나눠보겠다고 하는 건 헛수고가 아닌가 하는 걱정도 들었다. 하지만 다른 방도가 없었다.

"그러면, 주신에게 간청하기 위해서는 어떻게 해야 해?"

"아그니의 제신대로 가시면 됩니다."

"퍽이나 자마드가 들어가기까지 순순히 봐주겠다. 걔는 필사적으로 저지하려고 할걸. 내 권능이 필요한 애니까. 다른 방법은 없어?"

나는 답답함에 가슴을 두드렸다. 칼리프는 능글능글했고 자마드는 모르는 척의 달인이었다면, 앙투안은 알면서 꼭 한 번씩 찔러보는 타입이었다. 아이고, 술탄 셋이 전부 성격파탄자다. 쯧쯧, 혀가 절로 차졌다. 그나마 「왜 권능을 버리려고 하는지」에 대해 묻지 않는 것은 좀 나았다. 같은 이야기 또 안 해도 되니까.

한참을 침묵한 앙투안이 조심스레 운을 떼었다.

"……딱 한 가지, 방법이 있긴 합니다만."

앙투안의 말에 솔깃한 나는 귀를 기울였다. 다른 방법이 있다니. 그걸 먼저 알려줬었어야지. 나는 앙투안을 재촉했다.

"뭔데?"

"주신께서 계시는 곳은 신계입니다. 저희가 신계에 갈 수 있는 방법은 딱 한 가지뿐이죠. 바로 죽는 것입니다."

"장난해?"

하마터면 순간 욕할 뻔했다. 나는 바락 눈을 부라렸다. 아주 남 일이라고 죽으란 소리도 가볍게 하고. 앙투안도 권능을 버리겠다는 내 말을 가볍게 생각한 게 틀림없다. 그러니 이런 식의 농이나 해대지.

정작 앙투안은 예쁜 표정으로 뭐가 문제인지 모르겠다는 듯 말똥말똥 나를 바라보고 있었다. 나는 민트차가 담겨 있던 찻잔을 던져버리고 싶은 충동을 애써 억눌렀다.

"나도, 죽으면, 진짜 뒈진다고."

나는 애써 웃으며 말했다. 억지웃음을 짓는 입꼬리가 바들 떨렸다. 앙투안은 알 수 없다는 듯 덧붙였다.

"하지만 카마로 다시 환생하시지 않습니까. 그때 권능을 없애달라 요청하면⋯⋯."

"그렇게 환생한 내가 지금의 나랑 같을까? 전생의 카마랑 지금의 내가 같은 사람이었으면 이 지랄 떨고 있지도 않았어."

"흐음⋯⋯."

내 말도 일리가 있다는 듯 그는 심각하게 고개를 끄덕였다. 뭐야. 전생의 기억이 있는데도 이렇게 어리벙벙한 반신이 어디 있어. 그리 생각하니 앙투안이 바르나 제일의 학자이니 뭐니 하던 것이 뜬소문은 아닐까 하는 의심이 들었다. 다들 술탄이라서 치켜세워준 거 아니야? 나는 가늘게 눈을 뜨고 앙투안을 살펴보았다.

하지만 앙투안은 자신의 말도 안 되는 판단이 틀렸다는 것에 대해 한 점 굽힘 없이 당당했다.

"저는 카마께서 다 알고 저주받은 자를 곁에 두는 줄 알았는데요."

"뭐?"

나는 멍하니 되물었다. 앙투안의 말이 청천벽력처럼 내 몸에 내리꽂혔다.

왜 여기서 모크샤가 나오는지 알 수 없었다. 전혀 감도 못 잡은 내 모습에 천연덕스레 나를 보던 앙투안의 얼굴이 이내 경악으로 물들었다. 그는 모크샤와 나를 번갈아 바라보며, 믿기지 않는다는 듯 되물었다.

"정말 아무것도 모르십니까?"

"그니까, 도대체 뭘?"

나는 짜증스레 되물었다. 저 혼자만 아는 이야기를 제대로 알려주지도 않고 정말 모르냐 되묻기만 하니 속이 답답했다. 하지만 앙투안은 당황한 듯 쉬이 말을 잇지 못했다.

모크샤의 낯도 딱딱하게 굳었다. 지금껏 비끼듯 시선을 피하고 있던 그가 처음으로 고개를 들어 앙투안을 바라보았다. 붉은 눈동자가 불안하게 흔들리는 것이, 모크샤도 갑자기 제 이름이 나오니 당황했을 것이다. 나는 앙투안에게 대답을 재촉했다. 앙투안은 고개를 내저었다.

"하긴, 많이들 알고 있는 이야기는 아니지요. 불길하기도 하고요. 조금 긴 이야기가 될 것 같습니다만⋯⋯."

"상관없어. 궁금하니까 지금 바로 말해줘."

"⋯⋯이 이야기는 카마 혼자만이 아시는 게 나을 것 같습니다."

앙투안과 혼자 남는 것이 조금 불안했지만, 궁금한 것이 더 컸다. 나는 내 대답을 기다리는 가우란과 모크샤에게 손을 내저었다.

순간 모크샤의 얼굴에 영문을 알 수 없는 그림자가 드리워졌다. 무언가를 몹시 우려하는 듯한 기색이었다. 왜? 하지만 내가 미처 묻기도 전에 자리에서 일어선 모크샤는 방을 나서고 있었다.

방 안에는 앙투안과 나, 단둘만이 남았다. 넷이 있었을 때도 넉넉했던 공간은 단둘이 있으니 황량하기 짝이 없었다.

"무슨 이야기길래 가우란이고 모크샤고 다 내보낸 거야?"

"사실 숨겨야 하는 건 아닙니다만, 카마께서 밝히고 싶지 않아 하실 수도 있어서요. 어찌 보면 카마의 전생에 관한 속사정이니까 말입니다. 신군과 저주받은 자라. 사실을 알게 되면 자칫 칼부림이 날 수도 있는 상황이구요."

"⋯⋯."

칼부림이라는 말에 나는 침을 꿀꺽 삼켰다. 안 그래도 최근 들어 그럴 뻔한 전적이 있던지라 앙투안의 말이 가볍게 들리지 않았다.

앙투안의 얼굴이 진중해졌다. 웃음기가 사라진 그의 모습은 마치 하얀 도자기 인형 같았다. 덩달아 나도 입을 꾹 다물고 그의 말을 경청했다.

왠지 전공 교수님 같은 분위기가 풀풀 풍기는 것이, 열심히 들어야만 할 것 같은 강요가 느껴졌다.

"저는 카마께서 어떤 과정을 통해 환생하셨는지 알지는 못합니다. 왜 돌아가신 뒤 한참 뒤에야 다시 이곳을 찾아주셨는지, 왜 기억이 없으신지도요. 제가 아는 건 신계가 아닌 이 세계 내에서 일어난 일들일 뿐입니다."

나는 고개를 끄덕였다. 대충 그에 대해서는 이 세계로 처음 넘어오던 순간, 주신에게 들었던 기억이 있었다. 인간에게 죽은 나의 카르마를 끊기 위해서라고 했다. 그래서 나는 다른 세상의 육체를 갖고 다시 이곳에 오게 되었다고. 하지만 이에 관해 설명하려면 이전의 나의 세계에 대해 말을 해야 하고, 그러다 보면 이야기가 한도 끝도 없이 길어질 것만 같았던지라 나는 그저 침묵했다.

"카마께서 태어나신 이래의 모든 행적은 문서상으로 기록되어 있고, 그 문서를 보관하는 곳이 바로 저희, 바르나였습니다. 제가 이야기하고자 하는 내용 또한 문서로 남아 있는 것들이지요. 물론 무척 깊숙한 곳에 엄밀히 보관되어 아무나 읽을 수 있는 문서는 아닙니다만……. 아마 제가 알고 있는 내용 이상으로 카마에 대해 자세히 알고 있는 자는 없을 것입니다."

"알았어."

"우선, 이전의 카마에 대해서 말씀드리겠습니다. 카마께서는

성욕의 신으로, 여자와 남자, 미혼자와 기혼자를 가리지 않고
탐할 수 있는 절대적인 권능을 지니고 있습니다. 원하시는 모
든 이들을 침대로 끌고 갈 수 있고, 그들이 카마를 사랑하도록
만드실 수 있으셨지요. 지금의 카마께서 권능을 꺼리시는 것과
달리, 과거의 카마께서는 그 권능을 자유롭게 휘두르고 다니셨
습니다. 바르나와 인드라, 아그니, 그 모든 곳에 카마의 하렘이
있었다고 합니다."

나는 고개를 끄덕였다.

여기까지는 다 알고 있는 내용이었다.

"기록상 과거의 카마께서는 쭉 사랑에 실패한 적이 없으셨습
니다. 실패할 수 있을 리가 없지요. 손을 대면 몸을, 입맞춤하
기만 하면 마음까지 모조리 가질 수 있는 분이시니까요. 상대
에게는 마음을 내어주지 않은 채, 상대의 마음만을 거두어 가
는 엄숙한 집행자였지요."

이 또한 마찬가지였다.

"잠시 다른 이야기로 넘어가 보겠습니다. 고(古) 파르바티에
한 대장군이 있었습니다. 이 대륙에서 가장 강한 사내였지요.
혼자서 커다란 바다뱀을 죽일 정도로 용맹한 영웅이었습니다.
하지만 그가 유명한 것은 지고지순한 사랑 때문이었습니다."

새로 듣는 이야기에 내 귀가 쫑긋거렸다. 대장군이 왜 나왔
는지 추론하기 위해 나는 머리를 굴렸다.

"그에게는 사랑하는 아내와 자식이 있었습니다. 장군이 아내를 얼마나 사랑하는가 하면 술탄과 명사들이 뛰어나고 용맹한 장군이었던 그에게 자신의 딸을 선물하고자 하였는데, 그걸 모두 거절할 정도였습니다. 그의 하렘에는 사랑하는 아내 혼자뿐이었지요."

그래. 보통 저게 정상이지. 나는 얼굴을 알지도 못하는 대장군에게 급격한 호감이 들었다.

"그 소문을 들은 카마는 궁금해하셨습니다. 대장군이나 되는 자가 하렘에 여자 하나를 둔다는 건 지금도 이해가 안 가는 일이니까요. 얼마나 그 여자를 사랑하는지 호기심도 들으셨을 테고, 그래 보았자 자신의 권능이면 굴복할 사랑이라 가볍게 생각하신 걸 수도 있습니다. 카마는 그 대장군을 꾀기 위해 파르바티로 향했습니다. 그러고는 아름답게 꾸미고 대장군의 집에 찾아갔습니다. 대장군은 카마가 탐탁지 않았지만, 반신인 그녀를 홀대할 수는 없었지요. 그래서 카마를 집에 들였습니다."

입이 떡 벌어졌다. 전대 카마가 어지간히 난 년은 난 년이라고 생각했지만, 남의 사랑을 방해할 정도로 후안무치한 이인 줄은 몰랐다.

언척이 없었던 니는 몸을 채 시탕하지 못하고 뒤의 등받이에 등을 기댔다.

"카마는 대장군을 유혹하려 하였습니다. 하지만 대장군은 거절하였죠. 그에 모욕감을 느낀 카마는 자신의 권능을 써서라도 대장군을 굴복시키고 싶었습니다. 카마는 대장군의 팔뚝을 꽉 움켜쥐었지요."

점입가경이었다. 나는 이마에 손을 짚고 끙, 신음을 흘렸다. 지금껏 나랑 같은 이름을 쓰고 있던 전생의 나라는 놈이 저런 짓을 하고 다녔으리라고는 생각도 못 했기 때문이었다.

"하지만 카마의 권능이라 하여도 가벼운 접촉 정도라면 자제력이 강한 이들은 참아낼 수 있습니다. 절대적인 건 아니라는 거죠. 물론 성적인 의미의 접촉은 저항이 불가능하지만……. 좌우지간 무예가 깊은 장군은 카마의 유혹을 뿌리쳤습니다. 게다가 그는 그대로 손을 들어 카마의 뺨을 내리치고는 자신은 이런 시험에 들고 싶지 않으니, 얼른 내 집에서 나가라 외쳤습니다. 카마는 어안이 벙벙한 채 장군의 집에서 빠져나왔죠. 하지만 그날 온종일 카마는 장군 생각을 했습니다. 그렇습니다. 카마께서는 대장군에게 사랑에 빠진 것이었습니다."

돌겠다. 듣는 내가 다 부끄러웠다.

나는 고개를 채 들지 못했다.

"그것은 카마께서 처음으로 느끼신 사랑이었습니다. 지금껏 사랑을 받아오기만 했을 뿐인 카마께서는 평범한 사랑을 몰랐습니다. 권능으로 지금껏 사랑을 취해왔는데, 대장군에게는 권능이 통하지 않았으니까요. 카마께서는 어찌해야 장군의 사랑을 받을 수 있을지 한참을 고민했습니다. 결국 카마는 대장군에게 청혼하기까지 했습니다. 반신인 카마께서, 하렘과는 상관없는 삶을 살아왔던 카마께서 스스로 한 사내의 하렘으로 들어서겠다 말한 것이었습니다. 카마로서는 무척이나 큰 결심이었지요."

카마의 행동은 하나도 이해가 가지 않았지만 단 하나만큼은 공감할 수 있었다. 저 좋다는 사람이 그렇게 많은데도 불구하고 굳이 저 싫다는 사람에게 사랑에 빠졌다는, 그 하나만큼은. 권능을 휘두른다고 생각했던 전대의 카마도, 결국 권능에 휘둘렸던 것일 뿐이었다. 그리 생각하니 동질감이 치밀었다. 입맛이 썼던 나는 쯧, 혀를 찼다.

"하지만 대장군은 거절했습니다. 그는 사랑하는 아내가 아닌 다른 여자는 필요 없다 말했습니다. 카마께서는 하룻밤조차도 허락받지 못했습니다. 당연한 일이었습니다. 카마와의 접촉은 자제력으로 극복할 수 있지만, 교합은 차원이 다른 일이었으니까요. 교합의 쾌락에 못 이겨 카마에게 입맞춤이라도 하게 되면 대장군으로서는 그보다 더 끔찍한 일은 없을 것입니다. 그렇기에 대장군은 카마의 모든 것을 거절했지요. 카마께서는 절망에 몸부림쳤지만, 그 절망에서 빠져나오는 방법을 알지 못했습니다. 오죽하면, 이렇게 괴로울 거라면 차라리 대장군의 손에 죽고 싶다 바랄 정도였습니다."

　주먹을 쥔 손에 땀이 찼다. 서서히 퍼즐이 맞춰져 가고 있었다. 계속해서 꿈에 찾아오는 남자. 주신이 툭 내뱉은 말. 아직도 비밀은 많고, 퍼즐의 군데군데는 비어 있었다. 하지만 스멀스멀 피어올라 오는 이야기 속의 음울함이 완성된 퍼즐의 풍경을 짐작하게 하였다.

　꿈에 찾아오는 남자. 나는 그의 손에 죽었다. 그는 과연 누구였을까. 대장군? 그도 아니면 다른 사내?

　"그러나 대장군은 그마저도 들어주지 않았지요. 그렇습니다. 어느 누가 주신이 사랑하는 유일한 자식을 죽이고 싶겠습니까. 주신이 분노하리라는 건 당연한 예상입니다. 주신의 분노를 받고 싶지 않았던 대장군은 단호하게 거절했습니다."

　대장군이 거절했다는 말에 나는 안도의 한숨을 뱉었다. 대장군이 꿈속의 그 남자가 아닐 수도 있었다. 하지만 카마는 분명 죽는 그 순간 웃고 있었다. 마치 기다리고 기다리던, 바라지 마지않던 보상을 받은 모습이었다. 나는 본능적으로, 카마를 죽인 것이 대장군이라는 걸 깨달았다. 어떻게 카마가 그의 손에 죽을 수 있었던 건지는 짐작도 가지 않았지만.

　내가 속을 끓이든 말든, 앙투안은 계속해서 말을 이었다. 그는 나에게 지금껏 숨겨져 있던 진실을 전부 전해야만 하는 의지가 있는 사람 같았다.

"그러나 카마께서는 포기하지 않았습니다. 대장군이 그 무엇 하나 들어주지 않으니 오히려 단단히 독기가 들으셨죠. 카마께서는 이번 생의 대장군의 마음은 포기하고, 후대에서의 그의 사랑을 받기를 바랐습니다. 그러기 위해서라도 대장군의 손에 죽어야만 했지요. 그래야만 카르마가 얽히게 되고, 후생에서 만날 수 있으니까요."

"……대장군이 죽여주지 않으려고 했다며."

칼을 휘두를 생각이 없는 자의 칼을 휘두르게 하려면 어떻게 해야 할까. 내 눈길이 불안하게 앙투안을 스쳤다. 앙투안은 고개를 끄덕였다. 내가 뭘 묻고 싶은지 다 알고 있는 사람처럼.

"그렇습니다. 그렇기에 카마는 대장군이 자신을 죽일 수밖에 없는 상황을 만들었습니다."

"설마."

나는 힘겹게 입을 열었다.

입 안이 바싹바싹 말랐다. 침으로 입을 축였지만 목은 계속 탈 뿐이었다. 아니겠지. 아닐 거야. 나는 내 바로 뒤까지 바싹 쫓아온 진실의 끔찍함에 덜미를 잡히지 않기 위해 노력하며 고개를 내저었다.

대장군은 나를 죽이며 피눈물을 흘리고 있었고, 그것에서 느껴지는 것은 절절한 원한이있다. 그렇게 될 만한 이유. 그것은……

"네. 대장군의 아내와 자식을 죽였죠. 궁에서 일을 마치고 돌아온 대장군이 하렘에 들어섰을 때 눈을 곱게 감고 있는 아내와 자식의 머리통이 그를 반겼습니다."

나는 카마를 동정했던 모든 생각을 취소했다. 하, 대박이다 정말. 나는 떡 벌린 입을 감히 다물 수가 없었다. 전생의 내가 다소 자유분방한 것은 알고 있었지만, 그렇게까지 사랑에 미친 또라이인 줄은 꿈에도 몰랐다. 자마드 보고 미쳤느니 사이코니 할 때가 아니었다. 적어도 자마드는 아이를 죽인 적은 없었다. 적어도 내가 알고 있는 한은. 하여간 저런 이가 내 전생이라니. 소름이 오싹 돋았다.

"대장군에게 죽기 위해서였던 만큼, 카마는 자신의 자취를 속이지 않았습니다. 파르바티에는 여명의 절벽이라는 곳이 있었는데, 그곳에서 대장군을 기다리고 있겠다 대장군에게 서찰을 남겼습니다. 심지어 그 서찰을 쓴 데 이용된 것은 아내와 자식의 피였습니다. 분노에 치밀어 모든 것을 놓아버린 대장군은 칼을 움켜쥐고 그곳으로 향했습니다."

─왜 죽인 거냐. 도대체 왜!

꿈속에서의 대장군의 목소리가 선명하게 머리를 울렸다. 마치 들어본 적이 있는 것처럼 생생했다. 눈을 감기가 무섭게, 나는 꿈을 되짚을 수 있었다. 그의 벌겋게 충혈 된 눈동자에서 주룩주룩 피가 흘렀다.

손을 뻗으면 마치 그 눈물을 닦아줄 수 있을 것처럼, 그 피눈물의 색과 점성까지 눈앞에 온전하게 떠올랐다.

—모두 너 때문이다. 너만 없었어도……!

사내가 검을 뽑았다. 그의 이어지는 말은 언제나 돌풍에 휩싸여 잘 들리지 못했다. 하지만 난 지금 이 순간, 그가 무어라 말하려고 했는지 깨달을 수 있었다.

—내 인생은 행복했어!

"대장군은 자신을 기다리고 있던 카마를 단숨에 베어내었죠. 사랑하는 이들이 죽었다는 고통에 피눈물을 줄줄 흘렸습니다. 카마는 대장군의 검이 몸을 베어내는 그 순간에도 웃고 계셨다고 합니다."

그랬다. 꿈속에서의 나는 남자에게 죽어가면서도 그에게 손을 뻗어 그의 사랑을, 그의 증오를, 그의 분노를, 그의 모든 것을 갈구했다. 그가 주는 것이었다면 죽음마저도 감미로웠으리라. 그러기 위해 죽였고, 그러기 위해 죽는 것이니.

"카마께서 목숨을 잃으신 뒤, 하늘에서 번개가 내리쳤습니다. 주신의 분노를 느끼고 찾아온 신군들이었습니다. 신군들은 그 압도적인 무력과 주신의 명이라면 그저 따를 뿐인 우직함으로 파르바티를 멸망시켰지요. 대장군은 순순히 신군의 손에 목을 내어주었다고 합니다. 살아갈 이유가 없었으니까요. 멸망한 파르바티는 현재 인드라에 종속되어 있습니다. 갑작스러운 유랑민들로 인해, 인드라에서는 많은 곤욕을 치렀죠. 결국 「용병왕국」이라는 형태로 발전하긴 했습니다만."

나는 칼리프가 왜 부득불 나에게 신군을 붙이려 했는지 깨달았다.

—카마께서는, 자신이 죽게 되면 이 나라가 어찌 되는지 아시지 못하니 그러시는 겁니다.

내 죽음이 주신의 분노를 샀기에 파르바티가 멸망당했다. 혹여나 내가 또 죽었다가는 이번에는 어떤 왕국이 그 죄를 뒤집어쓸지 모르고, 혹여 그 죄에서 벗어난다 하더라도 주변의 다른 왕국 또한 멸망당한 왕국의 여파를 크게 입을 게 분명했다. 나는 얼굴을 몇 번이나 손으로 쓸어내렸다. 땀이 식어 차가웠다. 그것은 마치 내 척추에 드리운 칼날처럼 나를 위협했다.

욕지기가 치밀어 올랐다. 나는 오만 욕들을 삼키고 누르기를 반복한 끝에 간신히 그나마 멀쩡한 말을 내뱉을 수 있었다.

"전생의 나는 지독히도 이기적이었군. 개새끼였네."

"이기적이라는 것은 자신의 이익을 꾀하는 것으로, 반신이신 카마께는 해당 사항이 없는 말입니다. 카마께서는 인간 위에 서시는 것이 존재의의요, 인간의 사랑을 받는 것이 당연하신 분이시니까요. 도리어 카마를 사랑하지 않은 그 남자가 이기적이라 할 수 있습니다."

앙투안의 말에 나는 어처구니가 없었다.

사랑받는 게 당연하다니, 그러니 전생의 카마가 그렇게 미친 년이 된 거 아냐. 자기를 사랑하지 않는 존재 자체를 못 받아들여서 그 지랄을 떤 게 아니냐고. 어지간해서는 욕설을 안 하려고 했는데, 이건 도대체 안 할 수가 없었다.

그래. 하여간 카마가 그렇게 해서 죽은 건 알겠다. 이제 미스터리 하나가 풀린 것이다. 하지만 또 다른 미스터리가 남아 있었다. 「카마의 죽음」에 대한 이야기가 흘러나오게 된 이유. 근본적인 원인. 그것은 바로…….

「알면서 모르는 척하지 마.」

그것은 내 목소리였지만 무척이나 낯설게 들렸다. 깔깔깔, 소름 돋는 웃음소리가 내 귀청을 먹먹하게 만들었다. 카마다. 카마가 나를 비웃고 있었다.

손이 와들와들 떨렸다.

설마. 설마. 설마. 왠지 모를 불안감이 나를 뒤흔들었다. 진실을 모두 다 알게 되면 예전으로 돌아갈 수 없을지도 몰라. 팔에 소름이 오싹 돋았다. 귀를 손으로 틀어막고 싶었다. 아니, 앙투안의 입을 막아야만 했다. 그가 말을 하지 못하게. 그래서 잔인한 진실을 깨우쳐주지 않도록.

하지만 앙투안은 잔인할 정도로 냉정했다. 기록된 서적과도 같은 그 남자는, 알고 싶지 않은 진실일지라도 내 눈앞에 들이밀었다.

"저주받은 자들은 전부 그 대장군의 환생입니다. 카마와 엮인 업이 끊이지 않고 이어지는 것이지요. 계속해서 주신의 분노를 받으며, 불우한 인생을 쳇바퀴처럼 빙글빙글 돌리고 있습니다. 그들이 붉은 눈인 것은 일종의 낙인입니다."

모크샤가, 대장군의 환생이라고?

아까보다도 더한 충격이 머리를 강타했다. 이대로 한 번만 더 충격적인 소리를 들었다가는 뇌졸중으로 쓰러질 지경이었다. 숨이 목 끝까지 찼다. 나는 숨을 몰아쉬었다. 목소리는 꺽꺽대듯 잘 나오지가 않았으며, 눈앞이 어질어질했다. 나는 힘겹게 입을 열었다.

"그런…… 소리, 들은 적 없어. 아그니의 왕실박사도, 칼리프도……."

"그들이 알려주지 않은 것일 뿐입니다. 제가 처음에 말했다시피, 불길한 이야기니까요. 저주받은 자는 다들 언급하는 것조차 꺼려합니다. 처음에는 그들을 대장군의 이름을 따서 불렀는데, 그마저도 불길한 이름이라 하여 저주받은 자라 불리게 되었지요. 대장군의 이름은 고대 문헌 속에서도 잊히고 지워진 지 오래입니다."

앙투안은 내가 현실을 부정할 여유조차 주지 않았다. 나는 하, 낮은 웃음을 뱉었다. 주신은 분명 업을 끊게 하기 위해 나를 이전 세상에 보냈다고 했었다.

그러니까, 전부 내가 자초했던 일이란 말이지. 내 죽음도, 모크샤의 운명도.

심지어 그 전생에서조차 나는 모크샤를, 아니 대장군을 사랑했다는 사실에 기가 찼다. 이게 인과라는 건지 뭔지, 돌아버릴 것 같았다. 이번만큼은 정말로 주신의 멱살이라도 잡고 물어보고 싶은 심정이었다. 도대체 뭘 하려고 이따위 저주와 권능을 만들어내서 또다시 모크샤와 나를 엮이게 하였는지.

혹시 주신이 꾸며둔 농간이 아닐까? 귀엽고 유일한 자식인 카마의 소원을 들어주기 위해 모크샤와 내가 다시 사랑에 빠질 만한 상황을 만들어둔 것일 수도 있었다. 그렇게 생각하니 정말로 새장 속의 새요, 철창 안의 원숭이였다. 나는 그저 주신에게 사육당하고 있는 존재일지도 몰랐다. 실제로 나는 모크샤를 사랑하게 됐고, 모크샤는 나에게 사랑은 아니어도 호감을 품고 있으니까.

그 사실만으로도 나는 그를 기만하는 것이나 다름없었다. 그 걸 깨달은 순간 소름이 돋았다.

지금의 모크샤는 전생의 내가 한 짓을 모를 것이다. 알고 있다면 이리 평범하게 날 대할 리 없다.

그 사실을 알게 된 모크샤는 어떤 반응을 보일까? 나를 증오하고 미워하기리도 하면 어쩌지? 다른 무엇보다도 나는 그게 제일 두려웠다.

그를 사랑한다면서도, 모크샤의 운명이 불합리하다는 것보다도 그와 나 사이의 관계 같은 얄팍한 것에 매달리다니. 어쩌면 나는 모크샤를 사랑하는 게 아니라 모크샤의 상황을 사랑하는 것이 아닐까. 나는 그 사실이 무척 우스웠다. 너무 우스워서 눈물이 주룩주룩 날 정도였다.

내가 울 동안 앙투안은 가만히 침묵하고 있었다. 내가 당황하든 혼란스러워하든 개의치 않고 줄줄줄 다 읊어대던 이답지 않았다. 내가 울어서 입을 다문 건지, 할 이야기를 다 끝내서 입을 다문 것인지. 하여간 나는 앙투안의 조용한 고요 아래 한참을 울었다. 아주 눈물에 먹먹한 이 기분을 담아 흘리려는 듯이 열심히도 울었다. 그렇게 주룩주룩 울던 나는 어느 정도 진정이 되자 눈물을 손등으로 훔쳤다. 옷소매가 눈물 자국으로 물들었다. 나는 픽, 웃으며 앙투안에게 농을 걸었다.

"이제야 입을 다물었네."

"제가 한번 이야기를 꺼내면 마칠 때까지 분위기 파악을 잘 하지 못하는 편입니다. 카마께서 심기가 불편하셨다면……."

앙투안은 쩔쩔매었다. 술탄이나 되는 이의 곤혹스러운 모습에 나는 고개를 내저었다. 그는 잘못이 없었다. 되레 그 덕에 내가 도피하고자 하였던 진실에 직면할 수 있게 되었으니, 나로서는 감사하는 것이 옳았다. 나는 코를 훌쩍이며 코맹맹이 소리로 말했다.

"아니야. 알려줘서 고마워."

"천만의 말씀이십니다, 카마시여. 아주 비밀로 내려오는 이야기는 아니니만큼, 알고 있는 자들도 꽤 있을 것입니다. 제가 아니었어도 카마께서는 결국 알게 되셨을 일이긴 합니다."

나는 고개를 끄덕였다. 칼리프는 잘 모르겠지만, 자마드가 알고 있으리라는 건 분명했다. 그게 아니었다면 굳이 일부러 나에게 전령을 보내어 도발하지 않았겠지. 자마드의 입에서 듣는 것보다는 차라리 앙투안이 나았다. 자마드가 나의 전생과 모크샤와의 관계가 나에게 정신적인 타격을 준다는 것을 눈치챘다면, 그는 필히 그 사실을 칼처럼 휘둘러 나를 후벼 파고 난도질하리라. 그렇게 만신창이가 된 나를 끌어안고서야 카마를 취했음에 흡족해하겠지. 차라리 만난 지 하루도 되지 않은 앙투안이 더 믿을 만했다.

나는 차근차근, 내가 들은 상황을 정리해보았다.

"그러니까, 모크샤가 전생에 나를 죽였고, 그런 모크샤를 죽인 것은 신군이지만, 결국 모크샤가 죽게 된 건 나 때문이었다는 거네."

"……그러합니다."

앙투안이 고개를 끄덕였다. 아무리 생각해도 기가 찼다. 나는 하, 헛웃음을 지었다.

정말 거지같이도 꼬인 관계였다.

단 셋이서 여행을 하는데 이런 우연이 있을 거라고 그 누가 생각했을까.

신군인 가우란과 모크샤가 자주 대립하는 것도 어쩌면 전생의 여파일지도 모른다. 전생의 모크샤를 죽인 이가 가우란이라는 보장은 없지만, 유난히 가우란이 저주받은 자인 모크샤에게 날을 세우는 걸 보면 마냥 상관없는 일은 아닐 터였다.

어쩌면 가우란도 알고 있었을지도 모른다. 앙투안처럼 자세히는 아닐지라도, 주신이 신군에게 명을 내려 한 왕국을 멸망시켰을 정도면, 신군들 사이에서 저주받은 자에 대해 대충이나마 이야기가 전해 내려왔을 게 분명했다.

전생이니 뭐니, 애초에 이 세계로 넘어올 때부터 질색이었다. 나는 운명론자도 아니라고. 그런데 이렇게 뒤통수를 쳐? 그깟 전생이 뭐라고. 특히나 현재의 나는 전생의 카마와는 닮은 구석이 쥐뿔도 없었다. 그런 만큼 나는 그놈의 전생 나부랭이가 지금의 내 인생을 잡아 흔드는 게 끔찍했다.

모크샤에 대한 미안함과 죄의식이 나를 사로잡았다. 허울 좋게 사랑 타령이나 하며 모크샤를 내 곁에 잡아두고 싶어서 안달할 때가 아니었다. 모크샤의 어린 동생을 죽인 것, 그의 어머니를 미치게 한 것, 그의 아버지에게 배신당하게 한 것, 그의 인생을 말아먹은 것 모두가 전생의 카마의 미친 짓에 휘둘린 피해 아닌가.

나는 조용히 읊조렸다.

"이 세계에 왔을 때부터 전생의 내가 죽는 날의 꿈을 꿔."

내가 꿈을 인지한 건 이 세계에 도착한 둘째 날부터였지만, 실제로 그 꿈을 꾸기 시작한 첫 시작은 아마도 이 세계에 도착함과 동시일 것이다.

꿈속이지만 고통은 생생했고, 상황은 끔찍했다. 처음에야 잠결에 묻혀 기억 속으로 사그라들었다지만, 반복되는 꿈은 뇌리에 새겨진 것처럼 잊히지가 않았다.

"분명 주신은 나와 그의 인연을, 카르마를 끊었다 했거든. 그런데도 꿈을 꾸고, 결국 모크샤와 만나게 되었다는 건 아직 업이 남아 있기 때문인 걸까?"

그 꿈은 죽음의 고통에 익숙해질 정도로 지독하게 반복되었다. 나는 내가 왜 그 꿈을 꾸는지, 그 꿈을 꿨던 날부터 계속해서 궁금해했다. 그 꿈이 나타내는 걸 알게 되었음에도, 왜 내가 그 꿈을 꾸는지는 의문으로 남았다.

혹시, 지금의 나에게 잊지 말라 전하는 전생의 내가 남긴 각인이 아닐까. 그리 생각하니 끔찍함이 배가 되었다. 전생의 내가 과연 무슨 의도로 「그」를 기억하도록 한 것일지는 굳이 누군가의 입을 빌려 듣지 않아도 뻔했다. 환생하더라도 그 남자는 내 남자니 기어 잘하고 있어라, 뭐 그런 뜻이겠지. 생각하니 소름이 끼칠 정도였다.

"……그건 이상하군요. 주신께서 하신 일에 허점이 있을 리가 없는데요."

앙투안은 정말로 당황한 얼굴이었다. 앙투안은 고개를 내젓더니 골똘히 생각에 몰두했다. 하지만 그의 입은 몇 번 달싹일 뿐, 명확한 답을 내어주지 않았다.

속에 불이 끓었고, 가슴은 연기가 답답하게 메운 지 오래였다. 오갈 데 없는 막막함에 지친 나는 거칠게 혀를 차며 몸을 뒤로 젖혔다. 쿠션이 있는 등받이가 몸을 받쳐주었고, 치켜들린 고개는 자연스레 천장을 바라보게 되었다. 천장에 빼곡히 메운 화려한 무늬가 내 눈을 어지럽혔다. 나는 손등으로 눈을 가렸다.

"아…… 돌겠네."

할 말을 잃은 나는 멍하니 그러고만 있었다. 바닥이 전부 무너져 내린 기분이었다.

무엇보다도 당장 이 이후에 모크샤를 볼 염치가 없었다. 그렇다 해서 모크샤를 피할 수도 없는 것이, 전적이 있기 때문이었다.

내가 모크샤를 사랑한다는 사실을 자각한, 모크샤와 손이 닿는 것도 부끄러웠던 그날. 모크샤에게 그날만 따로 자자 조심스레 제안했지만, 그 사실에 모크샤는 제대로 상처받은 모습이었다.

왜 모크샤가 상처받는지 이유는 몰랐지만, 그때의 일이 손끝에 박힌 가시처럼 내 마음을 찔렀다.

내 마음이 편하자고 모크샤를 상처 줄 수는 없었다. 물론 그렇다 해서 모크샤에게 이런 전말을 알려줄 수도 없었다. 차마 그럴 용기가 솟지 않았다.

겁쟁이라 비난해도 어쩔 수가 없었다.

오도 가도 못하게 된 나는 망연자실이 넋을 놓고 있을 뿐이었다. 도대체 어디서부터 손을 대야 할지 막막했다. 그의 잃어버린 인생을 돌이킬 수도 없거니와 어떻게 배상할 수 있을지 방법조차 몰랐다.

확실한 건, 과거의 내가 싸질러 둔 똥을 치워야 하는 건 바로 지금의 나라는 것이었다. 게다가 그건 묵과할 수조차 없는 원죄(原罪)였다.

나는 억지로 입꼬리를 잡아 올려 웃었다. 입술 끝에서 버석거리는 소리가 났다. 얼굴에 씌운 가면이 부서져 내리는 소리였다. 나는 마음을 다잡기 위해 주먹을 꾹 말아 쥐었다. 손바닥 사이에 땀이 들어찼다.

"모크샤에게 걸린 저주, 풀기 위해서는 역시 주신을 만나보는 수밖에 없겠지?"

"그렇습니다."

앙투안은 안타까이 고개를 끄덕였다.

그는 나에게 섣불리 말을 먼저 걸지 않은 채 고분고분히 대답하며 내 심기를 살폈다. 그만큼 내 얼굴 안색이 심각한 모양이었다.

나는 한숨을 내쉬었다. 이대로 영혼의 무게가 가벼워진다면 좋겠다. 이왕지사 내 죄의 무게도 덜어낼 겸. 하지만 그건 그저 미신일 뿐이었다.

나는 짝짝, 손바닥으로 내 뺨을 내리쳤다. 내가 뭘 하는 짓인가 싶었는지 앙투안이 눈을 둥그렇게 뜨고 날 바라보았다.

흐리멍덩했던 내 눈은 뺨이 부풀어 오른 고통만큼 생기를 되찾고 번뜩였다. 이렇게 하염없이 시간을 보낼 때가 아니었다. 게으름을 부릴 게 따로 있지. 내 권능을 버리기 위해서 모크샤가 두 팔 걷어붙이고 나서준 만큼, 나 또한 그리해주는 것이 마땅했다. 물론 모크샤가 그렇게 적극적으로 나선 것에는 계약이라는 조건이 있었지만, 정말 우리의 관계를 계약만으로 단정 짓기에는 알 수 없는 자존심이 고개를 치켜들었다.

하여간 내 권능을 버리는 건 둘째치고서라도, 모크샤에게 걸린 저주를 풀기 위해서라도 나는 아그니로 향해야만 했다.

지금 이 시점에서 내 권능은 그리 큰 문제가 아니게 되었다. 까짓 성욕 따위. 무엇보다 전생의 내가 모크샤에게 한 짓을 어떻게 해서라도 복구시켜놔야만 했다.

기필코 주신을 만나리라.

그리고 모크샤에게 해둔 얼토당토않은 짓을 당장 철회하라 주장할 것이다. 부탁이 아니었다. 카마가 그따위 소망을 품었는데도 들어주었다면, 내 이런 소원 정도는 당연히 들어줘야 하는 게 아닌가. 나는 그리 다짐하며 이를 갈았다.

❧ ❧ ❧

나는 비척비척한 걸음으로 술탄의 접견실을 나섰다. 술탄의 접견실 밖 복도에서 한참 떨어진 곳에서 기다리고 있던 모크샤와 가우란이 날 보기가 무섭게 득달같이 다가왔다. 나는 고개를 숙이고 그들이 내 얼굴을 보기 전에 서둘러 표정을 정돈하려 노력했다.

한달음에 달려온 모크샤가 내 팔뚝을 낚아챘다. 숙였던 고개가 강하게 당기는 힘에 치켜들렸다. 모크샤의 붉은 눈이 내 얼굴 이곳저곳을 살폈다. 미처 지우지 못한 여파가 남아 있었는지, 모크샤의 미간 사이에 주름이 깊게 팼다. 마치 자식이 놀이터에 나갔다가 맞고 돌아온 것 같은 반응이었다.

그는 거친 음성으로 캐묻듯 물었다.

"술탄이 뭐래?"

"별말 없었어. 그냥, 이 권능 버리려면 아그니로 가는 수밖에 없다고."

나는 최대한 가벼운 어조로 말하기 위해 노력했다. 어깨를 으쓱이며 픽 웃어 넘어가려 했지만, 나와 폼으로 반년 이상 같이 지낸 것이 아닌지 모크샤의 눈이 의심으로 가늘어졌다.

"그거 말고."

"그거 말고 뭐?"

나는 모르는 척 되물었다. 목소리가 흔들림 없었다. 좋아. 완벽했어. 나는 홀로 만족스레 고개를 주억거렸다.

하지만 그건 나만의 착각이었던 모양이다. 모크샤는 순순히 물러나지 않았다.

"나랑 너랑, 뭐 문제 있는 거 같던데."

"별거 아니야."

"정말 별거 아니야? 별거 아닌데 술탄이 너만 남게 해?"

모크샤는 술탄을 언급하면서도 목소리를 낮출 생각을 하지 않았다. 언성이 높아지니 주변의 시선이 날카롭게 모크샤에게 내리꽂혔다. 술탄 궁에서 감히 목소리를 높이는 이가 누군가 확인하려는 듯 그들은 고개만을 돌려 모크샤를 빤히 바라보았는데, 그게 무척 괴기한 느낌을 주었다.

하지만 모크샤는 전혀 아랑곳하지 않은 채 눈을 부릅뜨고 내 대답을 재촉할 뿐이었다.

"카마께 무례하다."

보다 못한 가우란이 끼어들지 않았더라면, 모크샤는 내 답을 들을 때까지 계속해서 캐물었을 것이었다. 그 순간은 정말 가우란에게 고마웠다. 나는 가우란이 잠시 흐름을 끊어놓은 틈을 타 상황을 무마하려 했다.

"일단 우리, 방으로 가자. 오늘 너무 많은 일을 했어. 앉아서 좀 쉬자고."

방금 접견실에서만 해도 앉아 있다 나왔지만, 정말 피곤하긴 했다. 정신이 피로하니 몸조차 제대로 가눌 수가 없었다. 모크샤는 못마땅한 표정을 지었지만 말을 덧붙이지는 않았다. 그가 보기에도 정말 내가 피곤해 보인 듯, 되레 손을 뻗어 부축하듯 내 팔을 잡아주었다. 팔을 잡아오는 모크샤의 손의 온기가 내 죄책감을 부채질했다. 달구어진 쇳덩이처럼 내 심장에 내리찍힌 죄의 낙인은 지워지지 않고 흉처럼 남아 자신의 존재를 계속해서 주장했다.

가우란이 손짓하자 시종이 다가왔다. 우리는 시종의 안내를 받아 손님방으로 향했다. 손님방은 접견실보다 두 층 아래였다. 이 미나레트의 꼭대기에는 무엇이 있는지, 하렘은 어디 있는지 궁금하기도 했다.

하지만 그 궁금증을 채울 만한 정신적 여유가 없었다. 나는 조용히 그들의 뒤를 따랐다.

밤이 되었는지, 사막의 찬바람을 막기 위해 창문은 꼭꼭 닫혀 있었고 그 위를 두꺼운 천이 가리고 있었다. 계단을 따라 나선형을 그리며 층층이 내려가는 촛불 빛에 사람들의 그림자가 길게 드리워졌다.

방 앞에서 가우란은 혹시나 무슨 일이 생긴다면 저를 꼭 불러야만 한다며 신신당부를 했다. 그가 무엇을 염두에 두고 하는 말인지 잘 알았던지라, 나는 힘없이 알았다 작게 고개를 끄덕였다.

방은 무척이나 따듯했다. 심신이 지친 나는 느릿하게 침대로 향했다. 세수고 뭐고 그냥 드러눕고 이불로 귀를 틀어막아 잠으로 도피하고 싶었다. 그마저도 꿈 때문에 여의치 않겠지만.

하지만 모크샤는 쉬이 물러설 생각이 없는 모양이었다. 사람들이 썰물처럼 빠져나가기가 무섭게 모크샤가 나에게 따라붙으며 물었다.

"너 무슨 이야기를 들은 거야."

"……정말 아무것도 아니야."

"넌, 정말!"

모크샤의 얼굴이 일그러졌다.

그의 얼굴에 배신감이 차올랐다.

"그렇게 나를 못 믿겠어? 너 진짜 무슨 얘기 들은 거야. 이상한 얘기 들은 거 맞지?"

"아니라니까."

"근데 도대체 왜 말을 못 해!"

모크샤가 분통을 터트렸다. 그가 답답한 만큼 나도 속이 쓰렸다. 하지만 어쩔 수 없는 일이었다. 정말로 사실을 밝혔다가는 이 아슬아슬한 줄타기 같은 관계마저 끊어질 테니까. 지금 이 순간마저도 모크샤를 놓지 못하는 나는 이기적이다. 그가 진실을 알게 되면 지금보다도 더한 배신감이 그를 상처 입힐 것이다.

나는 그저 미소로 얼버무리는 수밖에 없었다.

"이제 잘될 거야. 나만 믿어, 모크샤."

나는 손을 뻗어 모크샤의 뺨을 감싸 쥐었다. 잔뜩 흥분한 그가 손을 쳐낼 거로 생각했지만, 생각과는 달리 그는 씨근덕거리기만 할 뿐 가만히 내 손에 뺨을 기대고 있었다. 손끝에 느껴지는 거칠거칠한 그의 뺨이 안쓰러웠다. 그의 뺨에 입 맞추고 싶은 충동이 들었지만, 나는 애써 참아 눌렀다.

나에게는 그럴 자격이 없었으니까.

내 잘못이 아니라고 외치고 싶었다. 솔직히 나 자신이 죄책감을 느끼는 이유도 이해가 가지 않았다. 나랑은 상관없는 일이라고. 전생의 잘못까지 전부 짊어지고 살아가는 사람이 얼마나 되겠는가.

하지만 고통받은 모크샤의 과거를 뻔히 알고 있으면서도 모르는 척 눈을 감기는 막상 쉽지 않은 일이었다.

모크샤의 저주를 풀어주자. 그러고 나서 그에게 사죄하자. 모크샤가 바라는 걸 전부 들어주자. 금은보화를 원한다면 그리 해주고, 술탄 궁 같은 성을 지어달라 하면 그렇게 해주자. 과연 그것으로 보상이 될까 싶지만. 이쯤 되니 카마가 아닌 내 인생이 얼마나 의미 있겠느냐는 생각도 들었다. 그가 원하는 대로 해주기 위해서라면 카마로서 자마드의 하렘에 가둬지는 것도 괜찮을 것 같았다.

"너, 이상한 생각 하지 마. 알았어?"

그때, 모크샤가 얼굴에 닿아 있던 내 손을 움켜쥐었다. 내 생각이 얼굴에 잠시 드러난 모양이었다. 득달같이 눈을 빛내는 모크샤의 얼굴에 불안함이 기울었다. 그는 초조함을 감추지 못하고 잘근 입술을 깨물었다.

모크샤는 손을 뻗어 내 목 뒤를 감싸 쥐었다. 그의 한 손아귀에 내 목 뒷덜미가 완전히 감싸였다. 그대로 똑 분지르면 분질러질 것만 같았다. 영문을 알 수 없었던 나는 대답을 미룬 채 애매하게 웃었다.

그 순간 모크샤의 붉은 눈동자에 무언가가 확 치솟았다. 나는 계속해서 내가 회피하는 것 때문에 그가 화가 났다고 생각했다. 곧이라도 방을 뛰쳐나갈 것처럼, 그의 기세는 심상치가 않았다.

내 목을 쥐고 있던 모크샤가 갑자기 손에 힘을 주며 끌어당겼다. 갑자기 모크샤의 얼굴이 다가왔다. 눈앞에서 선명히 빛을 발하는 모크샤의 붉은 눈동자에 나는 깜짝 놀라 눈을 휘둥그레 떴다. 지금 상황을 제대로 인지하지 못한 내 머리는 그저 멍할 뿐이었다.

하지만 머리보다도 먼저 입술이 그의 존재를 느꼈다. 닿아오는 거칠한 입술에서는 피 맛이 났다. 아까 잘근잘근 깨물더니 상처가 난 모양이었다. 쓰라릴 텐데도 모크샤는 아랑곳하지 않았다. 그는 사막에서 천신만고 끝에 오아시스를 발견한 사람처럼 간절하게 파고들었다. 그 절실함에 나는 차마 모크샤를 밀어내지 못했다. 아니, 사실 밀어내고 싶지도 않았다.

그 순간만큼은 권능이니 전생이니 아무런 생각도 하고 싶지 않았다. 나는 힘겹게 손을 뻗어 그의 널찍한 등을 끌어안았다. 키 차이가 있다 보니 발꿈치를 들어도 내가 거의 매달릴 정도였다. 모크샤의 손이 나를 끌어안았다.

내 첫 키스는 불과 같은 사랑도 아니었고, 두근거리는 설렘도 아니었다. 키스하지 않으면 지금 이순간 죽을 것 같은 절박함뿐이었다.

혀에 얽히는 미련이 가득 고여 뚝뚝 떨어졌다.

왜 모크샤가 나에게 키스했는지는 모르겠다. 어쩌면 그로서는 어설프게 나를 위로하려고 하는 걸 수도 있었다.

내가 아는 모크샤는 절대 자신의 화를 이런 식으로 푸는 사람이 아니었으니까. 그는 자신의 분노는 참을 수 있는 만큼 참아내는 이였다. 아무도 그의 슬픔에, 고통에, 분노에 귀 기울여 주지 않았으니까. 그래서 더 안타까웠다.

이렇게 입을 맞춰서 모크샤가 나에게 사랑에 빠질 수 있다면 얼마나 좋을까. 그가 저주받은 자가 아니었다면. 내가 카마가 아니었다면. 애초에 우리가 평범했었더라면…….

나는 과연 이 키스를 몇 번이나 더 받을 수 있을까.

감히 지금의 입맞춤이 몇 번이고 지속될 거라는 착각을 하지 않도록 노력하며. 훗날 진실을 알게 된 모크샤가 입맞춤을 기꺼이 받은 지금의 나를 비난하여도 감내할 수 있도록 노력하며.

나는 처음이자 마지막일지도 모르는 입맞춤을 겸허히 받아들였다. 입맞춤은 내 상황처럼 비릿했고, 내 운명처럼 벅찼다.

가슴속에서 활활 치솟은 열기는 차가운 진실의 바람에 식은 지 오래였다. 하지만 모크샤와 나는 서로의 숨결을 나눠 가져야지만 살아날 수 있는 사람처럼, 뜨겁고 격정적인 입맞춤이 끝나고도 한참을 입을 맞대고 있었다.

모크샤와 내 가슴이 오르락내리락하고, 시선이 마주쳤다. 모크샤의 붉은 눈동자는 제단 위의 불꽃 같았고, 하늘을 잠식하는 노을 같았다. 무엇 하나 내가 손에 움켜쥘 수 없는 것들이었다. 그저 불꽃에 그슬리고, 노을에 비칠 뿐.

모크샤는 나를 움켜쥘 듯 한참을 바라보았다. 그러더니 돌연 떨어져 나갔다. 그의 입술이 닿아 있던 자리가, 항시 같이 있었던 것이 사라진 것처럼 허전했다. 나는 나도 모르는 사이 손으로 입술을 만지작거렸다.

"……피곤하다며. 잠이나 자자."

모크샤는 그리 말하며 내 팔을 잡아끌었다. 자자는 뜻이 말 그대로의 의미일 뿐이라는 듯, 묘한 거리감이 느껴졌다. 입을 맞추고 있었을 때는 한 몸처럼 가깝게 여겨졌던 모크샤가, 지금은 생전 처음 보는 사람처럼 느껴졌다.

모크샤는 나를 침대에 누였다. 그러고는 이불을 목 끝까지 덮어주고는 어서 자라는 듯 이불 위로 나를 다독였다. 아까의 열정적인 키스가 마치 없던 일 같았다. 어쩌면 나 혼자만의 망상이 아니었을까 착각할 정도로 모크샤의 태도는 평상시와 다를 게 없었다. 애라도 재우려는 듯, 토닥이는 모크샤의 손놀림은 규칙적이고 일정했다.

하지만 홧홧한 입술이, 쿵쾅대는 심장의 고동이 망상이 아니라 외치고 있었다. 왜 모크샤가 나에게 키스했을까. 왜 모크샤는 키스했으면서도 없었던 일처럼 굴까. 그 사실을 물을 용기가 나에게는 없었다. 그에게 무슨 말이 들을지 두려웠다.

나는 눈꺼풀을 내리감았다. 어둠 속에서 번쩍이는 파란 번개가 점멸하듯 서서히 사라졌다. 파란 번개는 내 죄책감 같았다.

눈을 감으면 불현듯 떠올랐다가, 이내 사그라지듯 자취를 감추는 것이. 하지만 그것에서 벗어날 방법은 존재하지 않았다.

확실한 것은, 모크샤는 더는 나에게 앙투안과 나누었던 대화에 관해 묻지 않으리라는 것이었다. 입맞춤과 함께 그 일을 묻어두겠다는 모크샤의 무언의 뜻에 나는 내심 안도했다.

그날도 나는 꿈을 꾸었다.

나를 죽이기 위해 칼을 쥐고 있는 대장군은, 모크샤의 얼굴을 하고 있었다.

꿍뺑♥뺑꿍

다음 날, 해가 밝았다. 나는 눈물이 범벅된 얼굴로 잠에서 깨어났다. 평소보다 이른 기상이었다.

모크샤는 아직 잠들어 있었다. 내 몸 위에 떡하니 걸쳐진 모크샤의 팔이 무거웠다. 나는 모크샤의 팔을 치워내고 자리에서 일어섰다. 놋그릇에 담긴 세숫물로 진득이 눌어붙은 눈물 자국을 닦아내었다.

흘러넘친 고통과 슬픔의 흔적은 사라지고, 남은 것은 비죽이 웃는 비틀린 내 얼굴뿐이었다.

나는 짐을 뒤져 지도를 찾아냈다. 레누카가 줬던 가죽 지도였다. 한동안은 모크샤가 대신 지도를 보느라 꺼내지 않았었지만, 이렇게 보니 감회가 새로웠다. 아그니, 인드라, 바르나. 나는 세 나라를 빤히 살피며 내가 이동한 경로를 되짚어보았다. 미래를 정하기 위해선 과거에 대한 점검이 필수였다. 그렇게 바닥에 주저앉아 지도를 내려다보고 있을 때, 등 뒤에서 모크샤의 목소리가 들렸다.

"일찍 일어났네."

"숨이 막혀서. 뭔 놈의 이불을 그렇게 꽁꽁 싸매 놓은 거야?"

나는 그를 돌아보지 않고 대답했다. 모크샤와의 대화는 평소와 다를 게 없었다. 나도, 모크샤도. 둘 다 어제의 일에 대해 거론하지 않기로 암묵적인 합의가 된 상태였다. 모크샤가 침대에서 일어나 내게로 다가왔다. 그는 침대 옆 함 안에 있는 빗을 꺼내 들더니, 허리춤까지 길게 늘어진 내 머리카락을 천천히 빗겨주기 시작했다. 나는 지도를 보고, 모크샤는 내 머리를 빗기고. 조용한 시간이 진행되었다.

"좋아."

시간이 얼마나 지났을까, 나는 지도를 고이 접고는 손을 뻗어 종을 울렸다.

오래지 않아 시종이 방에 들어섰다.

나는 시종에게 말했다.

"앙투안을 만나봐야겠어. 최대한 빨리."

"식사 먼저 하지. 아침부터 술탄과 함께 식사했다간 이번에는 정말 단단히 체하게 생겼어."

대답을 한 쪽은 모크샤였다. 시종은 모크샤의 불손한 태도에 당황한 듯 뭐라 표현하기 힘든 표정을 지었다. 하지만 모크샤의 말은 사실이었다. 그뿐만 아니라 나도 그랬다. 두 끼 연속으로 앙투안과 함께하는, 예의와 격식으로 점철된 식사 시간은 너무 가혹했다.

"일단 아침 식사 준비부터 해줘. 그리고 술탄에게 시간을 좀 비우라 말해."

"알겠습니다."

시종이 총총 물러섰다. 그러고 나서 거의 바로 식사가 준비되었다. 가우란은 알아서 잘 먹고 있겠지. 나는 그리 생각하며 배를 든든히 채워두었다. 오늘, 할 이야기가 아주 많을 예정이었다.

밥을 다 먹고 나니 차가 대접되었다. 어제의 민트차였다. 여기서는 라씨나 짜이보다도 민트차를 많이 마시는 모양이었다. 민트차가 준비되고 있을 때, 가우란이 들어섰다. 별일 없었느냐 묻는 그에게 별일 없었다 답했다. 언제부터였을까, 별일 없다는 말이 계속해서 거짓말로 쓰이는 기분이 들었다.

곧 앙투안에게서 찾아뵙겠다는 연락이 왔다. 나는 고개를 내저었다.

"내가 간다고 전해."

시종은 고개를 끄덕였다. 나는 바로 자리에서 일어섰다. 모크샤와 가우란이 내 뒤를 따랐다. 술탄은 집무실에 있었다. 아침부터 산처럼 쌓인 문서들을 읽고 있었다. 내가 들이닥친 것에 놀란 듯 그는 당혹스러운 표정을 지었다.

"번거롭게 어이하여 여기까지 발걸음 하셨습니까? 제가 찾아뵐 텐데요."

"여기는 안전해?"

나는 사방이 책장으로 꽉 막힌 앙투안의 집무실을 둘러보며 물었다. 귀를 툭툭 손가락으로 가리키는 내 행동에 앙투안의 표정이 굳었다. 그는 무겁게 고개를 끄덕이며 우리에게 자리를 안내했다.

"이곳은 시종들도 쉬이 들어서지 못하는 곳입니다. 간자의 간사한 귀가 닿지 못할 것입니다."

"자마드가 너무 나를 좋아해서 말이야, 은근히 여기저기 다 귀를 달아놓은 거 같더라고."

나는 어깨를 으쓱였다.

특히나 이제부터 할 이야기는 아그니에 어떻게 잠입할지에 관한 내용인 만큼 철저한 보안이 필요했다.

"하여간, 아그니로 가려고. 주신을 만나기 위해선 그 수밖에 없는 모양이니까."

"그리 정하셨습니까?"

"응."

나는 고개를 끄덕였다. 가우란이 심각한 표정으로 말을 거들었다.

"제가 카마의 곁에 있는 걸 아그니의 술탄도 알고 있는 만큼, 섣불리 군사를 보내거나 하지는 않을 것입니다. 도리어 더 융숭하게 대접하려 할 수도 있지요."

섣불리 군사를 보내지 않으리란 가우란의 말도 일리는 있었다. 하지만 자마드가 우리를 융숭하게 대접할 이유는 짐작이 가지 않았다. 나는 고개를 갸웃거리며 물었다.

"융숭하게 대접해서 뭐 하려고?"

"저희가 방심한 틈을 타 카마를 붙들어 놓기 위한 약점을 잡으려 할 수도 있는 일입니다."

그리 말하는 가우란의 시선이 모크샤에게 닿았다. 모크샤가 문맥을 읽지 못할 리 없다. 모크샤는 치솟는 화를 애써 억누르며, 낮은 목소리로 되물었다.

"내가 붙잡힐지도 모른다 말씀하시는 겁니까? 신군께서는?"

"그럴 수도 있다는 거지."

가우란은 진심으로 그렇게 생각하는 표정이었다. 신군의 입장에서 보았을 때, 모크샤 정도의 실력이 퍽이나 우습게 보이는 모양이었다. 모크샤의 자존심에 상처가 나는 것이 보였다. 하지만 모크샤도 그냥 있지는 않았다. 그는 빈정거림을 숨기지 않고 그대로 제 분노를 되돌려주었다.

"신군께서 일부러 넘기지만 않으면 그럴 일 없으니 걱정 마시죠."

"내가 지금 카마께 누가 될 짓을 저지를 것이라 생각하는가!"

가우란이 분개하며 벌떡 자리에서 일어났다. 모욕을 참을 수 없다는 듯, 그의 황금안이 밝게 타올랐다.

당장에라도 칼부림이 일어날 것처럼 흉흉한 분위기였다. 날이 갈수록 둘의 사이가 악화일로로 치달아 가는 게 눈에 훤히 보였다. 둘 다 여기가 술탄의 집무실이라는 사실을 완전히 까맣게 잊은 모양이었다. 그게 아니라면 바로 앞에 카마인 나도, 그리고 술탄인 앙투안도 있는데 이렇게 소리 높여 다툴 리가 없었다. 앙투안은 그렇게까지 불쾌한 표정은 아니었다. 신군과 저주받은 자가 앙숙인 것은 당연하다는 반응이었다.

"그만, 그만."

나는 둘을 제지했다. 내 말이 떨어지기가 무섭게 둘은 입을 다물었지만, 서로를 노려보는 시선은 여전히 곱지 않았다. 나는 한숨을 쉬었다. 마치 맞붙은 투견을 떨어트리는 것처럼 힘이 들었다.

평소였다면 당연히 모크샤의 편을 들어줬을 것이다. 모크샤는 실력 있는 용병이니 예니체리들을 상대하는 것 정도는 손쉬운 일이라고. 하지만 이번 일만큼은 예외였다. 상대는 자마드였으니까. 나는 심각하게 중얼거렸다.

"가우란의 말이 맞아. 충분히 고려할 가치는 있어. 자마드는 이미 전적이 있거든."

"전적이요?"

가우란과 앙투안이 궁금한 듯 묻는 것과 달리, 모크샤는 딱딱한 표정으로 나를 볼 뿐이었다.

나와 제일 오래 있었던 만큼, 내가 자마드에게 품고 있는 적대감이 이만저만한 것이 아니라는 것을 알고 있었다. 나는 어깨를 으쓱이며 가볍게 말했다.

그렇게라도 말하지 않는다면, 더할 나위 없이 무겁게 가라앉아 아무 말도 할 수 없을 테니까.

"나한테 무술을 알려준 예니체리를 죽였어. 시종이던 수마드인은 내 앞에서 배를 갈랐지. 아그니에는 내가 친분을 가진 사람이 아직 남아 있어. 굳이 모크샤가 아니더라도, 자마드가 그들을 인질로 삼을 수도 있는 일이야."

웃으며 날 반기지만, 자마드는 내가 그의 입 안에 들어갔다는 걸 확인하기가 무섭게 그대로 나를 꿀꺽 집어삼킬 것이다. 나는 이미 자마드에게 뒤통수를 충분히 맞았다. 그래놓고도 그를 믿는 쪽이 더 신기할 정도였다.

모크샤의 저주를 해금하기 위해 내가 위험을 무릅쓴다는 걸 자마드가 알게 되면 그는 순순히 모크샤를 놓아주지 않으리라. 그럴 만큼 호락호락한 사람이 아니었다. 그가 락시타의 죽음을 말하던 그 순간은 아직도 눈에 선했다.

자마드의 행적에 앙투안과 가우란이 경악했다. 이 세계 사람의 기준으로 보아도 이상한 일이 분명했다. 나만 특이한 게 아니었어. 나는 내심 안도했다.

침묵하던 가우란이 무겁게 입을 열었다.

"그들을 미리 빼돌리는 건."

"그게 잘될지 의문이야. 한 사람은 왕실박사고, 다른 한 사람은 자마드의 카딘이거든."

나는 어깨를 으쓱였다. 크하트와 레누카, 둘 다 자마드의 측근이라 할 수 있을 만큼 가까운 거리에 있는 이들이었다. 그들에게 접근하는 것도 문제거니와, 그들이 자마드 대신 나를 택하리라는 보장도 없었다.

레누카는 나를 좋아한다고 했다. 단지 그 이유만으로 내 탈출을 도왔다. 내가 빠져나가고 난 뒤의 그녀가 어떻게 되었는지에 대해 들은 바는 없다. 인드라에서 칼리프에게 슬쩍 물어보기는 했지만, 하렘 안의 일은 정치적 기밀만큼이나 은밀하여 알 방도가 없다는 대답만을 들었다.

어쩌면 그녀는 죽지 않았을지도 모른다. 하지만 그녀는 아그니 사람이었다. 그녀의 뿌리가 되는 혈족은 자마드의 손아귀 안에 있다. 그런 만큼, 그녀가 몇 번이고 위험을 불사하고 나를 도우려 할지는 장담할 수 없는 일이었다.

"술탄의 카딘과는 어째서, 아니, 그것보다 아그니의 술탄은 왜 그렇게까지 카마께 집착하는 겁니까?"

가우란의 물음에 나는 쉬이 답할 수 없었다. 말해야 하나 말아야 하나. 입술이 움찔거렸다. 지금 이 시점에서 자마드의 치부를 가려줄 생각을 하는 것 자체가 우스웠다.

하지만 내 고민이 무색하게, 지금껏 가만히 듣고 있던 앙투안이 입을 열었다.

"아그니의 술탄에게는 권능이 주어지지 않았기 때문이네."

"그 무슨."

"……그에게는 술탄으로서의 혈통이 부족해. 술탄에게 전해 내려오는 능력이. 그렇기 때문에 나를 손에 넣으려고 하는 거야."

나는 부연하듯 덧붙였다.

앙투안은 정확히 진실을 꿰뚫고 있었다. 어떻게 알았는지는 모르지만, 괜히 가슴이 꽉 막힌 듯 답답했다. 나는 침중히 혀를 차며 물었다.

"알고 있었어?"

"당연하지요. 지난번 주신제 전까지는 확신치 못했으나 주신제 때 아그니 술탄이 보인 반응을 보니 확실하더군요."

앙투안은 1과 1을 더하면 2가 나온다는 것만큼이나 자명하다는 듯 답했다. 그전까지 제대로 이뤄지지 못한 주신제. 도대체 어느 나라의 준비가 부족한 것인지 세 나라는 한참 기 싸움을 하였다.

내가 나타나기 전까지 자마드는 자신이 정당성을 강하게 주장했고, 도리어 다른 나라의 예식 절차에 문제가 있기에 주신께서 목소리를 들려주지 않으시는 것이 아니냐 토로했다. 그 주장이 얼마나 강경하고 청산유수였으면 앙투안을 비롯한

다른 나라, 그리고 아그니 사람들 모두가 지금껏 누구의 자격이 부족했기에 주신제가 실패로 끝나게 되었던 것인지 파악하지 못했다.

물론 아그니 내에서는 술탄의 혈통에 관해 의심의 목소리가 하나둘 은밀히 터져 나오고 있었다. 하지만 술탄의 신성성에 대놓고 의문을 제기할 만큼 간덩이가 큰 자는 없었다. 자마드는 칼을 뽑아야 하는 일에서는 망설임이 없는 군주였으니까. 그는 용병의 나라, 인드라의 술탄 칼리프보다도 더 호전적인 사내였다.

내가 등장한 뒤에도 마찬가지였다. 주신제는 성황리에 끝났지만 그것은 어디까지나 카마인 내 덕이며, 주신께서 사랑하는 자식인 카마를 보아 부족한 주신제의 허물을 못 본 척 넘어가 주었을 뿐이라 주장했다. 철두철미하게 그는 자신의 부족함을 숨겼다.

하지만 주신제가 끝나고 술탄들과의 대면, 찰나와 순간의 그 짧은 시간. 지금껏 뻔뻔스레 눈을 번뜩였던 자마드였지만, 그도 사람인지라 불안함을 마냥 숨길 수는 없었다. 나에 대한 유난한 집착. 고작이었지만 그것만으로도 충분했다. 마치 모든 문제의 실마리를 발견한 것처럼, 앙투안은 그때 모든 것을 눈치챌 수 있게 되었다 말했다.

가우란은 경악스레 눈을 흡떴다.

주신의 충실한 종복인 그는 자마드의 행동을 믿을 수가 없으리라. 가우란이 나직이 중얼거렸다.

"감히 자격 없는 자가 제대에 서서 뻔뻔스레 주신을 기만하다니……!"

이를 악문 가우란의 눈길에 불이 치솟았다. 그에게 자마드는 더는 주신을 모시는 술탄이 아닌, 불신자에 불과했다. 가우란은 적대감을 숨기지 않은 채 으르렁대었다.

"그렇다면 쉬이 물러서지 않겠군요."

정당성이 없는 위정자가 정당성을 확보하기 위해서라면 무엇이든지 한다. 자마드는 이미 모든 걸 가진 사내였고, 그가 가진 권위에 위협이 되는 것들을 막아낼 방패이자 키가 바로 나였다. 그가 물러설 리가 없었다.

"나로서는 적당히 협력하는 것도 나쁘지 않았지만, 그는 내 전부를 원하더라고. 그건 안 되지."

나는 중얼거렸다. 하지만 정말 끝의 끝으로 몰리게 되면 어찌 될지 모르는 일이었다. 세상일이라는 게 어떻게 풀릴지 모르는 일이니까. 다만 확실한 것은, 내 인생은 절대 순탄치 않으리라는 것이었다. 이 세계의 신이라는 자가 내 아비라는 게 우스울 정도로. 마치 내 인생을 꼬아놓는 게 바로 주신, 그 자체인 것 같았다.

모크샤만큼은 저 저주받은 인생에서 해금시켜주고 싶었다.

설령 내 전부를 주어야만 한다면 그리해서라도. 예전에는 어찌 되었든 내 권능을 버리고자 했겠지만, 이제는 우선순위에서 밀려나 버린 일일 뿐이었다.

"신군 하나로는 아그니의 예니체리를 상대하지 못하나? 무력으로라도 제압해야 할 것 같은데."

"정도에 따라 다른 일이기는 합니다. 만약 그들을 제압하라 하신다면 어려우나, 그들을 몰살하라 하면 가능합니다."

"그래?"

나는 끙, 신음을 흘렸다. 가우란의 낙뢰가 아그니 술탄 궁에 내리꽂히는 모습이 머릿속에 자연스레 떠올랐다. 뒤잇는 것은 무참히 파괴된 아그니 술탄 궁이었다. 그건 필요 이상의 죽음이었다. 그렇게까지 사람을 죽이고 싶지는 않았던 나는 고개를 내저었다. 핵탄두는 대량살상용이지 암살용이나 제압용이 아니었다. 쓸모를 잘못 배치했다.

하지만 아무리 머리를 굴려도 제대 앞까지 무탈하게 갈 방법이 떠오르지 않았다. 제대까지 가기 위해서는 술탄의 궁 깊숙이 들어서야만 했고, 제대는 언제나 예니체리들이 지키고 있었다. 상대와 접촉할 수 있는 내 권능의 핸디캡까지 생각하면, 상당히 까다롭고 버거운 일이었다.

그때 앙투안이 넌지시 입을 열었다.

"두어 달 있으면 다음 주신제입니다."

"벌써 그렇게 되었나."

나는 여상히 중얼거렸다. 갑자기 웬 주신제인지 모르겠지만, 감회가 새롭긴 했다. 아그니 술탄 궁을 뛰쳐나왔을 때가 엊그제 같은데, 언제 이렇게 시간이 지났는지 세월이 참 빨랐다. 나는 흘끔 모크샤를 보았다.

모크샤는 구석에서 묵묵히 이야기를 듣고 있었다. 순간 그와 눈이 마주쳤다. 나는 피식 웃었다. 처음 만났을 땐 이렇게 될 거라곤 꿈에도 생각 못 했는데. 사람 일이라는 게 정말 어떻게 될지 알 수 없는 법이었다.

앙투안은 빙긋이 웃었다. 무언가 계책이 있는 듯한, 꿍꿍이 어린 미소였다.

"카마가 계시지 않아 술탄이 주신의 목소리를 듣지 못한다 하더라도 주신제는 열려야만 하지요. 주신제를 소홀히 넘어갔다가는 큰일이니 말입니다."

가우란도 긍정하듯 고개를 끄덕였다. 주신제는 이들에게 있어 1년을 좌우하는 심판의 날이나 다름없었다. 주신의 답을 들을 수 있든 없든, 그들은 언제나 성심을 다해야만 했다. 그러지 않았다가는 그들의 소홀함에 분노한 주신이 어떤 벌을 내릴지 모르는 일이니까.

앙투안이 무슨 이야기를 하려는 건지 미처 감을 잡지 못한 나는, 가만히 이야기에 마저 귀 기울였다.

"그때, 사절단의 신물에 몰래 숨어 잠입하십시오. 다른 건 몰라도 신물은 검사하지 않습니다. 신물이니까요. 감히 누가 신물을 의심한단 말입니까? 그리한다면 별다른 일 없이 무사히 아그니의 제단에 들어서실 수 있으실 겁니다."

"일리가 있는 말입니다."

듣고 있던 가우란이 고개를 끄덕였다. 가우란이라면 신물의 신성성이 훼손되는 일이니 꺼릴 거로 생각했는데, 그는 되레 고개를 내저으며 앙투안의 말을 거들었다.

"본디라면 신물은 신성시 취급되어야 하나, 카마께 도움이 되느니만큼 주신께서도 눈감아주실 것입니다."

"그렇다면……."

어지간해서는 신성성이 훼손되는 것을 피하려고 하는 가우란이 저리 말할 정도라면, 충분히 가능성 있는 계획이라는 것이었다. 신물이라면 인드라의 신주(神酒)와 바르나의 경문, 그 둘을 이야기한다. 앙투안은 곰곰이 신주와 경문을 따져보며 말했다.

"제 생각으로는 인드라의 술탄에게 부탁하는 게 좋을 것 같습니다. 저희의 신물보다는 그쪽의 신물인 신주의 술동이가 훨씬 숨기 편할 테니까요."

"제 생각도 마찬가지입니다. 저희가 바르나로 온 것은 이미 아그니 술탄에게 들킨 뒤입니다. 인드라의 짐에서 허를 찌르는 것도 나쁘지 않을 것입니다. 게다가 인드라의 신주를 호위하는 것은 신군이니만큼, 아그니 술탄도 강경하게 나서지는 못할 것입니다."

이상하게 오늘따라 가우란과 앙투안의 손발이 착착 맞았다. 확실히 둘의 주장 말고 다른 좋은 방법이 떠오르지는 않았다. 이미 바르나에 도착한 것을 자마드에게 들킨 뒤였다. 바르나의 신물에 숨어 가는 것은 확실히 「나 여기 있소.」 하는 꼴밖에 되지 않으리라. 내가 만약 몰래 인드라로 가서 신주에 잠입한다면, 적당히 자마드의 시야를 가릴 수 있겠지.

하지만 자마드가 그렇게 호락호락 쉽게 넘어가 줄까? 나에게 있어 자마드는 언제나 머리 꼭대기에 있는 듯한 존재였다. 마치 부처님이 손바닥 위에 뛰노는 손오공을 굽어살피듯이, 지금까지 자마드는 내가 머리 굴리는 것을 전부 꿰고 있었다.

그렇게 나에 대해 파악하고 있으면서 정말 내가 바라는 것이 무엇인지, 바라지 않는 것이 무엇인지 아무것도 모르는 것이 더 소름 끼쳤다. 나는 불안감을 감추지 못한 채 떨리는 목소리로 물었다.

"그걸 미리 짐작하고 있으면?"

"짐작해도 별수 없습니다. 저희는 각자의 나라에서 맡은 신물에 대해 끝없는 자존심을 지니고 있습니다. 그걸 의심한다는 것은 전쟁을 하자는 것과 동일합니다. 아그니의 술탄이 주신의 목소리를 듣지 못했을 때에도 세 나라 모두가 상대의 신물에 대한 정성을 의심하고 헐뜯었지만, 실질적으로 다른 나라의 신물에 간섭하며 확인하는 일은 없었습니다. 그건 일종의 금기이니까요."

그렇기에 아그니 술탄의 혈통이 의심되어도 다른 나라에서 직접 확인할 수는 없었으며, 자마드 또한 감히 신물을 확인하려는 일은 없을 것이라며 앙투안은 덧붙였다.

"아마 술탄 궁 내까지는 그렇게 수월히 이동할 수 있을 것입니다. 술탄 궁에서 제대가 있는 제실로 이동하는 과정이 문제지요."

"신주는 어디에 보관되지?"

"신주는 제실에서 그리 멀지 않은, 서늘한 신주 보관실에 보관됩니다. 신군들이 직접 신주를 지키고 있지요."

"그러면 신군들의 도움을 받을 수도 있겠군."

가우란은 고개를 끄덕였다. 신군이 엄호한다면 그리 무서울 것도 없었다. 신주 보관실에서 제실까지는 그리 멀지도 않으니, 나는 아마 수월하게 제실에 입성할 수 있을 것이다. 그 뒤 제대에 오르기만 한다면, 그렇게 주신을 만나기만 한다면.

생각보다 일은 그리 어려워 보이지 않았다. 모크샤의 저주를 풀 수 있다는 바람이, 내 권능을 버릴 수 있다는 희망이 곧이라도 손에 닿을 듯 가까워 보였다.

나는 깍지 낀 손으로 얼굴을 쓸어내렸다. 희망적이어야 하는데도, 이상하게 찜찜한 마음이 가슴 한쪽에 도사리고 있었다. 내가 내 발로 박차고 나온 곳이다. 그곳에 다시 발을 내딛는다는 것 자체에서 오는 거부감이 나를 막아서는 것일 뿐이다. 나는 그리 생각했다.

∂∂♥∂∂

그 뒤로 나는 며칠 동안 미나레트에 머물렀다. 가우란과 앙투안, 모크샤와 머리를 맞대고 계획을 좀 더 구체화했다. 그리고 남는 시간 동안은 앙투안에게 이 세계와 주신에 대해 더 자세한 설명을 들었다.

크하트에게 들었던 이야기도 앙투안에게 들으니 새롭게 느껴졌다. 아무래도 크하트가 나에게 의도적으로 정보를 통제한 점도 있으리라.

자마드는 내가 모든 것을 알기를 바라지 않았다. 그는 언제나 나에게 다 알려줄 것처럼 굴었지만, 결과적으로 놓고 보니 내가 아그니 술탄 성 외에 흥미를 느낄 만한 것들을 철저하게 배제했다.

자마드는 자신이 원하는 것만 나에게 알려주었다. 칼리프는 나에게 필요한 것만 알려주었다. 앙투안은 그 스스로가 알고 있는 모든 것을 알려주었다. 만약 궁금한 것이 있다면 인드라로 떠나기 전, 앙투안에게 모조리 물어봐야만 했다. 그런 질문 중에서는 일반인들에게 흘러 넘어가면 안 되는 것도 있었기에, 나는 앙투안과 따로 이야기하는 시간을 가졌다.

나는 앙투안에게서 내 전생이 저지른 업보에 대해 하나하나 들었다. 사내들과 여자들 사이에서의 난교는 신기할 것도 없었고, 한 나라의 하렘을 엉망진창으로 만들어놓기도 했으며, 한 귀족 가문 내에서는 아버지와 아들 사이에 카마를 두고 치정 살인이 벌어지기도 했었다는 이야기를 차례로 듣고 있는 내 얼굴이 핼쑥하게 질렸다.

앙투안은 내가 질색을 하든 말든 주절주절 이야기를 늘어놓았다. 그 뒤 그는 눈치가 없어 죄송하다며 몇 번이나 고개를 조아렸지만, 매번 그러는 것을 보아하니 그는 별로 자제할 생각이 없는 게 틀림없었다. 나로서도 차라리 앙투안이 이렇게 다 말해 주는 게 나았기에, 별로 개의치 않는다며 고개를 내저었다.

들으면 들을수록 마음이 묵직하게 내려앉았지만, 그래도 첫 날의 충격만 한 것은 없었다.

나는 꿈을 떠올리며 눈을 내리감았다. 그날 이후로, 꿈속의 남자는 완연한 모크샤의 얼굴이 되었다. 나는 그렇게 모크샤에게 몇 번이고 죽었다. 내가 모르는 남자보다, 내가 정을 주었던, 내가 사랑하는 모크샤의 손에 죽는 것은 더 견디기가 힘들었다.

내 뇌에 뭔가 이상이 있는 건지, 아니면 이미 사그라든 전생의 카마의 원념인지, 도대체 왜 이런 꿈을 꾸는 건지 알 수가 없었다. 내가 알고 있는 유일한 것은, 이 꿈은 쉽게 나를 놔주지 않으리라는 것이었다. 나는 쓰게 웃었다.

그렇게 나 홀로 상념에 빠져 있는 사이, 앙투안은 나에게 민트차를 대접하며 아쉬운 듯 덧붙였다.

"카마를 좀 더 오래 모시고 싶었습니다만, 시일이 시일인 만큼 여유가 없군요."

"하하, 다음에 만날 때는 내가 카마가 아니게 될지도 몰라."

나는 가볍게 답했다. 실제 내가 위험을 무릅쓰고 주신을 만나러 가는 이유는 모크샤의 저주를 풀기 위해서였지만, 일단 표면상으로는 내 권능을 없애는 것이 1순위였다. 카마는 성욕의 신에 붙은 이름이자 관념, 개념이었다. 그런 만큼 성욕의 권능을 잃은 나는 더는 카마라 불리지 못하게 되며, 심지어 반신의 위치조차 위태로울 수도 있었다. 물론 그런 것을 전부 감수하고 떠나는 여행길이었다.

"주신께서 카마를 사랑하시는 만큼, 좋은 결과가 있으실 것입니다."

"과연 그럴까?"

앙투안의 말에 나는 헛웃음을 지었다. 아무리 생각해도, 주신이 나를 사랑한다느니 편애한다느니 하는 이야기에 공감하기란 쉽지 않은 일이었다. 내가 알고 있는 주신은 자신이 하고 싶은 말만을 하는, 자식의 말은 귓등으로도 안 듣는 강압적이고 독재적인 아버지의 표상일 뿐이었다.

"가끔 주신이, 나를 정말 「자식」으로 사랑하는 건 아닌 것 같다는 기분이 들어."

나는 중얼거렸다. 나는 이미 부모가 자식을 어떻게 사랑하는지 알고 있었다. 평범한 부모의 사랑. 자식을 위해 마냥 희생하는 것은 아니지만, 자식이 바라는 인생에 대해 땅처럼 지지해주시던 분들이었다. 가끔은 의견이 맞지 않아 큰 소리로 싸우기도 하지만, 결국은 서로 맞춰 나아가는……. 주신은 예전, 지구에서의 내 부모보다도 못했다. 나는 어깨를 으쓱였다.

"내 자유와 의지를 인정해주지 않거든. 주신이 사랑하는 건 그저 「카마」의 존재뿐인 것 같아. 자신의 자식. 자신의 결과물. 어디까지나 주신 자신에게 속해 있는 부속물인 거지. 사람이 제 손과 다리를 사랑하고 당연시하는 것처럼."

앙투안은 입을 벙긋거렸지만 아무 말도 하지 못했다.

나를 위로하려 해도 주신을 비난할 수는 없을 테지. 예전이었다면 주신의 존재를 한없이 두려워하는 그들을 이해하지 못했을 테지만, 이 세계에 온 지도 이제 2년 가까이 되었다.

주신은 감정적이었고, 자신의 어린 양들에 대해 그다지 자비를 품는 존재는 아니었다. 주신이 생각만큼 고고하고 절대적이며 완벽한 신이 아니라는 걸 깨달은 이후로, 나는 앙투안과 다른 이들이 주신에게 갖는 본연적인 두려움과 경외감을 이해했다. 앙투안은 한참을 말을 고른 끝에야 간신히 말을 꺼냈다.

"주신께서는 몇억 년의 시간 중, 처음으로 인간 여자에게 마음을 빼앗기셨지요. 그 결과가 바로 카마인 만큼, 아무리 주신이라 하실지라도 당황스러울 것입니다."

당황스럽다는 표현은 주신에게 쓰기엔 무척이나 이질감이 들었지만, 그만큼 그의 심정을 완화하여 잘 표현해낼 수 있는 다른 말이 떠오르지는 않았다. 과연 앙투안. 나는 쓰게 웃었다.

주신은 자신의 사랑에 대해, 그리고 자신의 자식에 대해 여전히 당황스러울 뿐인 것일까. 그러고 보니 카마의 어머니는 과연 어떻게 되었을까? 갑작스레 치민 궁금함을 이기지 못하고 나는 바로 앙투안에게 물어봤다.

하지만 앙투안은 기록에 카마가 드러난 이후, 카마의 어머니의 존재에 대해서는 아무것도 나타난 게 없다 대답했다.

때마침 누군가가 알현 요청을 했다. 앙투안은 거부하려는 듯 손을 치켜들었다. 앙투안은 술탄이었고, 그 나름대로 할 일이 많은 이였다. 더 이상의 시간을 빼앗고 싶지 않았던 나는 앙투안의 손짓을 막고 자리에서 일어섰다.

"내일 또 보지."

"그러면, 살펴 가십시오."

앙투안은 갑작스레 일어선 나에게 맞춰 자리에서 몸을 일으켰다. 풍성하게 늘어진 천 자락이 앙투안의 움직임에 따라 사락사락 움직였다.

앙투안의 움직임은 조용하고 부드러웠다. 자마드가 제비꽃처럼 화려했고, 칼리프에게선 굽이친 소나무처럼 알 수 없는 연륜이 느껴졌다면, 앙투안에겐 버들가지 같은 풍류가 있었다. 이 세계에는 정말 미남이 많다니까. 나는 상대적으로 평범하고 밋밋한 내 얼굴을 만지작거리며 알현실을 나섰다.

하지만 확실히 미남이 많은 만큼 미녀들도 많지. 자마드의 하렘에 있던, 눈 돌아갈 정도로 아름다웠던 미녀들을 떠올렸다. 그 뒤로는 미녀는커녕, 여자들도 볼 수가 없었다. 인드라에서 구해주었던 사긴 정도가 다였다.

여자들은 모두 하렘에 감금당하다시피 갇혀 있을 테니까. 반 아이들이 전부 힘들게 벌을 서고 있는데, 나 혼자 유유자적 선생님 심부름을 가는 느낌이었다. 나는 현실의 갑갑함에 한숨을 내쉬었다.

복도에 있는 시종들은 나를 알아보고 허리를 깊숙이 숙여 인사했다.

남자와 여자. 귀족과 평민. 다르마인과 수마트인. 이 세계에서 나는 이도 저도 아닌 어중간한 지위로 표류하고 있었다.

아니, 표류라는 말은 정확하지 않다. 분류상으로는 명확히 구분되는 바 없이 불분명하지만, 명백히 나는 이 세계에서 「군림」하는 입장이었으니까. 과연 권능을 버리게 되면 나는 어떻게 될까. 뭐, 아무리 생각해봐야 지금의 위치에서 추락할 일밖에 남지 않았겠지만.

설마 그래도 주신이 힘겹게 영혼 세탁까지 해서 이 세계로 데려온 자식이다. 과연 내가 성욕의 신이라는 위치를 버린다는 이유만으로 나를 저 밑바닥으로 내던져 버릴까? 자식인 내가 주신에게 거역한다는 이유 때문에? 아닐 것 같긴 하지만, 아니라 확신할 수는 없었다.

모크샤의 저주를 풀어주는 일이야 응당 해야 하는 일이라 굳게 다짐했지만, 내 권능을 버리는 일에 대해서는 나날이 갈수록 불안해졌다. 이 세계에 대해 알면 알수록, 평범한 여자로서 사는 일과 성욕의 신으로서 타인과 떨어져 사는 일 중 어느 것이 감히 더 낫다 못하다 평가할 수 없게 되었다.

아직 시간은 있다. 주신의 앞에 서기 전까지 나는 마음을 다잡을 필요를 느꼈다.

잔뜩 흔들리는 마음가짐으로 떠듬떠듬 말하는 꼴을 주신에게 보이고 싶지는 않았다. 분명 주신은 코웃음 쳐 넘길 테지. 실제로 주신이 코웃음 친 적은 없지만. 권능을 버린다는 내 말을 어린애의 투정처럼 치부해 넘긴 자마드처럼, 내 말을 귓등으로도 듣지 않을 게 분명하다. 그렇다면 애초에 말을 하지 않는 편이 더 나을지도 모른다.

나는 불안함을 애써 숨긴 채, 경쾌하고 가벼운 발걸음을 가장하며 복도를 지났다.

때마침 모크샤의 목소리가 언뜻 들렸다. 자연스레 내 시선이 그곳을 향했다. 복도 끝자락 구석에 모크샤와 가우란이 있었다. 얼굴만 마주치면 으르렁거리는 것치고는 생각보다 둘이 대화를 많이 한단 말이야. 나는 별생각 없이 지나가려 했다.

하지만 슬쩍 보이는 둘의 표정이 무척 심각해 보였다. 뭐라고 말하는지 자세히 들리지는 않았지만, 이상하게 날 선 분위기와 크게 튀어나온 카마라는 단어에 내 발걸음이 그대로 멈춰졌다. 지난번, 바르나의 숙소에서 있었던 일이 떠올랐다. 이야기하다가 이견을 좁히지 못하면 욕이라도 뱉듯 칼을 빼 드는 두 사람이다. 나는 혹시나 또 무슨 일이 있을까 싶어 그쪽을 향해 발걸음을 내디뎠다.

내 귀가 좋은 편이기는 하지만 이 정도 거리에서 나직이 억누르는 소리를 분간해낼 정도는 아니었다.

하지만 그렇게까지 심각한 일은 아니었는지, 둘은 무어라 무어라 말하고는 서로 뒤돌아서서 제 갈 길을 갔다. 쿨하게 헤어지는 둘의 모습에 내가 다 얼떨떨할 지경이었다. 그도 그럴 것이, 매번 내가 봐왔던 그 둘은 견원지간이 따로 없었으니까. 심지어는 다음 날 내가 먹을 아침 식사 메뉴 가지고도 싸우는 두 사람이었다.

모크샤가 내 쪽을 향해 다가왔다.

날 발견한 모크샤의 눈이 크게 뜨였다. 그의 얼굴에 약간의 곤혹스러움이 스쳐 지나갔다. 내가 이야기를 들었는지 살피는 듯한 표정이었다. 하지만 그는 순식간에 안색을 정돈했다. 만약 내가 모크샤의 행동 하나, 눈짓 하나에 민감하게 촉을 드리우지 않았더라면 모르고 지나갔을 만큼 그의 표정 관리는 철저했다.

"술탄과 이야기는 끝났어?"

"어? 어어. 너야말로. 가우란이랑 무슨 이야기 했어?"

"……뭐, 그냥 잡다한 이야기."

모크샤는 무언가를 숨기는 듯 말끝을 흐렸다. 그게 왠지 모르게 수상쩍었던지라, 나는 집요하게 캐물었다.

"가우란하고 말만 섞었다 하면 싸우는데, 잡다한 이야기 같은 걸 할 리가 없잖아."

"왜. 신경 쓰여?"

모크샤는 내 이마를 손끝으로 툭, 밀며 웃었다. 모크샤가 말을 돌리려는 게 뻔히 느껴졌지만, 왠지 모르게 반박할 수가 없었다. 떼를 쓰는 애가 된 것 같은 기분이었다.

내가 일순 말문이 막힌 틈을 타, 모크샤는 아무렇지도 않게 휙 내 팔목을 부여잡았다. 포기하지 않았던 나는 모크샤에게 가우란과의 대화에 대해 좀 더 캐물으려고 했지만 갑작스러운 그의 행동에 입이 다물렸다.

늘 생각하는 건데, 난 이렇게 나를 잡고 휘두르는 것에 약한 것 같았다. 정확히는 스킨십 자체에 약한 게 틀림없었다. 사람과 쉽게 접하지 못하는 만큼, 나는 닿아오는 체온에 예민하게 반응했다.

그리고 모크샤 또한 그 사실을 알고 있는 게 틀림없다. 그게 아니라면, 이렇게 시기적절하게 내 입을 다물게 할 수는 없었을 테니까.

나는 투덜대듯 입술을 삐죽였다. 그렇게, 모크샤와 가우란이 무슨 대화를 나누었는가에 대한 관심은 기억 깊은 곳으로 사그라졌다.

◈◈❤◈◈◈

　자마드에게 들키지 않아야 하는 만큼, 인드라로 향할 준비는 무척이나 은밀하게 진행됐다. 나는 바르나에서 인드라로 가는 상인들의 일행 사이에 숨기로 했다. 분장한 예니체리들이 포함된 상단의 짐 사이에 최대한 꽁꽁 몸을 숨기면, 아무리 자마드라 할지라도 카마의 존재를 알아낼 수는 없을 거라며 앙투안은 확신했다. 나와 모크샤, 가우란 또한 앙투안의 말에 동의했다.

　앙투안의 일 처리는 빨랐다. 입이 무거운 자들로 상단을 꾸렸다며, 당장 내일이라도 떠날 수 있게 준비해두었다 뿌듯하게 말했다. 주신제에 맞추려면 하루빨리 인드라로 향하는 편이 좋았다. 나는 그럼 내일 당장에라도 떠나겠다며 고개를 끄덕였다. 자신만만하던 앙투안의 표정이, 순간 곤혹스러움을 담고 가라앉았다.

　"다만 문제는 가우란과 모크샤가 카마와 동행한다면, 그만큼 금방 카마의 위치를 알아낼지도 모른다는 것입니다."

"……그러면 어떻게 해?"

아무리 각오를 다졌다고는 하나 인드라까지 낯선 이들 사이에서 혼자 갈 엄두는 나지 않았다. 나는 불안하게 시선을 두지 못한 채 말끝을 흐렸다. 불안한 심리가 숨지 못하고 밖으로 튀어나왔는지, 나는 바짓단이 모크샤의 옷깃이라도 되는 것처럼 꽉 움켜쥐었다.

"둘 다 두고 가는 편이 나을 것 같지만, 그건 저로서도 불안한 일입니다. 누군가 한 명을 데려가시는 게 나을 것 같습니다만……."

앙투안의 시선이 가우란에게 닿았다. 객관적인 상황을 두고 보았을 때, 가우란이 나와 동행할 목록에 오르는 것도 당연했다. 신군인 그가 인드라로 돌아간다는 명분도 있으니 자마드의 의심도 덜 살 수 있을 테고, 신군인 그가 동행인 이상 인드라로 가는 길이 그다지 위험하지 않을 터였다.

하지만 나는 모크샤를 두고 가고 싶지 않았다. 모크샤와 떨어지면, 왠지 그대로 영영 그와 헤어질 것 같은 기분이었다. 게다가 아무리 가우란이 나를 잘 모시려고 한다 해도…….

나는 그냥 모크샤와 떨어지는 상상을 하고 싶지가 않았다. 내 손끝이 저도 모르게 덜덜 떨었다. 아그니 술탄 궁 밖으로 처음 내동댕이쳐졌을 때, 혼자서 아득바득 어떻게든 해보려고 했을 때보다도 마음가짐이 나약해진 것 같았다.

내가 무얼 하고 싶은 것인지 잔뜩 혼란스러운 틈을 타 모크샤의 존재가 켜켜이 스며들었다. 방황하는 내 눈앞에 우선적으로 가득 보이는 것이 모크샤이다 보니, 나는 자연스레 모크샤를 중심으로 수를 두었다. 그렇게 나는 모크샤라는 행성 주변을 도는 위성처럼, 나는 내 모든 행동의 근원을, 사고의 원천을 모조리 모크샤에게 두었다.

이게 현명한 선택지가 아니라는 건 알았다. 하지만 어찌 되었든 모크샤와 떨어지고 싶지 않아. 떨어질 수 없어. 나는 그렇게 말을 하려 했다.

"저보다는 차라리 저 저주받은 자가 나을지도 모릅니다. 아그니의 술탄도, 카마께서 신군을 버리고 저주받은 자와 함께할 거라고는 예상하지 못할 것입니다."

말을 꺼낸 것은 가우란이었다. 나는 어안이 벙벙한 표정으로 가우란을 보았다. 평소였다면 모크샤를 믿을 수 없다며 으르렁대었을 가우란이 되레 모크샤를 추천하고 나서다니. 지금 상황을 믿을 수가 없었다. 저주받은 자라며 격하하는 표현을 사용하기는 했지만, 그 말의 의도가 너무나도 충격적이었다. 시선을 마주한 앙투안도 난감한 표정이었다.

오로지 가우란과 모크샤, 단둘만이 미리 말이라도 맞춰둔 듯 고요한 표정이었다. 나는 지난번, 모크샤와 가우란이 서로 이야기를 나누던 것이 떠올랐다.

그때 도대체 무슨 말을 했으면 가우란이 이러할까. 궁금증이 미친 듯이 치솟았지만, 가우란은 대답해주지 않으려는 듯 입을 꾹 다물었다. 모크샤 또한 마찬가지였다.

나로서는 가우란의 제안을 거절할 리가 없었다. 그러면 그리하도록 하자며 나는 무겁게 고개를 끄덕였다. 일은 수월히 해결되었지만, 아직 풀리지 않은 의문이 찜찜하게 남아 나를 괴롭혔다.

⊰❦⊱

거치적거리는 의문으로 인해 마음이 불편할지라도, 시간은 시시각각 지나갔다. 그리고 어느덧, 바르나를 떠나야 하는 시간이 되었다.

앙투안은 얼굴을 비치지 않았다. 평범한 상인 무리의 출발에 술탄이 발걸음 하는 게 부자연스럽기 때문이었다. 나는 단단히 평복을 차려입은 채, 짐을 짊어지고 숙소를 나섰다. 숙소를 나서는 나를 지켜보는 가우란의 시선에서 미련이 뚝뚝 떨어졌다.

마치, 무슨 할 말이라도 있는 표정이었다.

"무슨 할 말이라도 있어?"

"……저도 제가 잘하고 있는 것인지 모르겠습니다, 카마시여."

가우란은 혼란스러워 보였다. 어쩐지 나를 순순히 보내준다 싶었다. 그때는 그러자 하고 마음을 다잡았다지만, 일이 코앞에 닥치니 불안한 것이 틀림없었다. 왜냐면 나도 종종 그러니까. 아무리 결심해도, 막상 행동으로 옮기기 전에 주저하게 되는 것만큼은 어쩔 수가 없었다.

솔직히 가우란에게 미안한 것도 있었다. 가우란은 신군이었고, 카마인 나를 보좌하는 것을 명예로 삼고 있는 주신의 광신도였다. 가우란이 모크샤를 어떻게 믿게 되었는지는 몰라도, 그 또한 나와 함께 가고 싶었을 게 분명했다.

예전에는 이런 상황에서 어떻게 했더라. 아, 그래. 조용히 끌어안아 다독였었지. 하지만 이제는 불가능한 일이었다. 그리할 수 없었던 나는 애꿎은 손만 쥐었다 펴기를 반복하다가 조용히 입을 열었다.

"나도 그래. 내가 지금 잘하고 있는 건지 확신할 수 없어. 인생이라는 건 바다 위에 던져진 배와 같거든. 언제 어떻게 풍랑이 치며 험난한 파도가 들이칠지, 햇볕이 들고 바다가 고요해질지, 이제 막 키를 잡은 초보 조타수로서는 깜깜할 뿐이야. 나중에 우리가 나이를 먹고, 노련한 조타수가 된다면 바다를 읽을 수 있겠지. 하지만 지금 당장은 헤쳐 나가는 수밖에 없잖아?"

가우란에게 하는 말이라기보다는, 나 자신을 설득하는 다짐에 가까웠다. 당장 머뭇거리는 엉덩이를 걷어차기 위해 거듭되뇔 뿐인, 자기계발서에 있는 한 문장을 읊은 것처럼 고루하고 지루하기 그지없는 말이었다.

하지만 가우란에게는 무척 경이롭게 느껴진 모양이었다. 가우란의 마음에 와닿았는지, 그는 영광과 경의가 넘치는 표정을 짓더니 곧이라도 울듯이 얼굴을 일그러트렸다.

솔직히 말해서 가우란에게 묻고 싶은 건 많았다.

왜 모크샤를 나와 같이 보내게 된 건지, 그렇게 다짐하게 된 이유가 뭔지.

하지만 지금 가우란에게 그 사실을 물어본다는 건, 칼로 가슴을 두 번 후벼 파는 일이나 다름없었다. 그가 마음에서 우러나와서 모크샤의 동행을 제의한 게 아니라는 것쯤은 가우란의 표정만 봐도 알 수 있었다.

가우란도 참 안타까운 이였다. 가우란이 나를 사랑한다는 말을 완전히 부정할 생각은 없었다. 다만 그가 사랑하고 있는 카마는 내가 아닐 뿐이었다. 그가 말하는 사랑은 주신의 그림자가 드리워진 허상에게 향한다. 그러니 허부할 뿐이다. 그는 그 사실을 평생 깨닫지 못하리라.

나는 애써 질문을 삼킨 채, 가우란에게 웃으며 작별 인사를 건넸다.

"그럼, 나중에, 주신제 때 보자."

"……주신의 가호가 카마께 함께하기를."

가우란이 깊이 몸을 숙였다. 강아지를 고속도로에 버리고 떠나는 못된 주인이 된 기분이 들었다. 나는 매정하게, 뒤돌아보지 않은 채 꿋꿋이 발을 옮겼다. 그것이 내가 가우란에게 해줄 수 있는 최선이었다.

⋙⋘♥⋙⋘

나는 준비되어 있는 궤짝 한구석에 내 짐 더미를 던져 넣었다. 궤짝 안은 통풍이 잘되도록 숨구멍이 트여 있었고, 바닥은 푹신한 방석이 몇 겹이나 깔려 있었다.

그렇다고는 하지만 사방이 꽉 막힌 것이, 폐소공포증이 있는 사람이라면 발끝을 넣기가 무섭게 뛰쳐나올 것만 같았다. 마음의 준비를 충분히 했다지만 선뜻 들어가는 건 쉬운 일이 아니었다.

하지만 언제까지 지체할 수는 없는 일. 나는 주먹을 꾹 쥐고 궤짝 안에 들어섰다.

궤짝의 문을 닫아주기 위해 기다리고 있던 모크샤가 걱정되는 표정으로 나를 바라보았다. 나는 모크샤가 안심할 수 있도록, 최대한 당차고 여유로운 표정을 지었다. 하지만 모크샤가 보기엔 가마솥 안에 들어가서 미소 짓는 돼지처럼 보인 모양이었다. 그는 차마 궤짝 뚜껑을 닫지 못하고 머뭇거렸다. 오죽했으면 내가 재촉할 정도였다.

"얼른 닫아."

"멀미나고 역해서 구역질이 나도 참아야 해. 아니, 차라리 삼켜."

"아, 진짜 더럽게."

나는 얼굴을 찡그리며 손을 내저었다. 하지만 모크샤는 걱정 섞인 엄한 표정으로 단단히 주의를 줄 뿐이었다.

"괜히 토하는 소리가 들리기라도 하면 큰일이야. 카라반의 우두머리와는 말을 해뒀다지만, 일반 일꾼들은 네가 짐 속에 숨어 있는 걸 모르니까 최대한 조용히 해야 해."

"알았어."

계속되는 모크샤의 잔소리에 나는 어깨를 움츠리며 궤짝에 몸을 누였다. 모크샤가 쯧, 혀를 차는 소리가 들렸다. 어지간히도 걱정되는 모양이었다.

모크샤는 카라반의 일꾼으로 잠입하였다. 그의 임무는 내가 들어 있는 궤짝에 다른 일꾼들이 신경 쓰지 않도록 사전에 제지하는 것이었다.

나는 걱정 말라며 씩 웃었다. 그 순간 모크샤는 알 듯 모를 듯 한 표정을 지었다. 그것이 참으로 오묘한 표정인지라, 좀 더 자세히 보기 위해 나는 고개를 슬쩍 치켜들었다.

그 순간, 내 위로 텅 하니 궤짝이 닫혔다. 드리워진 어둠이 까맣게 시야를 잠식했다. 그래도 틈틈이 스며드는 불빛 덕에 사물의 분간은 가능했다.

앞에서 바스락거리는 발걸음 소리가 들리더니, 이내 귀가 먹 먹해질 정도로 적막이 찾아왔다. 나는 슬쩍 궤짝 안에서 움직 여보았다. 궤짝은 내가 들어가고도 충분할 정도로 넉넉했지만, 그래도 몸이 부자유스러웠다. 조금만 잘못 움직였다가는 궤짝 을 발로 찰 것 같았다.

게다가 시야가 막히니 괜히 숨이 막히고 답답하기도 했다. 사도세자 실시간 체험기도 아니고. 벌써 울렁거리는 느낌이었 다. 하루 동안 이 상태로 움직일 수 없다는 사실이 끔찍했지만, 그래도 못 견딜 정도는 아니었다. 나는 심호흡을 하며 숨을 골 랐다.

순간 궤짝이 덥석 들렸다. 갑작스러운 움직임에 비명이 새어 나올 뻔했지만, 타이밍 좋게 입을 틀어막을 수 있었다.

곧 들썩이며 궤짝이 움직이기 시작했다. 마치 가마를 탄 것 같은 기분이었다.

일꾼들은 별로 이상한 걸 느끼지 못한 모양이었다. 다행이었다. 궤짝 안에 있는 것이 나라는 것은 이 카라반에서 나와 모크샤, 그리고 카라반의 책임자인 다즈룬밖에 모르는 일이었다.

우리가 인드라에서 가우란으로 올 때 신세 졌던 카라반의 대상 다즈룬은 신의가 높은 사람인 것 같았다.

앙투안이 도움이 될 거라며 부른 상인이 다즈룬이라는 걸 알았을 때 깜짝 놀랐다.

"이 궤짝에는 뭐가 들었다 그러대요?"

"글쎄……. 바르나 술탄께서 인드라 술탄에게 선물하는 거라던데."

"뭐, 경문이지 않겠나."

"경문의 무게가 아닌데."

"하지만 우리 술탄께서 경문 아닌 다른 선물을 보내는 것도 이상하지 않나."

"그도 그렇구만."

일꾼들 몇몇이서 이야기를 하며 와르르 웃었다. 나는 혹시라도 그들이 이상한 점을 눈치챌까 두려워 숨을 죽였다. 하지만 그들은 별생각이 없는 듯, 곧이어 다른 주제로 넘어갔다. 다행이었다.

나는 그렇게 무사히 궤짝째로 카라반의 짐 낙타 위에 실렸다.

벌써 다리 끝이 저렸다. 나는 슬쩍 자세를 바꿔보았다. 하지만 다리와 허리를 쭉 펼 수 없으니 뻐근함이 남았다. 한참 뒤, 다즈룬의 우렁찬 목소리가 들렸다.

"출발!"

그와 함께 뿔피리의 고동 소리가 웅웅 울렸다. 궤짝 안이 울릴 정도로 묵직한 진동이었다. 뿔피리 소리에 맞춰 심장이 크게 뛰었다. 지금껏 용병들의 현상금 때문에 정체를 숨기기도 해봤고, 국경을 지키고 있는 예니체리들 때문에 남의 눈을 피해 숨어 다니기도 해봤다. 하지만 이렇게 짐 더미 사이에 죽은 듯 몸을 숨기는 건 또 처음이었다. 잘 버틸 수 있을까. 못 버텨도 버텨야지. 나는 각오를 다지며 이를 악물었다.

CHAPTER 16
작별 인사

처음 낙타를 탔을 때, 온종일 적응으로 힘들었었다. 그래도 바르나로 오는 여행길을 거치며 어느 정도 낙타에게 익숙해진 만큼, 나는 솔직히 이번 일을 좀 편하게 생각했다. 궤짝 안에서 늘어지게 낮잠을 자고 나면 적당히 숙소에 도착할 시간이 되지 않을까 하는 안일한 생각으로, 걱정하는 앙투안과 모크샤, 가우란에게 나는 자신만만하게 이번 일 또한 할 수 있다 흔쾌히 단언했다.

하지만 짐처럼 궤짝에 실려 있는 건 생각보다 만만치 않은 일이었다. 멀미로 죽을 것 같은 건 둘째요, 계속해서 흔들리니 잠조차도 제대로 오지 않았다. 낙타 위에서 직접 흔들리는 것과 짐 채로 흔들리는 건 좀 다른 종류의 고통이었다.

마치 한 자리에 못 박힌 채 열두 시간의 비행을 계속하는 것이나 다름없는 상황에 답답해 죽을 것만 같았다.

물론 이곳에는 읽을 만한 책도, 화장실을 갈 만한 여유도, 기내식도 존재하지 않았다. 나는 쫄쫄 굶은 채, 고문에 가까운 여정을 견뎌내었다.

궤짝 안의 공기는 텁텁하고 묵직했다. 밤공기는 서늘할 텐데도, 궤짝 안의 공기는 나를 그대로 압사시킬 것처럼 덥고 무거웠다. 목이 바싹바싹 마르고 입 안이 탔다. 몸 안의 수분이란 수분은 모조리 증발한 것 같았다. 목에서는 쉭쉭대는 쇳소리만 났다. 혹시라도 주변에 있는 사람이 들을까 소리 내 확인해볼 수도 없었다.

그렇게 지옥 같은 시간이 얼마나 지났을까. 잠이 드는 게 아니라 거의 기절하기 일보 직전에서야 바깥에서 소란스러운 소리가 들렸다. 사막을 묵묵히 항해하는 카라반이 소란스러워질 때는 단 두 가지였다. 모래 폭풍을 맞이했거나 숙소에 도착했거나. 들리는 목소리가 밝고 활기찬 걸 보아 다행히도 후자인 모양이었다. 나는 안도의 한숨을 내쉬었다.

숙소에 도착한 이들은 식사를 하기 위해 부랴부랴 낙타를 정렬했다. 잠시간의 자유를 맞이한 일꾼들이 한창 소란스러웠다. 그들이 삼삼오오 숙소로 들어갔는지 소란스러움은 곧 잦아들었지만, 그래도 간간이 들리는 목소리가 긴장을 완전히 놓지 못하게 하였다. 한참 뒤에야 바깥이 조용해지며 정적이 찾아들었다.

모크샤는 도대체 언제쯤 올까. 아마 일꾼들이 전부 잠이 들고 나서야 남의 이목을 피해 나를 꺼내줄 수 있을 것이다. 그게 언제쯤일지, 끝도 없이 시간이 늘어졌다. 시계라도 있으면 좋으련만, 나는 어둡고 조용한 공간에서 기약 없는 기다림을 계속했다. 내가 만약 이 세계에 처음 오자마자 말랑말랑한 멘탈로 이 꼴을 당했더라면, 당장 폐소공포증이 생겨도 이상하지 않을 만한 상황이었다.

나는 도통 올 생각을 하지 않는 모크샤만을 기다리며 꿈쩍하지 않고 곧 있을 자유를 갈망했다. 멀미는 가라앉았지만, 그렇다고 해서 내 상태가 좋은 건 아니었다. 무릎과 허리가 시큰시큰 아팠다. 이러다가 이대로 관절이 굳어버리겠다. 나는 막막함에 한숨을 내쉬었다.

그때 누군가가 저벅저벅, 궤짝으로 다가오는 소리가 들렸다. 내 온몸의 신경이 다가오는 상대를 향해 기울었다. 모크샤일까? 설마 다른 사람인 건 아니겠지? 혹여나 하는 불안한 생각이 들기가 무섭게 소름이 오싹 돋았다.

철컥, 철컥. 궤짝을 단단히 잠그고 있던 가죽끈이 풀리고 자물쇠 돌아가는 소리가 들렸다. 끼이이익, 가느다란 소리와 함께 궤짝의 틈이 빠끔 입을 벌렸다.

얇은 틈새 사이로 스며드는 빛은 눈을 찔렀고 신선한 공기는 코끝을 스쳤다. 궤짝을 들어 올리는 손길은 무척이나 조심스러웠다. 천천히 들어 올려지는 궤짝의 뚜껑 사이로, 익숙한 체구가 보였다.

모크샤였다. 나는 안도의 한숨을 내쉬었다. 모크샤는 피식 웃으며 장난 어린 농을 건넸다.

"살아 있냐?"

"으, 으으윽……. 죽을 거 같아……."

목소리는 바람소리처럼 쉭쉭댔다. 나는 신음과 함께 비틀비틀 몸을 일으켰다. 몸을 지탱하는 손이 바들바들 떨렸다. 후하, 후하. 나는 최대한 바깥공기를 많이 들이마시기 위해 숨을 내뱉었다 들이켜기를 반복했다. 마치 지금껏 쉬지 못했던 숨을 한 번에 몰아쉬는 기분이었다. 나는 궤짝에 축 늘어져 바깥으로 몸을 빼낸 채 정신없이 손을 허우적대었다.

"일단 물, 물부터 좀 마시자."

"여기서 이러지 말고, 이쪽으로."

모크샤는 두리번두리번 주변의 눈치를 보며 그대로 내 팔을 휘어잡고 일으켜 세웠다. 하지만 하루 동안 궤짝 속에 방치되어 있던 다리에 힘이 들어갈 리 만무했다. 나는 그대로 자리에 풀썩 주저앉았다. 설상가상으로, 굳어 있던 상태에서 갑작스레 움직이자 다리에 쥐가 났다.

나는 가까스로 비명을 입 안으로 삼킨 채 황급히 손을 내저었다. 모크샤가 깜짝 놀라 그대로 나를 다시 주저앉혔다. 나는 다리를 부여잡은 채 한참을 끙끙대었다.

"저려? 종아리? 허벅지? 발바닥?"

"조, 종아리……."

나는 힘겹게 답했다. 다리 근육이 눈에 띌 정도로 경련하고 있었다. 궤짝에서 혈액순환이 제대로 될 리가 없으니, 이 꼴이 난 것도 당연했다. 모크샤는 내 다리를 보더니, 나직이 말했다.

"참아라."

"뭐? 으, 으윽……."

무슨 말을 하는 건지 깨닫기도 전에 모크샤는 그대로 내 다리를 낚아챘다. 갑자기 다리가 쫙 펴지니, 찌르르르, 고통이 종아리에서 뇌까지 치달아 올랐다. 나는 갑작스러운 고통에 입술을 와락 깨물었다.

모크샤는 그대로 내 종아리를 움켜쥐었다. 헐렁한 도티 사이로 내 맨 종아리가 그대로 노출되었다.

도티가 허벅지까지 내려가려고 하기가 무섭게 나는 도티를 잡아 내렸다. 내가 그러거나 말거나, 모크샤는 내 종아리 뒷부분 어딘가를 꾹꾹 누르기 시작했다. 그러더니 한 손으로는 내 발을 잡고 발목을 위아래로 젖혔다. 그의 한 손에 내 발이 쑥 들어가 잡혔다.

얼마 지나지 않아, 핸드폰 진동처럼 울리던 다리의 근육 경련이 점차 완화되었다.

"거참 신기하네."

"쥐난 게 풀리긴 했을 텐데, 걷기는 무리일 거야."

그리 말하며 모크샤는 내 등과 종아리에 손을 끼워 넣었다. 갑작스레 파고드는 그의 손길에 몸이 움찔, 절로 굳었다. 모크샤는 경직된 나를 그대로 번쩍 들며 내 귀에 속삭이듯 말했다.

"목 잡아."

"으, 으응."

모크샤의 숨이 닿는 귓가가 근질근질했다. 나는 어색하게 손을 뻗어 모크샤의 목을 엉거주춤 끌어안았다.

"그러다가 놓친다. 꽉 끌어안아."

모크샤는 한 손으로는 내 엉덩이를 받친 채, 다른 손으로는 궤짝 문을 닫으며 말했다. 갑자기 무게중심이 양쪽에서 한쪽으로 옮겨지니 기우뚱 몸이 기울었다. 모크샤가 그리 말하지 않았더라도 꽉 잡아야만 하는 상황이었다. 나는 매달리듯 모크샤의 목에 달라붙었다.

모크샤는 한 손으로도 능숙하게 가죽끈을 매어 멀쩡한 상태로 보이게 만들었다. 언뜻 보아서는 궤짝이 열렸을 거라 짐작되지 않았다.

모크샤는 나를 품에 가리듯 끌어안은 채 발걸음을 재촉했다.

미리 주변을 물려둔 것인지, 사람은 기척 하나 없었다. 모크샤가 날 데려간 곳은 으슥한 곳에 떨어진 별관이었다. 깔끔하게 치워져 있기는 했지만 담당하는 시종도 없는, 비워진 공간이었다. 아무리 밖이 밝다 하지만 빛조차 제대로 들어오지 않는 그늘진 공간은 어둑어둑했다. 촛불이 켜 있지 않은 방 안은 어슴푸레, 선글라스를 낀 것처럼 보였다.

"여기는 어디야?"

"다즈룬이 잡아준 여분의 숙소야. 궤짝에서 잠은 충분히 잤다고 해도, 거기서 해결할 수 없는 일이 있으니까. 배고프지? 요깃거리도 준비해놨어. 진수성찬은 아니지만……."

모크샤는 그리 말하며 간단한 식사를 내왔다. 넓적한 빵과 건더기가 잔뜩 있는 되직한 수프는 식어 있었지만, 보기가 무섭게 침이 돌았다. 방금까지 존재조차도 몰랐던 허기의 존재가 불쑥 튀어 올라 내 위장을 쥐어짰다. 나는 모크샤가 쟁반을 바닥에 내려놓기도 전에 빵으로 손을 뻗었다.

"아냐, 아냐. 나 진짜 딱딱한 빵도 맛있게 먹을 수 있을 거 같아. 등가죽이 배에 붙겠다."

나는 허겁지겁 빵을 입에 욱여넣었다. 얼마나 급하게 먹었는지, 목에 빵이 막혀서 컥컥댈 정도였다. 모크샤는 컵에 물을 따라주었다. 물론 천천히 먹으라고 잔소리하는 것 또한 잊지 않았다.

빵 두어 개를 위장으로 쑤셔 넣고 나니 그제야 좀 살 것 같았다. 나는 물을 벌컥 들이켜며 말했다.

"다른 건 몰라도, 물이라도 가지고 들어가면 안 돼? 안에 있으니까 목 아프고 갑갑해서 죽겠어."

"안 돼. 잘못하다가 요의가 생기기라도 하면 큰일이라고."

모크샤는 너무나도 진지하게 말했다. 요의니 뭐니, 다 큰 아녀자에게 아무 생각 없이 할 말은 아니었다. 아무리 우리가 볼 꼴 못 볼 꼴 다 봤다고 하더라도 말이야. 내가 여자로도 안 보이는 모양이지. 지난번에 그, 뭐야, 그, 키스도 했으면서 말이야. 나는 입술을 삐죽이며 투덜거렸다.

"그전에 탈수 증상으로 죽겠다!"

"……입을 축일 정도로만 챙겨 넣어줄게."

잠시 고민하던 모크샤는 탐탁지 않은 표정으로 덧붙였다. 혹시라도 모크샤가 말을 물릴까 싶었던 나는 황급히 대답했다.

"고마워. 넌 내 생명의 은인이야."

"……또, 또. 과장되게 굴기는."

모크샤는 나를 흘겨보았다. 하지만 과장되게 굴지 말란 말을 한 적 없잖아. 나는 반박하는 대신 배시시 웃었다. 그러기가 무섭게 모크샤가 휙 고개를 돌리더니 자리에서 일어섰다.

"어디 가?"

"……잠깐 밖에 좀."

모크샤는 돌아보지도 않고 휑하니 나갔다. 배도 적당히 부르
겠다. 나는 궤짝에서 웅크리고 있던 다리를 쭉쭉 펴며 스트레
칭을 했다.

쭉 뻗은 손가락 사이로, 아까 모크샤의 벌게진 귀가 떠올랐
다. 괜히 내 얼굴도 달아올랐다. 나는 황급히 스트레칭에 전념
했다. 얼굴이 좀 벌게 보여도, 혈액순환이 되어 그런 거라고 우
길 수 있게.

❧

고통은 길었고, 휴식은 짧았다. 발 뻗고 드러누운 지 얼마나
되었다고, 나는 다시 궤짝으로 들어가야만 했다. 궤짝 안에 몸
을 둥글게 말고 숨을 죽이기가 무섭게 도란도란 말소리가 들려
왔다. 궤짝에 들어선지 얼마나 되었다고, 벌써 앞으로 있을 일
이 끔찍하게 느껴졌다.

새삼스레 이 세상의 어머니들이 존경스러워졌다. 특히 둘째
까지 낳으신 분들.

첫째야 그 고통이 얼마나 괴로운지 몰랐다고 하지만, 둘째는 이미 뻔히 아는 고통 속에 발을 내디디는 것 아닌가. 나로서는 꿈도 못 꿀 만한 정성이었다.

나는 이를 악물고 버텼다. 조금만 참으면 된다고 수도 없이 나를 채찍질한 끝에, 나는 간신히 인드라의 수도, 파베리티에 도착할 수 있었다. 인드라에서 바르나로 갈 때는 정말 편하게 왔는데, 바르나에서 인드라로 오는 건 과거의 편함을 보상받기라도 하는 듯 끔찍하기 그지없었다. 아그니 술탄의 성에서 빠져나오느라 물에 휩쓸렸을 때 빰칠 정도였으니, 정말로 멀고 험난한 고생길이었다.

인드라의 술탄 궁으로 들어선 듯, 우렁차고 웅장한 환영의 나팔 소리가 울려 퍼졌다. 궤짝 안이 웅웅 울릴 정도로 커다란 소리에, 나는 속이 뒤집히듯 멀미가 났다. 바르나 술탄의 사신인 만큼, 환영이 열렬하기 그지없는 모양이었다.

몇 번이나 궤짝이 덜컹거렸다. 일꾼들이 힘을 쓰는 듯, 숨에 찬 구령 소리가 바로 곁에서 느껴졌다. 궤짝이 들썩거릴 때마다 내 엉덩이가 허공에 치솟았다. 이리저리 흔들리는 몸에 곧이라도 비명을 내뱉을 것 같았다.

끼이이익, 거대한 문이 열리는 소리가 들렸다. 궤짝의 틈 사이로 향내가 스며들었다. 알싸하면서도 퀴퀴하지 않은 고급 향이었다.

술탄의 내궁이었다.

아니나 다를까, 두껍게 내리 닫힌 나무 뚜껑 위로, 익숙한 목소리가 들렸다.

"저것은 무엇인가?"

"저희 술탄께서 인드라의 술탄에게 직접 보내시는 선물입니다."

"안에 무엇이 들었는가."

"술탄께서 엄중히 비밀로 하시어, 저희는 아는 바가 없습니다. 술탄께서는 인드라 술탄에게 전하라 명하길, 「인드라의 술탄께서 보낸 것을 다시 보내니, 남의 눈이 닿지 않는 곳에서 열라.」고 하셨습니다."

"내가 보낸 것을 다시 보낸다……. 알았네."

칼리프의 말이 끝나자마자 사람들이 나가는 듯, 발걸음 소리가 일시에 빠져나갔다. 우르르 소란스러웠다가 이내 잠시간의 침묵이 귀를 먹먹히 메웠다. 칼리프가 상황을 파악했기를 바라며, 나는 곧이라도 빠져나갈 수 있도록 몸을 바짝 긴장시켰다. 사람들이 다 빠져나가기만 하면 당장 이 지긋지긋한 지옥 같은 곳에서 탈출할 거다. 나는 득득 이를 갈았다.

"사람을 물렸습니다. 이제 나오셔도 됩니다, 카마시여."

그토록 내가 기다리고 있던 말이 떨어졌다. 나는 칼리프가 말하기가 손으로 궤짝 문을 세게 밀었다.

기세 좋기 열린 궤짝 문이 텅, 하고 젖혀졌다. 칼리프는 궤짝을 여는 걸 도와주려고 했던 듯, 거칠게 열린 궤짝을 보며 얼떨떨한 표정을 짓고 있었다.

나는 비척비척 궤짝에서 몸을 일으켰다. 상황만 보면 영락없이 카이사르를 유혹하기 위해 카펫에 숨어 있다 뛰쳐나오는 클레오파트라였는데, 정작 그 안에 들어 있는 것이 피골이 상접한 나이니만큼 클레오파트라 같은 요염함이나 위태로움은 없었다.

나는 거칠게 숨을 몰아쉬었다. 답답한 공간에서 오래 있는 동안 차오른 숨을 단숨에 뱉어내다 보니 침이 튀길 정도였다. 나는 소매로 입을 닦아내며 말했다.

"죽는 줄 알았네."

"어째서 이 고생을 하신 겁니까?"

칼리프는 만신창이나 다름없는 내 꼴에 망연자실한 표정을 지으며 물었다. 나는 휘청휘청한 몸을 간신히 지지하며 조심스레 궤짝에서 빠져나왔다.

칼리프는 도와주고 싶은 듯 손을 들썩였지만, 나에게 닿을 수 없는 만큼 그는 손가락만을 까닥였다.

나는 그대로 후들거리는 다리를 간신히 이끌고 평소 칼리프가 앉아 있는 소파에 드러누웠다. 다리와 허리를 쭉 펴고 누우니 살 것 같았다.

나는 고개만 살짝 칼리프에게 돌려 시선을 맞추며 말했다.

"자마드가 눈을 붙여놨더라고. 그의 시선에 띄지 않기 위해선 이 방법밖에 없었어. 내가 인드라로 온 걸 아는 이는 너와 앙투안, 다즈룬, 가우란, 그리고 모크샤밖에 없어. 아, 모크샤가 사신 일행 중 잡일꾼으로 동행했어. 걔 몰래 빼돌려 줘."

모크샤는 숨기려 했지만, 저주받은 자인 모크샤가 이번 사신 일행 사이에 껴서 무슨 수모를 당했는지 모를 내가 아니었다. 궤짝 안에서 몸을 웅크리고 있으면, 가끔은 듣고 싶지 않은 사실까지도 듣게 되어버리는 것이었다. 경멸의 어투, 차별의 시선, 아무도 신경 써주지 않는 동떨어진 존재. 그나마 앙투안이 사신단의 무리에게 말은 해두었는지 눈에 띄는 해코지를 하거나 굶기거나 하지는 않은 모양이었지만, 저를 반기지 않는 존재들 사이에서 눈칫밥을 먹는다는 건 썩 유쾌하지 않은 기분일 터였다. 한시라도 모크샤를 그들 사이에서 빼내 와야 했다.

내가 숨 쉴 새도 없이 몰아치듯 말을 늘어놓자 칼리프는 나를 진정시키기 위해 노력했다.

"알겠습니다만, 바르나에서부터 계속해서 이러고 오신 겁니까?"

"당연한 소리를."

"일단 몸을 좀 편히 하시지요. 궤짝에 실려 여행하는 것은 어지간한 장정들도 괴로워할 일입니다."

"고맙지만, 좀 일이 다급해서."

나는 몸을 일으켰다.

아직도 머리가 핑핑 돌지만, 칼리프에게 지금 상황에 대해 전하는 게 먼저였다. 칼리프가 급하게 나에게 찻잔을 넘겼다. 나는 손을 뻗어 찻잔을 움켜쥐었다. 벌컥벌컥. 품위 없이 차를 넘겨 목을 축였다.

나는 술탄이 들어주는 차 시중을 여상스레 받으며 숨을 돌렸다. 막 궤짝에서 나왔을 때보다 훨씬 마음이 침착해졌다. 나는 머리와 마음을 정돈하고 몸을 바로 세웠다. 진지하게 칼리프를 바라보니, 칼리프 또한 사태의 심각성을 짐작하고 바닥에 앉으며 나와 시선을 맞췄다.

"이번 주신제 때, 아그니로 돌아가야 해. 아그니의 제대에 볼일이 있거든. 주신을 만나야만 해."

"바르나에서 별다른 답을 찾지는 못하신 모양이로군요."

칼리프는 내가 권능을 버리고자 하는 것을 알고 있었다. 애초에 바르나로 가기를 종용한 것이 칼리프였으니까. 하지만 아무리 해도 내가 이런 꼴로 돌아올 거라고는 생각지 못했는지, 칼리프의 얼굴에 의아함이 가득하였다.

"아냐. 답은 찾았어."

나는 고개를 내저었다.

"나에게 별다른 선택지가 없다는 답을 찾았지. 나는 아그니로 돌아가서, 제대에 올라 주신을 만나야만 해. 하지만 자마드가 방해할 거야. 그러기 위해 몰래 아그니 술탄 궁에 잠입할 계획이야."

나는 힘겨운 계획을 쉽게 말했다. 별것 아닌 것처럼 말하면 정말 별것 아니게 될 것 같았다. 하지만 칼리프에게는 아니었는지, 그는 미간을 자못 찌푸렸다. 어지간해서 호탕한 여유를 잃지 않는 그가 인상을 쓴다는 사실이 잠입 계획의 어려움을 말해주고 있었다.

"그러면 바르나와 인드라가 힘을 합세해 아그니를 전복시키는 건 어떠합니까? 두 나라의 무력을 합친다면, 아그니라 할지라도 어쩔 수 없을 것입니다. 게다가 카마께서 앞서신다면 속세에 참여하지 않는 신군들도 참전할 테니, 무척 쉬운 일입니다."

"나도 그 생각은 해봤지."

말끝에 한숨이 서렸다. 그건 앙투안과 나도 생각해본 일이었다. 그리고 말이 나오자마자 기각된 방법이기도 했다. 나는 단호히 말했다.

"하지만 내 일에 그렇게까지 피를 보고 싶지 않아. 너는 내 이기심으로 인한 끔찍한 결과를 이미 알고 있잖아. 전쟁을 쉽게 말하지 마, 칼리프."

인드라는 과거 모크샤의 전생인 대장군이 살던 왕국인 파르바티가 멸망하고 그 잔재를 흡수했다.

인드라의 수도는 원래 파베리티가 아닌 다른 이름이었는데, 파르바티의 난민들을 수용하면서 어지러워진 민심을 수습하기 위해 파르바티의 이름을 따 수도의 이름을 바꿨다.

그에 관해 뻔히 알고 있을 인드라의 술탄, 칼리프가 전쟁에 대해 논한다는 것에 나는 그를 빤히 바라보았다.

칼리프는 뭐라 말하려는 듯 입을 열었지만, 이내 깊은 한숨을 쉬었다.

"……하지만 카마께서 위험에 빠지게 된다면, 결국 전쟁이 일어날 수밖에 없을 것입니다. 애초부터 군사를 이끌고 가면, 압도적인 군사의 수 차이 때문에 무혈 승리를 거둘 수도 있습니다."

"너는 자마드가 순순히 항복할 거로 생각해?"

"……그건 아닙니다만."

칼리프가 우려하는 바도 이해가 갔다. 그는 나에게 내가 잘못됨으로써 벌어질, 주신으로 인한 더 큰 희생을 우려하고 있는 것이리라. 지금은 코빼기도 안 비치는 주신이지만, 언제 손바닥 뒤집듯 나타나서 이 땅에 죄를 물을지 모르니까.

하지만 나는 주신이 그리 쉽게 나타나지 않으리라는 걸 알았다. 그에게는 내가 모르는 미묘한 규칙이 있는 것 같았다. 주신 자신이 스스로를 통제하는 규율인지, 아니면 스스로를 억제하는 신념인지는 알 수 없었다.

확실한 것은, 내가 무슨 짓을 당하더라도 주신은 그 존재를 드러내지 않으리라는 것이었다.

그리고 나를 필요로 하는 만큼 자마드는 날 죽이지는 않겠지. 칼리프가 걱정하는 상황까지는 오지도 않을 것이다. 나는 어깨를 으쓱였다.

"나는 희생을 원치 않아."

모크샤의 저주를 풀어주기 위한 것은 나의 업보였고, 그 업보를 벗어내기 위한 일에 타인을 희생시킬 수 있을 리가 없었다. 심지어 그 희생의 대가로 치르는 것이 목숨이라면 더더욱.

나는 이곳의 모든 이들이 나를 반신(半神)으로 대우하며 그들을 낮출 때마다, 왠지 내쳐지는 기분이 들었다. 나라 해서 별다를 바 없는데, 얼마 전만 하더라도 그들과 똑같은 사람이었는데. 같은 인간의 범주에서 밀어내어 지는 느낌이 들 때마다 나는 괜스레 서럽기까지 했다.

하지만 그들에게는 배부른 소리로 들릴 테지. 나는 속내를 털어놓는 대신 폐부 깊숙한 곳으로 삼켜 숨긴 채, 입술을 질끈 깨물었다.

"자마드 몰래 잠입할 수 있다면 그게 최선이지. 내가 바라는 것을 주신에게 요구하고, 주신이 들어주면 끝이니까. 그 뒤에 신군의 도움을 받아 빠져나오면 되는 일이야."

"바라는 걸 달성하시기 전에 붙잡히기라도 하면요?"

단순하게 말하지만, 조금이라도 흐트러지면 모든 것이 허물어지는 계획이었다. 하지만 다른 방도는 없었다. 나에게 주어진 것이 빌딩과 빌딩 사이에 놓인 무척 좁고 좁은 막대기 위의 길뿐이라는 걸 깨달을 때마다, 주신에 대한 분노가 치밀어 올랐다. 나는 애써 밝게 웃으며 말했다.

"자마드가 나를 억류한다 하더라도 나에게 허튼짓을 하지는 못할 거야. 나에게 손을 대는 시점이, 신벌의 도화선에 불을 붙이는 거나 다름없으니까."

나는 중얼거리며 고개를 끄덕였다. 시선 끝이 바닥의 카펫에 닿았다. 시야는 놀랄 정도로 뚜렷해져, 섬세하고 세세한 무늬를 모두 구분할 수 있을 정도였다.

머릿속 한쪽에 모크샤의 얼굴이 언뜻 스쳤다. 그래. 자마드는 나에게는 손을 대지 못해. 하지만 모크샤에게는?

몇 번이고 곱씹고 곱씹었던 불안이, 인제야 건드려진 봉선화처럼 톡, 하고 망울지어 터져 나왔다. 괜찮을 거라는 자기위안도 더는 불안을 잠재우지 못했다.

모크샤는 괜찮을 거야. 괜찮게 만들 거야. 나는 꽉 틀어막히는 목줄기를 애써 틔운 채 말했다.

"하지만 감금당하는 자체로는 주신도 움직이지 않아. 그러니 그때는 필히 너희가 움직여줘야 해."

나라고 해서 자마드의 하렘에 갇혀 살고 싶은 생각은 없었다.

만약 그렇게 된다면, 그토록 피하고자 하던 전쟁을 동원해서라도 벗어날 예정이었다. 나는 피해를 최소로 하기 위해 충분히 애를 썼고, 자마드가 최악을 택하지 않기를 바랐다. 물론, 자마드가 최악을 택하지 않을 거라 믿지는 않았다.

"어떻게 침입하실 계획입니까?"

내 의지가 강경하니, 별다른 수가 없었던 칼리프는 한숨 어린 질문을 건넸다.

"내가 인드라로 온 것처럼, 주신제 때 아그니로 향하는 공물에 몸을 숨길 거야. 인드라에서 준비하는 신주 동이에 들어가 있는 거지. 신주가 보관되는 곳은 제단 근처니만큼, 쉽게 제단에 도달할 수 있을 거야."

"위험합니다."

"신주를 지키는 건 신군이라지. 제단까지 가는 동안 신군이 나를 호위하면 되는 일이야. 신군의 호위라면 위험할 일은 없겠지."

"……."

칼리프는 무겁게 고개를 끄덕였다. 자마드가 무슨 함정을 파놓아도, 독도 암습도 통하지 않는 신군을 상대로는 어찌할 수 없는 일이었다. 칼리프는 쓰게 웃으며 덧붙였다.

"설마 주신께서 주신제에 신주를 안 가져왔다고 뭐라 하지는 않으시겠지요."

"자식놈이 호로록 먼저 다 마셔버렸는데, 누굴 탓하겠어?"

나는 부러 가볍게 말하며 어깨를 으쓱였다. 농담 어린 내 말에 그제야 칼리프가 낮게 웃었다. 다시 만나고 나서 처음으로 보는 그의 미소였다. 언제나 여유로웠던 칼리프가 웃지도 못할 만큼, 내가 그에게 얹어준 부담감이 중대한 모양이었다. 나는 칼리프에게 어색하게 미소 지었다. 민폐를 끼치는 것 같아 매번 미안했다.

어색한 침묵이 둘 사이에 놓였을 때 칼리프가 대뜸 물었다.

"그자는 어찌하실 생각입니까?"

누구를 말하는 것인지, 목적어는 불명확했지만 칼리프와 나 둘 다 「그자」가 누구인지 분명히 알고 있었다. 칼리프는 재촉하듯 말을 이었다.

"그자는 걸림돌만 될 것입니다."

"……나도 알아."

애써 미뤄뒀던 일이 다시 수면으로 떠올랐다.

평소였다면 어떻게든 나는 모크샤를 데려가려고 했을 것이다. 하지만 이번 일만큼은 위험하기 그지없는 일이었다. 지난번에 가우란이 「자마드에게 모크샤가 인질로 잡히면 어떻게 할 거냐.」 물었을 때는 그럴 리 없다 모크샤의 편을 들며 큰소리로 대꾸했지만, 이미 그때부터 미심쩍음은 내 마음속 한구석에 싹을 틔웠다.

모크샤가 인질로 잡혀서 일을 그르칠 수도 있다는 게 무섭다는 것은 아니었다.

자칫하다 자마드의 손에 모크샤가 죽을지도 모른다는 것이 두려웠다. 모크샤의 시체가 머릿속에 불쑥불쑥 치솟으며 나를 괴롭혔다. 그것은 내 눈으로 보는 내 시체보다도 더 끔찍하고 역겨웠다.

곧 주신제였다. 나에게는 시간이 그리 많이 남아 있지 않았다. 나는 마음을 다잡아야만 했다.

최대한 빨리, 그리고 단호하게.

৵৹৬♥৹৹৵

칼리프는 나를 다시 궤짝에 넣은 채, 별채로 보냈다. 인적이 드물고 으슥한 곳이었다. 그는 나에게 벙어리 수마트인 시종을 붙여주었다. 모카가 떠올랐던 나는 더 숨이 막혔다. 그 수마트인 시종을 보기가 무섭게 어둠 속에서 끄덕이던 모카의 손짓이 떠올랐다.

잠시 충격에 심장을 틀어쥐고 침대에 누워 숨을 몰아쉬고 있던 찰나, 인기척이 문 앞에서 들렸다. 수마트인 노비들은 주인이 먼저 부르기 전에는 죽은 듯이 존재를 감추는 만큼, 새로운 방문객이 들어섰다는 뜻이었다. 나는 고개를 비스듬히 들었다. 그곳에는 막 방에 들어서는 모크샤가 있었다.

무척이나 간만에 모크샤를 만난 것 같은 기분이 들었다. 나는 침대를 움켜쥐었다. 내가 지금껏 그를 어떤 표정으로 봐왔는지, 전혀 감이 잡히지 않았다. 나는 도피하듯 고개를 숙이며 자리에서 몸을 일으켰다. 무릎 사이로 파묻을 듯 고개를 숙이고 나서야 나는 마음을 놓을 수 있었다.

하지만 모크샤는 단숨에 나에게로 다가섰다. 모크샤가 침대에 앉자, 기우뚱한 쿠션이 그의 무게를 그대로 실어 날랐다. 그는 바로 내 곁에 앉으며 물었다.

"술탄이 허락해줬어?"

"어어. 허락하지 않을 수가 없지."

모크샤의 목소리가 귓가를 간지럽히는 것을 견디며 나는 힘겹게 대꾸했다. 모크샤의 존재를 자각할 때마다, 어떻게 말을 꺼내야 할지 모를 두려움이 나를 간지럽혔다.

그의 손이 땀에 젖은 내 이마에 닿았다. 모크샤는 쯧, 낮게 한숨을 쉬었다. 그가 무슨 생각을 하고 있는지, 나로서는 아무런 짐작도 가지 않았다.

모크샤는 당연히 아그니까지 함께 가는 거라고 생각하겠지. 널 두고 간다고 하면, 모크샤는 어떤 반응을 보이려나. 자기를 무시하는 거냐며 화를 내려나? 아니면 나한테 해방이라니 속이 시원하다며, 뒤도 돌아보지 않고 떠나려나?

어느 쪽이든 각오가 필요한 반응이었다.

손끝이 차게 식었다.

"왜 이렇게 상태가 안 좋아. 술탄이 뭐라 했어?"

"……별말 안 했어. 그냥 걱정된다고."

"별말 안 한 것 같은 표정이 아닌데."

그리 말하는 모크샤의 손이 단단히 내 턱을 틀어쥐었다. 옴짝달싹 못 하고 모크샤와 얼굴을 마주할 수밖에 없었다. 차마 그를 볼 자신이 없어 회피하던 시선이 강제로 모크사에게로 고정되었다. 여기서 시선을 내리깔아 돌리면, 내가 모크샤를 피하는 게 너무 대놓고 드러날 것 같았다. 나는 애써 눈에 힘을 주고 모크샤를 빤히 바라보았다.

모크샤는 쓰게 웃으며, 내 얼굴을 잡고 있지 않은 다른 쪽 손으로 내 얼굴을 쓸어내렸다. 뺨에 닿는 거칠한 그의 손등의 다정함이 깜짝 놀랄 정도였다. 그의 손이 내 심장을 간지럽힌 듯, 가슴속이 크게 울렸다.

지금은 손만 뻗으면 닿는 곳에 있는 모크샤지만, 그를 두고 아그니로 가게 되면 한동안은 그와 함께하지 못하리라.

아니, 그 뒤로 모크샤를 만나리란 보장도 없는 만큼 어쩌면 계속 그를 만나지 못할 수도 있었다. 이 세계는 이전 세계처럼, 핸드폰이나 이메일이 있어서 손쉽게 연락을 할 수 있는 곳이 아니니까.

모크샤와 만나고, 지금껏 단 한 번도 그와 떨어져 본 적이 없었다. 밥 먹을 때도, 잘 때도, 사막을 걸을 때도, 강을 건널 때도. 나는 수시로 그와 함께했다. 그와 함께 있지 않았던 시간을 짐작조차 못 할 정도였다. 나는 그와 함께하지 않는 시간을 견딜 자신이 없었다.

모크샤의 저주를 풀고, 만약 내 권능을 버릴 수 있다면. 누구와도 접촉해도 상관없어진다면 그때는 모크샤에 대한 이 집착 어린 마음을 덜어낼 수 있을까?

아마 불가능할 것이다. 이미 모크샤는 내 뼛속 깊이 스며들었다. 나는 평생 그가 나에게 남긴 온기를 잊지 못할 것이다. 다른 이들과 접촉할 수 있게 되어도, 나는 나에게 유일했던 그의 체온만을 그리워할 게 분명했다.

그렇기에 나는 모크샤에게 선뜻 아그니로 동행할 수 없다 말할 수가 없었다. 모크샤가 어떤 반응을 보일지 감도 잡히지 않았다. 그렇기에 상자 속에 꽁꽁 숨겨진 것 같은 그의 반응이 부적이나 두려웠다.

답은 정해져 있었지만, 나는 쉬이 입을 뗄 수가 없었다.

모크샤와 마주할 때마다, 그의 붉은 눈동자에 시선이 맞닿을 때마다 꿀 먹은 벙어리처럼 입이 꽉 다물렸다. 권능을 버리고자 용감한 척 나서는 내 마음속에 웅크리고 있는 것은, 한없이 약해진 겁쟁이일 뿐이었다.

그렇게 나는 최후의 최후까지 미루었고, 머지않아 아그니로 향할 날이 다가왔다. 더는 미룰 수도 없어졌고, 그제야 나는 진즉 모크샤에게 내 결정에 대해 말하지 않은 것을 절실히 후회했다.

미뤄서 남은 것은, 찰나의 자기위안과 모크샤의 가슴에 새겨질 영원한 배신의 상처뿐이라는 것을 그제야 깨달았으니까.

ᨁᨦᨆᨒᨦᨁ

칼리프와 나는 아그니로 잠입하는 방법에 관해 이야기를 나누었다. 물론 모크샤도 함께였다. 모크샤를 두고 가기로 마음먹은 상황인 만큼, 그가 이 자리에 함께 있는 것이 괜히 마음에 걸렸다.

모크샤에 대해 신경 쓰는 것은 나뿐만이 아닌지, 칼리프의 눈길이 슬쩍 모크샤에게 닿았다. 칼리프는 무언의 시선으로 내 등을 떠밀었다.

하지만 우유부단하기 그지없는 나는 아직도 모크샤에게 내 결심을 밝히지 못했다. 나 혼자 갈 것이라는 말은 벙긋이는 입 안에서만 맴돌았다. 이래서 무슨 일을 하겠다고. 나는 주먹을 꾹 쥐었다.

나는 스스로를 제법 결단력 있는 편이라고 평가했지만, 모크샤에 대한 것만큼은 그 모든 것이 두려웠다. 전생에서는 사랑이 사람을 겁쟁이로 만든다는 말을 들을 때마다 우습게 생각했었다. 친구들의 우유부단한 연애 사정을 들을 때마다 답답해 죽을 것 같다며 가슴을 두드리기도 했다.

하지만 막상 사랑이라는 것을 내가 해보니, 그렇게 호락호락 칼로 베어내듯 할 수 없는 관계라는 걸 깨닫게 되었다. 내가 걸어가는 길의 끝이 낭떠러지일 뿐이라는 걸 뻔히 알면서도, 바로 방향을 틀었을 때 나타날 가시밭길 고통을 회피하기 위해서 나는 계속 그 길을 밟아나가는 수밖에 없었다. 참으로 한심하기 짝이 없다.

모크샤와 칼리프의 시선이 마치 그런 날 비난하는 것처럼 느껴졌다. 그 누구와도 눈을 마주칠 용기가 없던 나는 고개를 비스듬히 흘린 채 바닥만을 노려보았다.

아무 말도 하지 못하는 내 모습에 칼리프는 한숨을 내쉬었다.

"카마께서 숨어 계실 술동이는 흰 코끼리에 실려서 날라집니다."

"낙타 위에 실려 오면서도 죽으려고 했었는데, 코끼리에 매달려서 가는 게 말이 됩니까?"

칼리프의 말이 끝나기가 무섭게 모크샤가 반박했다. 예전에는 술탄을 만난다는 사실에 얼굴까지 굳어서 아무 말도 하지 못했었는데, 아무리 은밀한 사적인 자리라고는 하나 최근 들어서는 자기주장도 반박도 참 잘했다.

물론, 모크샤가 목소리를 높여서까지 의견을 제시하는 이유는 전부 나 때문이었다. 또 그것에 설레는 내가 있었다. 참 대책 없네. 나는 쓰게 웃었다.

모크샤의 반박이 불쾌했던 듯, 칼리프의 미간에 주름이 깊게 팼다.

"하지만 신주는 언제나 흰 코끼리가 날랐네. 마차로 나르기라도 하면 자마드의 의심을 살 걸세."

칼리프의 말은 냉정할 정도로 단호했다. 칼리프는 모크샤에게 해명하는 대신, 나에게 말했다.

"사실 자마드의 의심을 사는 것 자체는 별문제 아닙니다. 그는 언제나 모든 것을 의심하는 사내니까요. 중요한 건 명분입니다. 그에게 신주 동이를 살펴볼 명분을 주지 않기 위해서도, 저희는 언제나처럼 카마를 모셔야 합니다."

칼리프의 말은 옳았다. 칼리프의 눈동자가 빤히 나를 바라보았다. 꿰뚫는 듯한 그의 시선이 이제 결단해야 할 때라는 것을 계속해서 상기시켰다.

입 안이 바싹바싹 말랐다. 바짝 마른 장미가 입 안에서 바스러지는 듯한 기분을 느끼며, 나는 힘겹게 운을 떼었다.

"……알고 있어. 견딜 수 있어, 그 정도쯤."

"카마!"

모크샤가 언성을 높였다. 모크샤의 행동 하나하나에 촉각을 곤두세우고 있던 나는, 붉은 눈동자에 순식간에 스쳐 지나간 걱정을 놓치지 않았다. 궤짝에 실려 인드라로 오는 것은 고문이라도 받는 듯 괴로웠지만, 모크샤가 걱정해주는 게 좋았던 나는 더 심하게 엄살을 떨기도 했다. 그런 만큼 코끼리에 실려 아그니로 간다는 말에 모크샤가 더 염려하는 것이리라. 코끼리라니, 엄두도 안 날 정도로 두려웠지만 나는 애써 평정을 가정하고 웃었다. 하지만 그게 되레 더 모크샤의 우려를 샀는지, 모크샤의 얼굴이 일그러지며 뭐라 하기 위해 입을 열었다.

"그대는 조용히 하게. 앞으로는 카마께서 직접 견뎌야만 하는 일이네."

하지만 칼리프의 냉정한 목소리가 모크샤의 입을 틀어막았다. 실세로, 칼리프의 말은 정론인지라 반박할 여지가 없기도 했다.

나도 마조히스트는 아니니 굳이 힘든 선택지를 택하고 싶지 않았지만, 그 외에는 다른 방법이 없어 어쩔 수가 없었다. 모크샤 또한 그 사실을 알고 있는 만큼, 그는 이를 악물며 입을 다물었다.

칼리프는 제대와 신주 보관실의 위치를 지도로 설명해주었다. 제대가 있는 곳은 몇 번 가봤지만, 남의 눈치를 보며 잠입할 정도로 잘 알고 있는 것은 아니었다. 불안했던 나는 잠입 경로와 신군의 수, 신군의 배치를 몇 번이고 확인했다.

칼리프와 나는 당일 배치될 신군들에 대해 이야기를 나눴다. 모크샤를 아그니에 데려갈 생각이 없었기에 아그니에서의 일에 대한 화제에서 모크샤가 자연스레 소외되었다. 배제된 모크샤는 칼리프와 내 이야기를 빤히 듣고 있을 뿐이었다. 모크샤는 겉보기는 멀쩡했다. 하지만 아까 자신의 의견이 반박당한 상황에서 자신의 역할에 대한 언급이 없는 것이 초조했는지, 불끈 쥔 손등에 힘이 들어갔다. 기어코 견디지 못한 모크샤가 입을 열었다.

"그래서, 내가 해야 할 일은 뭔데?"

"……."

나는 입을 다물었다. 기다란 장포 아래 감춰진 손이 꽈악 쥐어졌다. 칼리프는 나를 보며 작게 고개를 끄덕였다. 칼리프가 그리 재촉하지 않아도 알고 있었다.

지금이 바로 모크샤에게 밝혀야 하는 시점이라는 걸, 더는 미룰 수 없는 시점이라는 걸.

 나는 고개를 들어 모크샤를 똑바로 바라보았다. 그의 붉은 눈동자가 지금껏 본 적 없는 울렁거림으로 가득 차 있었다. 바닥부터 산산이 부서져 내리는 절벽에 서 있는 듯한 절박함이 나에게까지 전해졌다. 하지만 나는 그를 외면할 수밖에 없었다. 나는 파도처럼 고동치는 목소리를 애써 잔잔하게 가라앉히고 조용히 운을 떼었다.

 "우리는 여기까지야, 모크샤."

 모크샤는 눈을 크게 떴다. 무슨 말이냐고, 그의 까무잡잡한 얼굴이 내 말을 믿을 수 없다는 듯 새하얗게 질렸다.

 "지금까지 고마웠어."

 모크샤의 얼굴이 일그러졌다. 그의 입술이 파르르, 겨울바람이 스친 나뭇잎처럼 잘게 떨렸다. 그의 입술이 거짓말이라고 말하듯 달싹였다.

 모크샤가 자리에서 벌떡 일어났다. 모크샤는 바로 곁에 칼리프가 있다는 것조차 잊은 사람처럼, 그 누구의 눈치도 보지 않은 채 똑바로 나를 직시하며 외쳤다.

 "우리 계약은 아직 끝나지 않았어!"

 "이번만큼은 안 돼."

 나는 모크샤를 올려다보며 말했다.

애써 평정을 가정하려 노력하긴 했지만, 입 밖으로 튀어나온 것은 나 자신이 놀랄 정도로 가라앉은 냉정한 목소리였다. 아까만 해도 불에 달군 쇠처럼 달아올랐던 심장과 머리가 순식간에 차갑게 식었다.

불안하게 나를 바라보는 모크샤의 얼굴이 참담함으로 버무려졌다. 인드라에서 바르나로 떠나는 여정에서, 어머니의 자살에 대해 말하던 때의 불안정한 모습과 겹쳐졌다. 모크샤는 건장하고 강한 무인이고 어떤 일이 있어도 의연하게 헤쳐 나가는 뼈가 굵은 용병이지만, 지금 이 순간만큼은 그가 무척이나 가련하게 보였다.

하지만 여기서 감정에 휘둘리면 안 돼. 자마드가 모크샤에게 무슨 짓을 할지 모르니까. 모크샤의 시체를 떠올리는 것만으로도, 나는 마음을 단단히 매듭지을 수 있었다. 모크샤를 상처 주는 짓일지라도, 그를 살리기 위해서라면 얼마든지 나쁜 놈이 될 자신이 있었다.

모크샤의 입가가 파들파들 떨렸다. 모크샤의 이마에 힘줄이 투둑 올라오는 것이, 그가 얼마나 지금 화가 났는지가 느껴졌다. 당연하다. 지금껏 휘둘러 놓고는 갑자기 언질도 없이, 이제 필요 없다며 내치는 꼴이었으니까. 이렇게 될 줄 알았으면서도 지금껏 입을 닫아온 내 잘못이다. 나는 눈을 내리감았다. 거뭇게 가려진 시야 속에 모크샤의 목소리가 더 선명하게 울렸다.

"지금껏 줄곧 끌고 다녀놓고, 지금 이 시점에서 날 두고 가 겠다고? 솔직히 말해봐. 너, 그때 그 신군놈의 말대로 내가 인 질로라도 잡히면 어쩌나 걱정하고 있는 거 아냐?"

"……아니야."

힘겹게 부정하긴 했지만, 모크샤의 말은 정답이었다. 차라리 인질로 잡혀서, 협상의 여지라도 있었으면 좋겠다. 부정적인 생각을 하고 싶지 않지만, 계속 그런 생각만 머리에 맴돌았다.

"날 보면서 말해!"

모크샤의 팔이 강하게 나를 잡아끌었다. 거칠게 일으켜진 몸 에 절로 고개가 모크샤를 향했다. 모크샤와 내 눈이 허공에서 부딪쳤다. 그의 붉은 눈동자는 매섭게 나를 노려보고 있었지 만, 조금이라도 톡 건드리면 그대로 왈칵 눈물을 쏟아낼 것처 럼 물기가 차오르고 있었다.

나는 메두사의 눈을 본 것처럼 옴짝달싹도 못 한 채, 홀린 듯 모크샤를 바라보았다. 그 순간만큼은 세상에 모크샤와 나, 단 둘만 있는 것 같았다.

보다 못한 칼리프가 자리에서 벌떡 일어서며 칼을 뽑아 들었 다. 그의 얼굴에 노기가 가득했다. 칼리프는 그대로 모크샤를 향해 칼을 들이밀며 외쳤다.

"카마께 불경하다!"

"이건 우리 문제입니다. 술탄이시여."

날카로운 칼끝이 목에 닿았음에도, 모크샤는 칼리프에게 당돌하게 대꾸할 뿐이었다. 도리어 당황한 것은 나였다. 모크샤의 목에 칼이 드리워지기가 무섭게 나는 숨을 들이켰다. 모크샤는 칼리프에게 시선 한 점 주지 않았다. 나와 자신을 「우리」라는 틀로 묶은 모크샤는, 그 붉은 눈동자 가득 나를 채워 넣으려는 사람처럼 나를 노려보며 이죽거렸다.

"내 말대로지?"

"……."

그의 목소리가 주는 낯섦에, 그리고 부정할 수 없는 사실에 나는 차마 반박하지 못하고 입을 다물었다. 내 팔을 죄고 있는 모크샤의 손이, 먹이를 낚아챈 맹금류의 발톱처럼 강하게 나를 옥죄었다. 팔이 저릿저릿 아파졌지만, 그것보다도 더 아픈 것은 모크샤의 버림받은 듯한 목소리에 강하게 떨려오는 심장이었다.

"날 우습게 보지 마. 네 추종자인 신군 나리들만큼은 아니어도, 권능을 받지 못한 인간들에게 꿇리지는 않아. 그 정도는 충분히 뚫어. 아니, 오히려 네 권능의 여파가 미쳐서 간신히 정신 줄을 잡고 있는 신군보다는 내가 더 나을지도 모르지."

모크샤가 툭툭 내뱉었다. 신군보다도 낫다는 말에 발끈하며 반응한 것은 칼리프였다. 그래도 지금껏 칼리프는 모크샤의 존재를 인지해오긴 했었다.

하지만 이제는 그 존재에 대한 환멸이라도 치미는 듯, 그는 모크샤에게는 시선 한 끝자락조차 주지 않은 채 나에게 모크샤의 말을 반박했다.

"하지만 저주받은 자의 정체는 너무 눈에 잘 띕니다. 아그니의 술탄은 이 인드라에도 간자를 심어두었을 테고, 그러면 저주받은 자의 움직임에 대해 눈치채게 되지 않겠습니까? 저주받은 자가 인드라 사절단과 함께 움직인다는 건, 카마의 움직임을 그대로 나타내는 것이나 다름없습니다. 왜 가우란을 바르나에 두고 왔는지 기억해보십시오. 아그니의 술탄이 섣불리 신주에 손을 댈 수는 없다지만, 그가 확신을 품고 있다면 이야기가 달라집니다. 굳이 위험을 무릅써야만 할 가치가 있습니까?"

칼리프의 말이 조곤조곤 이어졌다. 칼리프는 내 마음이 조금이라도 흔들릴까 걱정하며 매서운 말로 나를 독촉하는 동시에 아무런 생각 없이 얼토당토않은 주장을 한다며 모크샤를 비난했다. 내 손이 축축하게 땀으로 젖어들어 갔다.

그 순간, 모크샤의 표정이 비틀리며 틈이 생겼다. 그의 기저에 깔린 음울한 열등감이 금이 간 틈새를 비집고 빠져나왔다. 모크샤는 저주받은 자로서 아무리 멸시당하고 경멸당하더라도 겉으로 대놓고 감정을 드러내는 일이 드물었다. 가끔 냉소적으로 비웃는 것마저도 자기 자신을 갈무리하기 위한 갑옷이었다.

하지만 지금은 그가 받고 있는 상처가 그대로 보였다.

버석버석, 발끝부터 무너져 내리고 있는 모크샤의 모습에 나는 어찌해야 할 바를 모르고 당황했다.

계속 말을 하던 칼리프는 마지막 숨통을 끊듯, 강하게 쐐기를 박았다.

"저자의 존재는 카마에게 누가 될 뿐입니다."

"그렇다는 건 아니야!"

나도 모르게 반박의 외침이 목청을 뚫고 나갔다. 거울을 보지 않아도, 내 얼굴이 새하얗게 질려 있으리라는 건 뻔했다.

매정히 모크샤를 떨쳐내야 하는 만큼, 여기서 이렇게 모크샤를 두둔하는 발언을 해서는 안 되었다. 누구보다도 그걸 잘 알고 있었지만, 상처받은 모크샤를 모르는 척 외면할 수는 없었다.

모순이다. 가식이다. 정작 모크샤에게 상처를 준 원인은 나면서.

모르는 척, 지금까지 잘 이용해먹은 척 못되게 말을 하는 쪽이 모크샤의 미련을 끊어내기 편하다는 건 나도 알았다. 하지만 나는 도저히 그렇게까지 할 수가 없었다. 나는 냉정히 모크샤를 쳐내는 대신, 그를 설득하기 위해 애써 입술을 끌어 모아 웃으며 변명했다.

"그저, 이번에는 주의를 기울이고 싶은 것일 뿐이야. 신군들이 떼로 호위할 테니 내 걱정은 안 해도 돼. 볼일 보고, 다시 너에게 돌아올 거야."

나는 내 어깨를 움켜쥐고 있는 모크샤의 손등에 손을 겹치며 그를 다독였다. 모크샤는 내 앞에 무릎을 꿇었다. 그제야 모크샤와 내 시선이 맞았다. 모크샤는 애절하게, 어미에게 버림받기 직전의 어린아이처럼 물기 어린 목소리로 말했다.

"……돌아올 거라면, 애초에 날 두고 가지 않으면 되잖아."

"그럴 수 없는 거 알잖아."

나는 쓰게 웃었다. 나도 그를 두고 가고 싶지 않았다. 바라는 일과 해야 하는 일이 다를 때, 현실과 이상이 다를 때, 최고의 선택을 고르는 것은 언제나 곤혹스럽고도 난처했다. 일 처리가 잘 맞물려 돌아가지 않는 것은 짜증이 치솟을 정도였다. 속이 더부룩하니 답답했고, 손끝은 괴로움으로 곱았다.

모크샤가 입술을 이로 짓이겼다. 모크샤는 무릎 위에 놓인 내 손을 거세게 움켜쥐었다. 손뼈가 그대로 조각나서 흩어질 것처럼 아팠다. 질근질근 입술을 씹던 그는, 기어코 화를 참지 못하고 버럭 소리를 질렀다.

"그렇게 아그니의 술탄이 무서워?"

"그가 무서운 게 아니야."

그로 인해 너를 잃을지도 모른다는 게 무서운 거지. 나는 담담히 답했다. 생각만 해도 머리털이 쭈뼛 설 것 같은 공포에 맞물린 내 입가가 파르르 떨렸다.

모크샤는 납득하지 못한 표정을 지었다.

인드라와 바르나, 두 술탄뿐만 아니라 신군들마저도 두 팔 걷어붙이고 나서고 있는 상황에서 내가 고작 아그니의 술탄, 단 한 사람 때문에 쩔쩔매고 있다는 게 이상해 보이기도 할 것이다.

나도 내가 과하게 조심하고 있다는 사실은 알고 있었다. 어쩌면 단순한 트라우마일 수도 있었다.

하지만 이번 일만큼은 신중에 신중을 거듭하고 싶었다. 어쩌면, 만약에, 잘못해서……. 세상에 변수는 수도 없이 많았다. 내가 이전 세계에서 죽은 것 또한, 별다른 특별한 일이 있어서가 아니었다. 평소와 같은 생활, 언제나 타던 택시. 늘 가던 길. 별로 문제 될 게 없던 상황이었다. 하지만 그럼에도 나는 교통사고가 났고, 그대로 철골에 꿰뚫려 죽지 않았던가.

모크샤의 목숨이 걸린 일이다. 그걸 주사위 던져 보드게임하듯 가볍게 결단을 내리고 싶지 않았다.

나는 모크샤를 보았다. 용병 일을 하면서 태양빛을 받아 까무잡잡해진 얼굴이 희게 질릴 정도로 그는 절박해 보였다. 그는 무엇에 매달리는 걸까. 그 또한 나에게, 조금이라도 집착해주는 걸까?

그리 생각하고 나니 조금은 용기가 샘솟았다. 내가 떠난 뒤에 모든 일이 잘 풀려서, 모크샤의 저주도 풀리고 내 권능도 버려지고, 그러고 나면…….

희망찬 미래를 꿈꾸는 것도 좋지만, 들이닥친 절망적인 현실이 먼저였다. 자꾸 이렇게 도피하려 든단 말이야. 나는 자조적인 한숨과 함께 모든 미련을 뱉어내었다.

내가 결심을 바꾸지 않으리라는 걸 깨달았는지, 모크샤의 얼굴이 절망으로 무너져 내렸다.

내 손을 틀어쥔 그의 손에서 힘이 빠져나갔다. 축축한 온기가 내 손등 위에서 사라지기 전에, 나는 스르륵, 미끄러져 내리는 모크샤의 손을 꽉 움켜쥐며 말했다.

"나, 꼭 돌아올 거니까."

모크샤의 불안한 붉은 눈동자에, 결연한 내 표정이 그대로 비쳤다.

한참 끝에 모크샤는 고개를 끄덕였다. 알았다 답하는 목소리는 딱딱하기 그지없었지만, 나는 모크샤가 나를 이해해준 거로 생각하고 기뻐했다. 겉만 보느라 나는 좀 더 깊은 곳에 숨겨진, 그의 상처와 내심, 그리고 결심을 전혀 읽지 못했다.

그날 저녁, 모크샤가 내 침대에서 슬쩍 일어섰다. 졸린 눈을 가늘게 뜨고, 나는 모크샤의 뒷모습을 설핏 살펴보았다. 화장실에라도 가는 듯 가벼운 옷차림새 그대로였다. 뭔가 이상한 촉이 돋았지만, 별일 아니겠거니 싶었던 나는 수마를 이기지 못하고 다시 잠결로 파고들었다.

하지만 그다음 날 아침, 모크샤는 존재하지 않았다.

당황한 나는 그대로 모크샤의 짐으로 달려갔다. 모크샤의 짐은 대부분 그대로였다. 내가 사준 옷, 내가 사준 무기, 내가 사준 나침반……. 그 사이에서 없는 것을 발견하기 위해 나는 애를 썼다. 그의 짐을 전부 샅샅이 찾은 다음에야, 나는 그가 들고 간 것을 파악할 수 있었다. 그와 만났던 처음부터 그가 들고 다니던 손때가 묻은 낡은 무기, 그리고 용병 패, 신분증, 마지막으로 나와의 계약서.

상황은 명백했다. 그는 그대로 나를 떠나버린 것이었다.

나는 절망감에 그대로 주저앉아 멍하니 허공을 바라보았다. 손바닥에 남는 것은, 그가 벗어버리고 간 허물 같은 잔해들뿐이었다.

CHAPTER 17
재회

모크샤가 떠난 후, 때아닌 감기가 찾아왔다. 몸살감기였다. 머리가 지끈지끈 아프고 온몸의 기력이 쭉 빠져나가서, 손가락 끝 하나 까닥일 수가 없었다.

병에 걸리지 않는 반신이 앓아누웠으니, 칼리프는 걱정이 이만저만이 아니었다. 의원에게 진찰하라 할 수도 없는 만큼, 칼리프는 먹는 것부터 침구까지, 주변 환경에 좀 더 세심하게 신경을 써주었다. 그것이 무척이나 고마웠지만, 내 몸은 좀처럼 호전되지 않았다.

반신의 육체가 병이 들었다는 건, 마음의 문제인 게 분명했다. 내가 마음을 다잡으면 몸도 곧 나을 것이다. 하지만 그렇게 쉬운 일이 아니었다.

의지는 손가락 사이의 모래처럼 쉽게 흩어졌다. 잡으려고 손을 헤집어 보아도 도통 손에 잡히는 것이 없으니, 지친 나는 모든 것을 놓아버렸다.

하지만 시간은 나를 기다려주지 않았고, 주신제는 시시각각 다가오고 있었다.

모크샤가 사라진 이래 시름시름 앓는 나를 간호해왔던 칼리프는, 아그니로 떠날 날이 다가오는 순간까지 계속해서 걱정스레 물었다.

"하실 수 있겠습니까?"

"할 수 있어. 아니, 해야만 해."

단호한 말과 달리, 몸은 물먹은 솜처럼 축 늘어졌다. 나는 힘겹게 몸을 추스르며 발을 질질 끌어 방을 나섰다.

왜 모크샤가 떠났는지는 모르겠지만, 그 원인이 되는 것만큼은 분명했다.

내가 홀로 아그니에 가겠다고 해서였다. 그런 만큼 내가 지금 아그니에 가지 않으면, 나는 아무것도 아닌 이유로 모크샤를 버린 게 된다. 그런 꼴만큼은 되고 싶지 않았다. 죽을 것 같아도, 뭐라도 해야만 모크샤가 떠난 것을 정당화할 수 있을 것 같았다.

그리고 무엇보다도.

모크샤의 저주를 풀어줘야만 해. 절대. 반드시.

나는 스스로를 세뇌하듯 중얼거리며 땅을 디딘 발에 힘을 주었다. 몸은 한순간 굳센 나무처럼 곧게 기립했지만, 몇 걸음 걷기가 무섭게 버드나무처럼 휘청였다. 내 꼴이 이러니만큼 칼리프는 좀체 마음을 놓지 못했다.

"저도 동행하니까, 무슨 일이 있으시면……."

"괜찮아."

"……첫날, 도착하는 날 새벽입니다. 그때가 아니면 힘들어집니다."

"잘 알고 있어."

"무슨 일이 있다면, 꼭 말하십시오. 작은 소리로 말씀하셔도 신군들이 듣고 저에게 전해줄 것입니다."

"알았어."

나는 거듭되는 확인에 고개를 끄덕였다. 모크샤와 권능, 미래, 주신, 자마드, 모든 불안한 것들이 흩어진 머릿속을 다잡기 위해서 나는 내가 해야 하는 일만을 여러 번 곱씹었다.

칼리프는 나를 신주가 담겼을 술독이 있는 곳으로 안내했다.

술독은 내 키만 했다. 적어도 다리가 아프면 일어날 수는 있을 정도의 크기였다. 그나마 다행이네. 나는 술독에 실려 가는 것의 장점을 찾아내려 노력했다. 그러지 않았으면 들어가기 전부터 패기가 꺾일 것 같았으니까.

술독에 사다리가 걸쳐졌다.

나는 사다리를 하나하나 밟아갔다. 다리가 후들후들 떨렸다. 나는 술독의 입구에서 그대로 훌쩍 안으로 뛰어내렸다. 앓고 있는 몸은 무게중심을 잡지 못하고 그대로 풀썩 바닥에 주저앉았다. 쿠션이 받쳐져 있는지 푹신한 것이 충격을 줄여주었다.

내가 술독 안에 들어서고, 내가 밟아 올라온 사다리도 같이 안쪽으로 밀어 넣어졌다. 나중에 빠져나가기 쉽게 하기 위해서였다.

"그럼 닫습니다."

칼리프의 말과 함께, 곧 술독의 입구가 닫혔다.

나는 그제야 술이라는 액체를 담는 것에 들어간다는 게 무슨 뜻인지 깨달았다.

칠흑 같은 어둠이 시야를 가뒀다. 뚜껑에 숨구멍으로 틔워놓은 작은 흠에서 스며드는 가느다란 몇 점의 빛을 제외하고는, 내 손조차 구분할 수 없는 어둠이 나를 잠식했다. 나는 주르륵, 그대로 술독 바닥에 주저앉았다. 종아리에 사다리가 부딪쳤다.

쿵. 코끼리가 발을 내디뎠다. 묵직한 진동이 몸을 울렸다. 뼛속까지 파고들어 뇌를 울리는 듯한 멍멍함에 나는 순간 몸을 움츠렸다.

술독의 장점을 찾던 게 우스울 정도로, 나는 그전과는 비교도 안 될 고행의 서막이 열렸음을 짐작했다. 차라리 낙타에 실려 가던 궤짝이 그리워질 정도였다.

그나마 다행인 것은 입맛이 없어 먹은 게 없다 보니 토악질로 나오는 것조차 없다는 것이었다. 그리고 술독 주변에 배치된 것이 사정을 알고 있는 신군들이라 어지간한 소리를 내도 상관없다는 것 정도. 나는 이런 내 꼴이 우스워서, 술독 안에서 소리 죽여 킥킥 웃었다.

≈◐♥◑≈

인드라에서 아그니로 가는 행렬은 일주일 남짓이었다. 사람도 많고 짐도 많은 만큼 행렬은 길었지만, 술탄의 행차인 만큼 한 치의 실수도 없이 그들은 아그니로 향했다.

그동안 나는 어리광도 받아주는 사람이 있을 때나 부리는 거라는 걸 깨달았다.

상식적으로, 그리고 객관적으로 살펴보아도 궤짝에 있었을 때보다 술독에 실려 있었을 때가 훨씬 힘들 게 분명한데, 놀랍도록 지금의 나는 멀쩡했다. 모크샤에게 다리가 아프다며 징징댔던 게 거짓말 같을 정도였다.

되레 이렇게 보니 내가 얼마나 모크샤에게 의지하고 있었는지를 깨닫게 되어 가슴이 아렸다.

모크샤와 헤어지지 않기 위해 필사적으로 들러붙었던 것이 단순히 그를 사랑해서뿐만이 아니라는 게 절실히 느껴졌다. 그가 저주받게 된 원흉이 나였다는 걸 뻔히 알게 된 뒤에도, 나는 차마 모크샤를 놓아줄 엄두를 내지 못했다. 아마 모크샤가 죽을지도 모르는 상황이 아니었다면, 지금도 모크샤는 내 곁에 있었을 것이다.

이기적이지. 나는 무릎 사이에 얼굴을 묻었다.

모크샤가 질려서 떠나는 것도 당연하다. 간이며 쓸개며 다 내줄 듯이 굴다가도, 결국 중요한 상황에서 그를 믿지 못하고 내친 꼴이니 말이다.

그러고 보면 인드라에서 계약 연장을 요구했을 때. 모크샤는 자신이 할 일이 없으면, 계약 연장을 하지 않겠노라 분명히 말을 했었다. 그리 생각하고 나니 모크샤가 떠난 것도 이해가 되었다. 내가 그를 데리고 아그니에 가지 않는다는 말은, 그에게 할 일이 없다는 것과 동일하니까. 용병으로서 자존심이 높은 그다. 저주받은 자라며 칼리프에게 모욕당하고, 용병으로서의 자존심도 상처받은 그가 나에게 정이 떨어져 사라져버린 것도 당연했다.

모크샤는 어디로 갔을까.

나와 만나기 전처럼, 아무렇지도 않게 용병 일을 하며 지내려나? 이 일이 끝나고 나서 찾아가면 나를 반겨주려나? 반겨주진 않아도, 알은척은 해주지 않을까. 그러면 또 계약하자고 조르고. 참 자기중심적이기 짝이 없는 바람이로군.

거기까지 생각한 나는 혀를 찼다.

설마 나와 떨어지자마자 자마드에게 잡힌 건 아니겠지.

나는 갑작스레 떠오른 생각에 몸을 벌떡 일으켰다. 급격한 움직임에 술독이 거세게 흔들리며, 나는 뒤통수를 술독의 벽에 찧고 말았다.

하지만 고통보다도 더한 당황이 나를 뒤흔들었다.

아니야. 그럴 리가 없어. 모크샤는 뛰어난 용병인걸. 술탄의 궁에서 아무런 흔적도 남기지 않고 빠져나갈 만큼 실력자잖아. 그렇게 쉽게 자마드에게 잡힐 리가 없어.

애초에 자마드에게 납치당한 걸 수도 있잖아. 그래서 말도 없이 사라진 거였다면?

아니야. 그렇게까지 자마드의 손이 뻗어 있었다면 내가 인드라에 있는 것도 뻔히 알았을 테고, 그랬다면 차라리 나를 납치하는 게 더 말이 되었다. 그리고 그렇게까지 정확하게 「모크샤가 가져갔을 것 같은 것」들만 없어지지도 않았겠지.

나는 최대한 나를 납득시키고 진정시키기 위해 노력했다. 흐트러진 숨을 몇 번이고 쉬었다가 뱉으며 심호흡을 했다.

모크샤는 괜찮아. 아무 일도 없었을 거야. 지금쯤은 인드라 어딘가의 용병소에서, 지난번 계약의 고용주는 변덕스럽고 성격이 나빴다며 투덜거리고 있을 게 분명해.

지금 내가 어둡고 좁은 곳에 있어서 불길하고 나쁜 생각만 떠오르는 것일 뿐이야.

하지만 한번 술렁인 마음은 좀처럼 진정되지 않았다. 불안이 성난 파도처럼 몰아쳤다.

어차피 술독 안에서 내가 할 수 있는 건 아무것도 없었다. 나는 초조함에 손톱만 질근질근 물어뜯었다. 어두워서 보이지 않으니 내 손톱이 어떤 상황인지 짐작도 가지 않았고 짐작할 여유도 없었다.

술동이든 궤짝이든, 유일하게 좋은 점이 있다면 내가 무슨 생각을 하건 정해진 속도로, 정해진 시간에 목적지에 도착시켜준다는 것이리라.

아그니의 수도에 도착한 듯 일행을 환영하는 소리와 함께 뿔나팔 부는 소리, 큰북이 울리면서 나는 묵직한 소리가 한데 뒤섞여 술동이를 진동시켰다.

곧 있으면 아그니 술탄 궁에 도착할 것이다. 그리 생각하니 심장도 같이 쿵쿵 뛰었다. 심장 뛰는 박자와 술독이 진동하는 박자가 묘하게 맞물렸다. 초조해지니 되레 머리가 또렷했다.

어차피 내가 할 일은 하나. 내가 할 수 있는 일도 하나.

나는 차분하게 일어날 수 있는 모든 경우를 산정하며 우선순위를 매겼다. 결국 무엇을 취해야 하는지, 만약의 경우 무엇을 버려야 하는지.

어둠에 익숙해진 눈이 또렷하게 내 손을 보았다. 이 손에 마지막까지 쥐고 있어야만 하는 것. 그건 바로…….

☙◦♥◦❧

덜컹, 소리와 함께 술독이 내려졌다. 이내 소란스러움은 잦아들고, 발소리 하나 들리지 않을 정도의 적막함이 내려앉았다. 신주가 보관되는 보관실에 도착한 모양이었다.

나는 바로 술독에서 빠져나가지 않고 새벽이 오기를 기다렸다. 어둠 속에서 몸을 웅크린 채, 나는 끈기 있게 기다렸다. 조용한 침묵이 계속되었고 시야는 어두웠다. 졸릴 법도 하건만, 피부의 솜털 끝까지 예민하게 벼려진 몸은 쉽게 수마에 잠식당하지 않았다. 무릎을 쥐고 있는 손이 잘게 떨렸다. 잘될 거야. 나는 스스로를 세뇌하듯 계속해서 중얼거렸다.

얼마나 지났을까. 통통, 작게 술독을 두드리는 소리가 났다.

나는 자리에서 벌떡 일어섰다. 내 머리 위에 있는 입구를 향해 사다리를 대고, 한 발 한 발 밟아 나갔다. 육포로 연명하던 몸은 술독에 들어서기 전보다도 더 안 좋아져 있었지만, 몸은 흔들림 없이 굳건했다. 눈에 보이는 목표가 내 몸을 단단하게 지지하는 모양이었다.

손바닥 끝으로 마개를 밀어내었다. 마개가 힘겹게 열리며, 신선한 공기가 틈으로 스며들어 얼굴을 적셨다. 그대로 나는 손을 쭉 뻗었고, 완전히 열린 술독 위로 고개를 내밀었다.

"후."

코끝에는 향내가 진동했다. 내가 술독 입구에 걸터앉기가 무섭게, 신군들이 나를 향해 사다리를 대어주었다. 올라가는 것보다 내려가는 것이 더 힘들었다. 손에 힘을 조금이라도 빼면 그대로 미끄러져 내릴 것만 같았다.

힘겹게 바닥에 내려선 나는 신군들을 슥 훑어보았다. 열댓 명 가까이 되는 그들은 황금안에 감격스러운 경외심을 품은 채, 나를 빤히 바라보고 있었다. 가우란이 여럿 서 있는 것 같은 느낌이었다. 실제로, 신군 가운데 가우란 또한 있었다. 바르나 술탄 일행에 끼어 같이 온 모양이었다. 가우란이 신군들 사이에서 한 발짝 앞서 나서며 나에게 부복했다. 반가움을 표할 시간조차 없었던 나는 감정 없이 냉정한 목소리로 물었다.

"상황은?"

"지금이 제일 조용할 시기입니다. 제단으로 곧장 가시면 됩니다. 엄호하겠습니다."

가우란이 창을 들며 말했다. 나는 작게 고개를 끄덕이고는, 거침없이 발을 옮겼다. 칼리프와 지도를 보며 계속 반복해서 외워둔 지리였다. 나는 마치 몇 번이고 와본 사람처럼 익숙하게 발을 내디뎠다.

사람이 적은 시기라고는 하나, 제실을 지키는 이가 아무도 없는 것은 아니었다. 복도를 지키고 있던 예니체리 중 하나가 저벅저벅, 거침없이 복도를 가로지르는 신군 무리를 보고 슬쩍 눈살을 찌푸렸다.

이 새벽에 웬 순찰이람. 그가 그리 생각하는 게 얼굴에 보였다. 하지만 감히 신군들에게 소리 높여 불평을 말할 만한 담력은 없었는지, 예니체리는 입술을 꾹 다물고 허리를 편 채 정면만을 바라보았다.

내가 그런 예니체리를 스쳐 지나가는 순간, 나를 발견한 예니체리의 눈이 크게 뜨였다.

"잠깐, 그분은!"

내 얼굴을 알고 있는 모양이다. 나는 혀를 찼다. 하지만 이렇게 될 줄은 충분히 알고 있었다. 나는 발걸음을 멈추지 않은 채, 신군을 향해 손짓하고는 내 갈 길을 계속 갔다.

시간이 급했다.

예니체리는 바락 소리를 지르려 했다. 하지만 신군의 창끝이 그의 명치를 강타하는 것이 먼저였다. 예니체리는 컥 소리도 내지 못한 채 그대로 고꾸라졌다.

하지만 그 예니체리로 끝이 아니었다. 조용하고 경건한 제실에서는 조금의 소리도 크게 들렸다. 더군다나 새벽. 건너 복도에 있던 또 다른 예니체리가 때아닌 소란에 이쪽을 향해 다가왔고, 상황을 파악한 그는 목청껏 소리쳤다.

"카마다! 카마께서 신군과 함께 나타나셨다!"

"죽이지는 마."

"명을 받들겠습니다."

신군이 손을 뻗을 때마다 예니체리들은 쉽게 제압되어 풀썩풀썩 쓰러졌다. 하지만 내 등장을 알리는 예니체리의 고함은 도미노처럼 퍼져 나갔다.

여기저기서 예니체리들이 불쑥 튀어나왔다. 물론 신군들의 상대는 안 되었다. 하지만 나타나는 예니체리의 수는 많았고, 복도는 넓다 하나 가로막을 수 있는 양옆이 막힌 공간이었다. 바로 내 곁에서 나를 엄호하던 가우란이 감정 없는 목소리로 담담히 고했다.

"여기서 더 밀려들어 오면 어쩔 수 없습니다, 카마시여. 손속에 자비를 둘 수 없습니다."

"최대한 버티고, 그래도 안 되겠다 싶으면 위협해."

예니체리들은 나에게 감히 칼끝을 대지 못했다. 뭉툭한 창끝으로 나를 그대로 사로잡기라도 하려는 듯, 그들의 눈이 불안하게 흔들리며 나를 좇았다. 신군들이 곁에 있는 걸 알면서도 감히 덤벼들려 하다니, 그들의 마음속에 도사리는 만용이 어디서 솟아오르는 건지 궁금했다.

내가 제실에 들어서서 제단에 오르기만 하면, 그 뒤에 자마드가 도착하는 것은 별로 상관없다. 이건 시간문제였다. 나는 성급한 발걸음으로 제실을 향해 걸었고, 종래에는 거의 달려갈 정도였다. 어디서 그런 힘이 나는지 신기할 정도로, 나는 필사적으로 뛰었다.

신군들은 내가 뛰는 데 방해가 되지 않도록 내 앞을 가로막는 예니체리들을 치워내었다.

목 끝까지 숨이 차도록 뛴 나는 그리 오래지 않아 제실에 도착할 수 있었다. 어둑하니 횃불로 간간이 불을 밝힌 복도와는 달리 탁 트인 제실에는 환하게 불이 밝혀져 있었다. 넘실넘실 흔들리는 제실의 불빛은 어두운 복도 끝자락까지 잠식하고 있었다.

나는 제실로 발을 내디뎠다. 그와 동시에 얼굴이 딱딱하게 굳었다.

활활 타오르는 제단 계단에 한 사내가 서 있었다.

검은 비단처럼 길고 고운 머리를 땋아 늘어뜨린 사내는, 서서히 나를 향해 돌아보았다. 사내의 요사스러울 정도로 아름다운 눈매가 휘어지며 반가움의 웃음을 뚝뚝 떨어트렸다.

"드디어 다시 뵙게 되었군요. 카마시여."

자마드는 환하게 웃었다. 예전과 변함없어 보였지만, 불이 일렁이며 그림자가 언뜻 비치는 그의 얼굴에 드리운 것은 명백한 광기였다.

닿기만 해도 손을 썩게 하지만, 그럼에도 무의식중에 만질 수밖에 없을 정도로 아름다운 독화 같았다.

자마드는 한 걸음, 한 걸음, 제단의 계단을 걸어 내려왔다. 그는 마치 우리 사이에 아무 일도 없었던 것처럼 여유롭게 웃으며 말했다.

"이곳을 찾으실 줄 알고 있었습니다."

"그것참 대단하네."

나는 빈정거리며 대꾸했다. 하지만 등줄기를 타고 식은땀이 흘렀다. 나는 괜찮을 거로 생각했지만 그건 내 착각인 거 같았다. 자마드가 지금껏 저질렀던 일들이 내 무의식에 차곡차곡 쌓여, 한 덩이의 거대한 두려움을 만들어내었다.

한 발짝 늦게 도착한 가우란과 신군들은 상황을 파악하고 자마드를 향해 칼끝을 뻗었다. 신군들의 살기에도 아무렇지도 않은지, 자마드는 살갑게 웃으며 나에게 손을 내밀었다.

"저에게로 오십시오, 카마시여. 그렇다면 카마께서 싫어하는 짓은 하지 않겠습니다."

"나는 너에게로 가지 않아. 이곳에 온 것은 주신에게 볼일이 있기 때문이야."

나는 냉정하게 대꾸했다. 하지만 자마드는 우스운 농담이라도 들었다는 듯이 배를 잡고 웃었다.

자마드의 목소리가 제실에 쩌렁쩌렁 울렸다. 벽에 부딪힌 그의 웃음소리가 내 귀를 틀어막았다. 자마드는 눈가에 어린 물기를 훔쳐내며 나를 비웃었다.

"볼일? 아직도 권능을 버리겠다는 허울 좋은 소리를 하고 계십니까?"

"그게 허울 좋은 소리라고 하기 때문에 내가 너를 택하지 않은 거야, 자마드."

나는 입술을 질끈 깨물며 말했다. 속이 울컥했다. 자마드가 보기엔 내가 배부른 소리를 하고 있다 느껴질 수도 있었다. 하지만 내가 권능을 버리든 말든, 무슨 선택을 하든 그건 내 몫이고 내 선택이며 내 의지이지, 자마드가 간섭할 이유도 권리도 없었다.

나는 눈에 힘을 주어 부릅뜬 채 자마드를 노려보았다.

가우란을 비롯한 신군들은 조용히 상황을 지켜보고 있었다. 상식적으로 술탄인 자마드가 혼자 있을 리가 없다.

그들의 표정이 자못 심각했다. 숨어 있는 이들의 숨소리가 그들에게는 들릴 터였다. 가우란은 창을 잡은 손에 힘을 주었다. 아무래도 제압으로 끝내는 건 꿈같은 소리였나. 나는 쓰게 웃었다.

내 노려보는 시선에, 자마드의 입술은 호선을 그리며 올라갔다. 그린 듯이 매끄럽게 올라간 입술에 매달린 것은 비틀린 독기였다. 자마드가 짝, 손뼉을 부딪쳤다. 그러기가 무섭게 예니체리들이 우르르, 제단의 뒷문에서 몰려나왔다. 예니체리 정예병들이었다.

그렇다고는 하나 내 뒤에 늘어선 것은 신군이다. 예니체리 정예병들이 수백이 몰려와도 그들의 승리였다. 나는 자마드가 저리 자신만만한 이유를 알 수 없었다.

그리 생각한 순간, 예니체리 정예병 중 하나가 누군가를 끌고 왔다. 손발이 묶인 상대는 힘없이 떠밀려 자마드의 손으로 넘겨졌다. 자마드는 인질을 단단히 끌어안은 채, 허리춤에 매인 단검을 뽑아 인질의 목에 겨누었다.

가느다란 목덜미가 허공에 드러나며 파르르 떨었다. 칼날이 닿은 하얀 살결에 송골 맺힌 핏방울이 유난히 선명했다. 달빛을 짜 내린 듯한 은발. 청초한 은방울꽃 같은 여인. 상대가 누구인지 깨달은 나는 경악 어린 외침을 실렸다.

"레누카!"

"다시 한 번 말씀드리겠습니다. 저에게로 오십시오."

자마드는 지금껏 살을 맞대고 살아온 부인의 목에 칼을 겨누었다는 사실에도 별 감흥이 없는 듯, 단조로운 목소리로 말을 반복했다. 마치 식탁 위에 나온 고기를 손으로 뜯어내듯 여상한 태도였다.

자마드가 인질로 레누카를 이용할 거라고는 충분히 예상했었지만, 예상보다도 더 큰 충격이 나를 잠식했다. 턱 끝이 덜덜 떨리고, 손바닥이 축축이 젖어들었다.

레누카의 푸른 눈동자가 천천히 나를 응시했다. 그녀의 눈매에 슬픔이 그렁그렁 달려 있었다. 마치 그녀의 운명에 순응할 뿐이라는 듯, 그녀는 가련히 고개를 떨구었다. 그녀를 그렇게 만든 그 누구도 원망하지 않는 것 같았다.

그녀가 살기를 포기했다 하여 그녀를 죽게 내버려 둘 수는 없었다. 초조함이 땀을 주르륵주르륵 흐르게 만들었다.

순간, 자마드의 칼끝이 레누카의 목에 파고들었다. 송골 맺혔던 핏방울은 이제 긴 선이 되어 주르륵 흘러내렸다. 레누카의 얼굴이 고통으로 일그러졌지만, 이를 악문 그녀는 아무런 소리도 내지 않았다.

놀란 것은 나였다. 나는 레누카를 위하는 것이 내 약점을 드러내 보이는 것임을 알면서도 버럭 소리 지를 수밖에 없었다.

"레누카는 네 카딘이야, 자마드!"

"하지만 카마, 당신의 추종자죠. 카마께서 탈출할 때 이 여자가 도움을 주었다는 사실은 알고 있습니다."

자마드는 레누카의 목을 틀어쥔 손에 힘을 주며 말했다. 헝클어진 레누카의 머리카락이 어지러이 흔들렸다.

나는 신군들을 바라보았다. 하지만 가우란을 비롯한 신군들은 신음을 흘릴 뿐이었다. 아무리 그들이라 하더라도 목에 바짝 붙은 칼날 아래서 레누카를 구해낼 방도는 보이지 않는 모양이었다.

나는 이를 악물었다.

"착하신 카마께서는, 이 여자를 버리지 못하시겠지요. 그렇지요? 자신 때문에 사람이 죽는 걸 끔찍이도 진저리 치지 않습니까. 지난번 그 예니체리 때도 그랬고, 수마트인 노예 때도 그러셨지요."

자마드는 과거를 더듬어 회상하는 표정을 지었다. 락시타와 모카의 죽음을 떠올린 그의 입술이 빙긋이 올라갔다. 소름이 오싹 끼쳤다.

"사실 저도 레누카 카딘을 해하고 싶지 않습니다. 원래 계획대로라면 카마와 함께 다닌 그 저주받은 자의 배를 갈라 보여드리고 싶었습니다만, 안타깝게도 어디로 사라졌는지 보이지가 않더군요. 카마께서 저에게 오시기만 한다면, 그를 찾게 되더라도 가만히 놔두도록 하지요. 레누카 카딘도 하렘으로 돌려보내

드리겠습니다. 물론, 그녀와 함께 카마께서도 같이 들어가셔야 겠지요."

모크샤의 배를 갈라 보여주고 싶다는 자마드의 말에 내 얼굴이 굳었다. 내 뒤에 있던 가우란이 나직하게 욕설을 뇌까리는 소리가 들렸다.

그나마 다행인 것은 자마드가 모크샤의 행방을 알지 못한다는 것이었다. 자마드의 말은 허세도 아니요, 거짓도 아니다. 그는 모크샤를 사로잡으면 정말 자신이 말한 그대로 할 사람이었다. 모크샤를 찾게 되더라도 가만히 두겠다는 자마드의 말을 믿을 수는 없었지만, 레누카의 목숨이 풍전등화인 지금 당장으로서는 별도리가 없었다. 나는 떨리는 목소리를 애써 진정시키며, 최대한 단호하게 말하려 노력했다.

"좋아. 너에게로 갈게. 단, 내가 주신을 만나는 게 먼저야. 그걸 허락해주지 않으면 아무리 레누카의 목숨을 걸었다 해도 소용없어."

"그리도 권능을 버리고 싶나이까."

"……물론. 그러니까 레누카를 놔줘."

권능을 버리는 것보다도 모크샤의 저주를 푸는 것이 더 중요했지만, 그 사실을 굳이 자마드에게 밝혀 그의 심기를 거스르고 싶은 생각은 없었다. 간당간당하게 매달린 것이 모크샤의 목숨이라면 더더욱.

주신을 만나서, 모크샤의 저주를 풀어주고 나면 모크샤의 눈색이 변할 것이다. 그렇게 되면 모크샤는 더는 저주받은 자가 아니게 되니, 자마드가 저주받은 자를 아무리 찾아도 모크샤를 찾을 수는 없게 될 것이다.

내 제안에 자마드의 보랏빛 눈동자가 골몰하듯 짙어졌다. 그는 정말로 레누카 카딘의 목숨을 신경 쓰지 않는 듯, 무의식중에 그의 손에 힘이 들어갔다. 레누카의 입술에 가는 신음이 흘렀다. 나는 혹여나 레누카의 목이 그대로 베어져 죽을까 봐 불안하고 초조하게 눈을 굴렸다.

순간, 자마드의 입가에 미소가 번졌다. 만개한 라벤더 향이 훅 끼치는 것 같은 기분이 들었다. 겉모습만 보면 성욕의 신은 내가 아니라 자마드처럼 느껴질 정도로, 그의 외모와 분위기는 무섭도록 위험했다.

자마드는 보기 좋게 올라간 입술을 열어 말했다.

"그럼 저에게 입을 맞춰주십시오."

"……뭐?"

"불경하오나 저는 겁쟁이인지라, 카마의 말씀을 마냥 믿을 수가 없습니다. 카마께서 저를 안심시키신 후 신군들과 함께 떠나버리시면, 저로서는 어찌할 방도가 없지 않겠습니까. 카마께서 절 허락하신다는, 좀 더 분명한 증표가 필요합니다. 카마의 입맞춤과 함께하는 언령은 절대적이라는 말이 문헌에 적혀 있더군요. 카마께서 그리 확답해주시면, 신군들도 고이 따를 것입니다."

뭐야. 언령이니 뭐니, 난 들은 적 없다고. 실제로 나의 얼굴이 새파랗게 질렸다. 흘끗 본 가우란의 얼굴이 딱딱하게 굳어 있었다.

가우란은 몇 번이고 입을 열었다 닫았다. 그는 이를 악 물고는, 이내 나직한 목소리로 상황을 파악하지 못하는 나에게 사태의 심각성을 알려주었다.

"……카마의 권능은 주신의 축복. 주신이 내려주신 권능을 걸고 하는 약속인 만큼, 주신의 이름이 걸리게 됩니다. 카마께서는 별 상관이 없으실 터이나, 그렇게 된다면 주신의 종인 저희 신군으로서는 할 수 있는 일이 아무것도 없습니다."

"상관없지 않습니까? 카마께서 저를 속이려 하신 게 아니라면 말입니다."

자마드가 즐거운 목소리로 흥얼거리듯 말했다. 가우란의 침중한 목소리와 대비되어 더욱 높고 즐겁게 들렸다. 앞뒤를 틀어막고 막다른 골목으로 쥐를 몰아넣은 고양이처럼, 그는 흡족하고도 배부른 표정이었다.

"게다가 카마께서도 저의 사랑을 믿을 수 없다 하시지 않았습니까. 걱정 마십시오. 아무것도 변하는 건 없을 것입니다. 저는 카마를 사랑하니까요."

머리가 어질어질했다. 어떻게 하지. 하지만 내가 머뭇거리면 머뭇거릴수록 나를 믿지 못하는 자마드의 미소가 더더욱 깊어졌다. 나는 결정을 내려야 한다는 걸 깨달았다.

어차피 이 정도는 각오했잖아. 여차하면 자마드의 하렘에 들어갈 수도 있다는 것 정도는.

다른 사람들의 목숨보다도, 나 자신의 자유가 중요했던 1년 전의 나는 사그라든 지 오래였다. 고작 1년뿐이었지만, 그들이 죽는 악몽에 계속해서 시달리는 1년은 무척 힘이 들었다. 너무 지쳤다. 어쩌면 처음, 아그니에서 빠져나갈 당시. 그때부터 내 자유에 대한 갈망이 한풀 꺾였던 것일지도 몰랐다.

나는 손을 꾹 움켜쥐었다. 끝끝내 포기할 수 없는, 내 몸이 어찌 되든 버릴 수 없어 꾸역꾸역 삼켜야만 하는 내 목적을 다시 한 번 상기했다. 모크샤. 나의 원죄. 나의 사랑. 나는 멀건 눈으로 꽉 쥐어진 내 손을 바라보았다.

모든 마음의 짐을 내려둔 나는 한 발짝, 자마드에게로 다가갔다.

"카마시여!"

차마 나를 잡지 못한 가우란이 외쳤다. 나는 슬쩍, 가우란을 향해 돌아보았다. 가우란의 얼굴이 무참히 일그러졌다. 내가 지금껏 봐온 가우란의 표정 중, 제일 생동감이 넘치는 생생한 표정이었다.

어색한 그 표정에 웃음이 나왔지만, 힘없는 입꼬리는 공허하게 맴돌고 사라질 뿐이었다.

나는 최대한 느릿느릿 자마드에게로 향했다. 자마드가 손을 뻗으면 바로 내 어깨를 움켜쥘 수 있을 만큼 가까워진 거리였다. 나는 바로 코앞에 있는 자마드를 빤히 보았다. 자마드의 보라색 눈동자가 염원의 갈망으로 이글거렸다.

제실은 수많은 사람에도 불구하고 숨소리 하나 나지 않을 정도로 조용히 가라앉았다. 자마드의 명을 기다리는 예니체리들, 내 행동에 당황한 신군들, 목숨을 위협받는 레누카, 이 상황을 그토록 바랐던 자마드. 그리고 심지어 나조차도. 모두가 내 행동 하나하나에 집중했다.

자마드는 내가 다가오기까지를 숨을 죽이고 기다렸다. 하지만 손을 뻗으면 닿을 곳에 내가 다다르자, 그는 더는 참지 못하겠는지 그대로 품에 안은 레누카를 바닥으로 밀치며 나에게 손을 뻗었다. 자마드의 손이 내 어깨를 틀어쥐려는 그 순간, 나는 끔찍한 지옥의 서막을 내 손으로 연다는 참담함에 눈을 내리감았다.

하지만 갑자기 몸이 거세게 흔들렸다. 누군가가 나를 뒤에서 와락 끌어안은 것이었다. 누구? 설마 가우란? 당황하는 것도 당황하는 것이었지만, 내 권능이 불러일으킬 참사에 나는 사색이 되었다.

내 귀에 잔뜩 숨이 찬 숨소리가 들렸다. 이를 가는 듯, 으득이며 부딪히는 뼛소리가 섬뜩했다. 내 온몸을 속박하려는 듯 거세게 날 끌어안은 이는 그대로 버럭, 내 귀청이 떨어져라 소리 질렀다.

"이게 도대체 무슨 헛짓거리야!"

내 어깨를 틀어쥔 손에 힘이 들어갔다. 맹금류의 발톱에 낚아채인 사냥감처럼, 나는 옴짝달싹도 하지 못한 채 숨을 골랐다. 귓가에 울리는 익숙한 숨소리. 원래부터 끌어 안겨 있던 것처럼 편안한 체온. 모크샤였다.

그가 어째서 지금, 여기에? 영문을 파악하기도 전에 왈칵 눈물이 치밀었다. 하지만 지금 눈물이나 질질 흘리고 있을 수는 없었다. 나는 눈을 부릅뜨며 애써 눈물을 참아내었다.

모크샤의 등장으로 주변이 소란스러워졌다. 다들 어안이 벙벙하여 정신이 없는 찰나의 순간, 번개와 같은 속도로 가우란이 바닥에 쓰러진 레누카를 구해내었다.

"너는, 정말 내가 없으면……."

모크샤는 숨을 몰아쉬며 말을 이었다. 정말로 모크샤였다. 모크샤는 나를 그의 뒤로 숨겼다. 마치 자마드의 시선에서 나를 벗어나게 하려는 것 같았다.

레누카의 안전이 확보되고, 내가 자마드에게 갈 까닭이 없게 되었다.

전세가 역전되었지만 자마드는 흔들리지 않았다. 자마드의 눈이 가늘어지며 모크샤를 훑었다. 마치 뱀이 먹잇감을 노려보는 듯 끔찍한 시선이었다.

"이자입니까? 가당치도 않게 분수에 맞지 않는 이를 탐하는 저주받은 자가?"

그의 목소리에는 미천한 자를 향한 경멸이 서려 있었다. 차마 모크샤와는 대화도 섞기 싫다는 듯, 그의 질문은 나에게로 향했다.

자마드는 여전히 꼿꼿하고 고상했다. 아무리 비열한 짓을 속삭여도, 그의 기품 있는 태도는 태초부터 그리 태어난 것처럼 변함이 없었다. 자마드의 붉은 입술이 나를 타이르는 듯 나직이 속삭였다.

"카마시여. 저에게는 크하트도 있습니다. 카딘을 빼앗겼다고 하여 제가 감히 카마를 협박할 패가 없는 것은 아닙니다."

"……."

"어서 이리 오시옵소서."

자마드가 나에게 손을 뻗었다. 일순의 머뭇거림은 실수로 눈감아주겠다는 듯 자애로운 어조였다. 크하트라는 말에 또다시 손끝이 차게 식었다. 자마드는, 가능하다면 제 목숨조차도 이용해서 날 잡으려 들 사람이었다. 단지 그 자신의 목숨이 나를 잡을 수 없다는 사실을 알기에 이용하지 않을 뿐이지.

자마드의 이성적인 광기가 어떤 결과를 내놓을지 두려웠던 나는 갈등했다.

내 심란한 마음을 눈치챘는지, 모크샤가 내 손을 강하게 쥐었다. 마치 수갑이라도 채운 것처럼 모크샤의 손에 죄인 내 팔은 꿈쩍도 안 했다. 당황하여 손을 흔들었지만, 덩굴이 휘감듯 모크샤의 손아귀에 더더욱 힘이 들어갔다.

모크샤가 말했다.

"내가 못 놔줍니다."

제실에 있는 모든 이들의 시선이 모크샤에게로 향했다. 이 상황에서 말하리라 생각지 못했던 이가, 너무나 단호할 정도로 확답했다. 나조차도 모크샤가 대뜸 그런 말을 할 줄은 몰랐던지라 멍하니 모크샤를 바라보았다.

자마드의 미간이 움찔거렸다. 불쾌함과 혐오가 보라색 눈동자를 메웠다. 그제야 자마드는 모크샤를 똑바로 바라보았다. 그의 차가운 시선은 당장에라도 모크샤를 도륙 낼 것처럼 날카로웠다.

"무슨 권리로? 고작해야 너는 카마의 은혜로 세상에 간신히 발을 디디고 있는 저주받은 자가 아니더냐."

"하, 저희는 껴안고 뒹구는 사이입니다, 술탄이시여. 상당히 친밀한 사이지요. 제 발로 술탄의 하렘에 들어가겠다는데 막을 깜냥 정도는 된다, 이 말입니다."

껴안고 뒹군다는 모크샤의 말에 얼굴이 확 달아올랐다. 사실은 사실인데, 무언가 이상야릇하게 들렸다.

엄숙하고 위엄 있게 호통을 치는 자마드의 말에도 모크샤는 한마디도 지지 않았다. 처음 술탄을 만났을 때만 해도 그들의 눈치를 보며 섣불리 입을 열지 못했었는데. 나와 같이 여행하면서 모크샤도 어딘지 모르게 달라져 있었다.

"그건 네 착각이요, 오만이 틀림없구나."

자마드의 입술이 비틀렸다. 우매한 것과는 상대할 가치조차도 없다. 자마드는 그리 중얼거리며 모크샤의 뒤에 숨어 있는 나에게로 대화의 화살을 돌렸다.

"카마시여. 저 건방진 것에게 진실을 알려주십시오. 누구보다도 고귀하고 신성한 그대가 저런 미천한 자를 곁에 두는 것은, 그저 그대의 선심뿐이리라는 것을. 술탄의 카딘에게도, 스쳐 지나간 예니체리에게도, 하다못해 천하디천한 노비에게도 닿는 끝없는 자비일 뿐이라는 것을 말입니다."

아니다. 내가 모크샤를 곁에 두는 건 단지 선심뿐만이 아니야. 하지만 차마 모크샤를 좋아한다 고백할 자신이 없었다. 나는 떠듬떠듬 입을 열어, 미약한 변명을 시도했다.

"아니야. 나에게 모크샤는……."

"그래도 말입니다. 카마께서는 너무 마음씨가 여립니다. 어떻게 저자를 곁에 둔단 말입니까?"

자마드의 말이 나를 찔렀다. 알 수 없는 불안의 징조가 스멀스멀 올라왔다. 심장이 쿵, 쿵, 점점 크게 울리기 시작했다. 자마드의 입을 틀어막아야 해. 하지만 어떻게? 식은땀이 등줄기를 타고 흐르고, 손끝이 차게 식었다.

"카마를 죽인 것이 바로 저자인데."

순간 백야 같은 정적이 귀를 메웠다. 하얀 백색소음이 윙윙대듯 뇌를 잠식했다. 나는 멍하니 자마드를 바라보았다. 숨이 턱 하니 차올랐다. 전생의 나를 죽인 게 모크샤의 전생이었더라면, 현재의 나를 죽인 것은 자마드의 독설이 틀림없다.

나는 혹여나 나 때문에 저주받았다는 진실을 모크샤가 알게 될까 봐 마음을 졸였다. 그만 말해. 모크샤가 나를 싫어하기라도 하면. 나는 정말로 그게 두려웠다.

하지만 그건 자마드에겐 고려할 대상이 아니었다. 아니, 오히려 사람 속이라도 태우는 것처럼 알려줄 듯 말 듯, 교묘하게 핵심만을 피한 채 흥얼거리듯 말을 이었다.

"바르나의 술탄에게 저주받은 자에 관해서 이야기를 들으셨지요? 당신 때문에 한 사람이 주신께 버려졌다는 소리를 들으니, 마음이 아프셨나요?"

"……그런 게 아니야."

"혹시, 제가 그대를 기다리고 있는 걸 알면서도 아그니로 오신 것은 주신께 저자의 저주를 풀어달라 오신 것입니까?"

"……."

정곡이다. 나는 아무 말도 하지 못했다. 입뿐만 아니라 코도 틀어막힌 것처럼 숨을 쉴 수조차 없었다. 나는 내 앞에 놓인 모크샤의 등만을 하염없이 보았다.

모크샤가 어떤 표정을 짓고 있을지 전혀 알 수 없었고, 알아볼 엄두조차 나지 않았다. 내 팔을 잡은 모크샤의 손은 그대로였지만, 나는 당장에라도 모크샤가 내 손을 뿌리칠 것 같은 환상에 시달렸다.

"맙소사, 카마시여!"

자마드는 손을 벌리며 외쳤다. 연극이라도 하는 것처럼 과장된 반응에서 그의 악의를 읽었다.

"우리 카마께서는 정말 착하신 분이라니까요."

자마드의 눈이 가늘게 휘어지며 웃었다.

하지만 또렷이 나를 응시하는 보랏빛 눈동자는 웃음의 기척조차 없이 나를 질책했다.

"하지만 과연 카마의 그 은덕을 저자가 알려나 모르겠습니다. 저주받은 자로 사는 건 고통스러운 일이지요. 아마 가족도 저자의 저주 때문에 죽었을 테고, 아무도 저자와 엮이고 싶지 않아 했을 것입니다. 저자가 전생에 저지른 것은 그런 대접을 받아도 부족할 만큼 어마어마한 일이니까요."

"조용히 해."

나는 이를 악물고 말했다. 언제까지고 모크샤에게 숨길 수 있을 거로 생각하지는 않았다. 하지만 이런 식으로 밝히고 싶지도 않았다. 차라리 내가 말할걸.

후회가 겹겹이 쌓였다.

"저주받은 자는 대대로 염치를 모르는 자입니다. 카마의 귀한 사랑을 감읍하며 받기는커녕 거절하고 카마를 죽였지요. 아마 지금도 마찬가지일 겁니다. 카마의 뒤에서 칼을 갈고 있을 게 틀림없어요. 당신을 원망하겠지요. 깊게 생각지 못하고 얕은 물만 핥아온, 천박한 영혼이니까요."

"닥쳐!"

목소리가 갈라지며 소리가 타고 나온 목 안이 따끔했다. 주먹 쥔 손이 부들부들 떨렸다. 나는 당장에라도 자마드의 목을 졸라버리고 싶었지만, 이 두 손으로는 그의 목을 조르기는커녕 그를 만지지도 못할 터였다.

모크샤가 저런 이야기를 들을 이유가 없다. 그와 동시에, 사실을 깨달은 모크샤가 정말로 나를 원망할까 두려웠다. 그가 자마드에게 저런 비난을 듣는 이유 또한 결국, 나 때문에 저주받았기 때문이니까.

하지만 다음 순간 들린 소리에 꽉 쥔 주먹에서 힘이 풀렸다.

"제가 저주받은 게 전생의 카마 때문이라는 건, 그렇게 노골적으로 들으란 듯이 말하지 않아도 잘 알고 있습니다."

알고 있었다고? 도대체 언제부터?

나는 모크샤의 뒷모습을 멀거니 바라보았다. 모크샤는 나를 바라보지 않았으나, 나를 피하지도 않은 채 그 자리에 서 있었다. 흔들림 없는 그의 등에서, 그리고 목소리에서 나는 모크샤가 자마드에게 지고 싶지 않아 거짓말을 하는 게 아니라는 사실을 깨달았다.

나는 뭐라 묻기 위해 입을 열었지만, 아무 말도 하지 못했다. 그저 의미 없이 열린 턱이 덜덜 떨렸다.

나는 지옥의 심판이라도 받는 듯이 고개를 조아리고 모크샤의 이어질 말을 기다렸다.

"하지만 전생은 전생이고, 후생은 후생이죠. 천박한 영혼은 그대입니다. 술탄이여. 그렇게 억지로 카마를 잡아놓으려 해봤자, 카마는 그대를 사랑하지 않아요."

그곳에 있는 모두가 숨을 들이켰다. 술탄에게 천박하다 말한 모크샤의 말은, 비록 모크샤와 자마드가 적대하는 것이 명백한 상황에서도 그들을 경악시켰다.

하지만 그런 이들을 비웃듯이, 모크샤는 더더욱 충격적인 말을 아무렇지도 않게 뱉었다.

"왜냐면 카마가 사랑하는 건 나니까."

모크샤의 목소리는 자명한 사실에 대한 당연함이 서려 있었다.

제실의 천장이 빙글빙글 돌았다.

모크샤의 말투는 지나치게 담담하여, 나는 내가 뭘 들은 건지조차 알 수 없었다. 애써 숨겨왔던 감정을 들켰다는 사실에 나는 쓰러질 듯 휘청였다. 하지만 나를 단단히 잡고 있는 모크샤의 손이 그것을 막았다.

당황한 것은 나뿐만이 아니었다. 지금껏 흐트러짐 없이 모크샤를 조롱하던 자마드의 얼굴이 흐트러지며 분노가 치솟는 것이 생생히 보였다. 모욕을 참지 못한 그는 제실이 쩌렁쩌렁할 정도로 크게 포효했다.

"오만하구나!"

"믿지 못하겠으면 직접 물어보시든가. 아니, 내가 물어보죠."

살이 저릿저릿할 정도의 살기에도, 모크샤는 가벼운 어조로 자마드를 놀리듯 빈정거렸다.

모크샤가 몸을 돌렸다. 갑작스레 그와 얼굴을 마주하게 된 나는 히익, 몸을 움츠러트렸다. 차마 그의 붉은 눈과 마주할 자신이 없었다.

하지만 내 거부는 허용되지 않았다. 모크샤는 나를 빤히 바라보았고, 나는 결국 그와 눈을 마주칠 수밖에 없었다. 한없이 가벼웠던 말투와 달리, 모크샤의 얼굴은 딱딱하게 굳어 있었다. 거짓을 거부하는 표정이다. 나를 응시하는 모크샤의 붉은 눈은 제단의 불꽃처럼 일렁였다.

"내가 거짓말했어?"

그럴 리가. 나는 침을 꿀꺽 삼켰다. 귀 끝이 벌게질 정도로 부끄러웠다.

모크샤가 사실을 알고 있다는 것도 그러했지만, 내가 지금껏 모크샤에게 숨기려고 안달하던 것들을 그가 전부 꿰뚫어보고 있었다는 게 더 부끄러웠다. 나는 주저주저했지만, 이 상황에서 입을 다물고 있을 수는 없었다. 힘겹게 입을 열었다.

"……아니."

"카마시여!"

자마드가 비참히 외쳤다. 하지만 그의 비탄은 나에게 닿지 않았다.

내 세계는 오로지 모크샤뿐이었다. 나는 모크샤의 팔을 잡아채며 떠듬떠듬 물었다.

"알고 있, 었어?"

"뭘?"

매끄러울 정도로 흘러나오는 그의 목소리는 천연덕스러웠다. 모르는 척하지 마. 나는 그를 흔들며 다그쳤다.

"내 마음이랑, 전생이랑. 그냥 전부. 언제부터 알고 있던 거야?"

모크샤가 나를 물끄러미 바라보았다. 그의 시선이 의미하는 바를 읽기엔, 나는 무척 혼란스러웠다.

"애초부터."

순간 바닥이 꺼져 내리는 듯, 강한 현기증이 나를 잡고 휘둘렀다.

단 한 번도 그랬으리라곤 생각도 못 했다. 지금껏 의아했던 모든 것이 빙글빙글 솟아올랐다.

"저주받게 된 이유가 카마와 얽혀 있다는 건 알고 있었어. 인드라에서는 가끔 옛날이야기로 전해져 내려오기도 하고. 의뢰한 늙은 노인이 하는 이야기를 들은 적이 있지."

뭐? 나는 상상도 할 수 없는 이야기에 경악했다.

모크샤와 처음 만나, 내가 카마라는 걸 밝혔을 때. 그는 어떤 반응을 보였더라? 기억이 나지 않았다. 나는 이마를 짚고 비틀거렸다.

"물론 자세히는 몰랐지. 궁금해서 찾아보기도 했지만, 밑바닥 용병이 만날 수 있는 사람이라고 해봐야 한정되어 있거든. 저주받은 자와 카마 사이에 무슨 일이 있었나 자세히 아는 사람은 없었어. 그래서 처음 네가 카마라는 걸 알았을 때 조금 놀라긴 했지만, 너는 나보다도 더 아는 게 없어 보여서 그냥 그러려니 하고 넘겼지. 사실, 네가 성욕의 신이라는 게 잘 믿어지지 않기도 했고."

모크샤는 잠깐 숨을 골랐다.

"너와 여행을 하면서, 뭐 굳이 전생에 대해 알아야만 하나

하는 생각이 들었어. 너는 늘 말했지. 전생의 카마는 네가 아니라고. 나도 그렇게 생각했어. 전생의 내 업보가 지금까지 남아있지만, 그렇다고 해서 지금껏 살아온, 현생의 내 인생을 전부 꼴아박을 정도로 의미 있는 건 아니라고. 네가 권능에 저항하는 것처럼, 나도 저주에 저항했지. 나는 그저, 내 인생을 살면 되는 거니까."

모크샤가 손을 뻗었다. 내 뺨에 그의 손가락이 닿았다. 그의 손끝이 내 볼을 어루만지듯 스쳐 지나갔다.

"단 한 사람만이 나를 나로서 인정해주면, 다른 사람들의 수군거림이나 배척, 그 모든 건 전부 의미 없다고."

모크샤를 인정해줄 단 한 사람. 그게 내가 되고 싶었다. 우리는 저주받은 자와 카마로 만나서, 인생의 양 끝단에서 서로를 마주 보고 있었다. 모크샤를 보면 거울이 생각났다. 그와 나는 닮았고, 인생에 저항함으로써 서서히 서로를 향해 다가왔지만, 결코 손을 뻗어도 겹쳐질 수 없는 그런 사이라고 지금껏 생각해왔다.

"내가 전생에 무슨 일이 있었나 정확히 알게 된 건 바르나에서야. 인드라로 올 때, 가우란이 알려주더군. 그로서는 나를 믿지 못하는 것도 당연한 일이야. 그는 너에게 헌신적이었고, 그것만큼은 나도 인정했지."

둘이 함께 이야기를 나누던 모습이 기억이 났다.

그때였던 게 분명하다.

하긴. 신군인 가우란이 그 정도의 안전장치도 없이 자신 대신 인드라로 가는 길에 동행하도록 허락할 리 없었다. 궁금했던 것들의 실마리가 하나씩 풀렸다.

"네가 왜 바르나에서 나를 피했는지 알 것 같았지. 하지만 머리로 안다고 해서 마음이 이해하는 건 아니더라고. 지금껏 전생과 현생의 자신은 다르다고 주장했던 놈이 갑자기 전생에 쩔쩔매어 부채감 가득 안은 눈으로 나를 보며 설설 피하는데, 화가 치솟았지. 왜 갑자기 안 하던 짓을 하느냐고 소리치고 싶었어. 하지만 참았지. 그렇게 외쳤다가 네가 어디로 도망갈지 몰라서."

인내심은 자신 있으니까. 모크샤는 씩 웃으며 덧붙였다.

"그리고 네 녀석 마음은, 얼굴에 뻔히 드러난다고. 모르는 척하는 게 더 힘들 정도로."

모크샤는 그리 말하며 내 머리를 손으로 푹 눌렀다. 지금껏 내가 모크샤를 좋아하며 마음고생 했던 기억이 스쳐 지나갔다. 울컥 눈물이 치솟았다. 지금껏 참아온 눈물은 결국 방울져 떨어져 내렸다. 모크샤가 알고 있었구나. 그것만으로도 보상받은 기분이 들었다.

하지만 달콤한 순간은 그리 오래지 않았다. 날카로운 소리와 함께 위협적인 기운이 순식간에 우리를 향해 다가왔다.

내가 눈치채기도 전에 모크샤는 칼을 뽑으며 나를 품속으로 끌어안았다.

챙!

날카로운 소리와 함께 검과 검이 부딪쳤다. 바로 자마드가 모크샤를 향해 검을 휘두른 것이었다. 나는 바로 코앞에서 부딪힌 날붙이들에 경악하며 외쳤다.

"자마드!"

"저자가 카마를 홀린 게 분명합니다. 전생에서도, 현생에서도."

자마드의 입가가 이죽거렸다. 자마드는 항시 미소를 유지하고 있는 편이었지만, 지금은 어딘지 모르게 이상했다. 마치 미쳐버린 사람처럼. 그의 눈에 스친 광기를 눈치챈 순간, 등줄기에 오싹 소름이 돋았다. 자마드가 눈을 번뜩이며 칼을 다시 치켜들었다.

"부정한 자는 죽여야 합니다."

그 순간 나도 모르게 몸이 움직였다. 나는 자마드와 모크샤 사이를 막았다. 모크샤의 검술 실력이 뛰어나다는 건 알고 있었지만, 알 수 없는 불안감이 나를 흔들었다.

"카마시여, 그곳에서 비키십시오. 저는 그대를 한 끝도 다치게 하고 싶지 않습니다."

내가 그들 사이에 끼어들자마자 신군들이 창을 들었다.

미친 술탄이 혹여나 카마를 해할까 경계하는 기색이 완연했다. 그들은 내가 명을 내리기만 하면 당장에라도 자마드를 속박할 만반의 준비가 되어 있었다. 다만 지금은, 아직 카마의 명을 받지 않고서는 신의 대리자라 불리는 술탄을 향해 창을 휘두를 수 없는 것일 뿐이었다.

그런 일촉즉발의 상황에서도 자마드는 변함이 없었다. 그의 입술은 여전히 그린 듯한 호선을 그리고 있었고, 얼굴을 조각처럼 매끈했다. 나에게는 그게 더 괴기하게 느껴졌다.

"저는 아그니 황실에 누가 되는 존재를 솎아내어 버릴 의무가 있지요."

"그런 식으로 발리데 술타나도 죽인 건가?"

제실의 입구에서 우렁찬 질책이 들렸다. 제실의 모두의 시선이 그쪽을 향했다. 입구에는 칼리프와 앙투안이 자신의 예니체리들을 끌고 와 있었다.

언제쯤 오려나 했더니, 아주 늦지는 않게 왔다. 하지만 상황이 썩 좋지만은 않았다.

칼리프가 한 발짝 앞서 나서며 말했다.

"신군으로 충분할 거로 생각했지만, 그래도 혹시 몰라 서두른 보람이 있군요."

나는 고개를 끄덕였다. 그들의 가세가 자마드를 압박하는 데 도움이 되기만을 바랄 뿐이었다.

조금이나마 한숨을 돌리기가 무섭게, 방금 칼리프가 제실로 들어서며 했던 말이 머릿속에 슬며시 떠올랐다. 찜찜하게 눌어붙었던 그의 말을 곱씹고 나서야, 나는 무엇이 거슬렸던 것인지 깨달을 수 있었다. 발리데 술타나는 바로 현 술탄의 어머니. 그렇다는 것은……. 나는 경악스레 되물었다.

"발리데 술타나를 죽였다니……. 그녀는 자마드의 친어머니잖아."

그 순간 자마드가 웃음을 터트렸다. 제실을 쩌렁쩌렁 울리는 광소는, 소름 끼칠 정도로 사람의 마음을 긁어내렸다. 한바탕 웃은 자마드가 웃음기가 남아 있는 목소리로 말했다.

"아그니 일족의 혈통을 잇는 의무를 지닌 그녀가 천박한 이와 정을 통했다는 의심을 사다니. 그저 의심일 뿐일지라도 일족의 수치요, 죽어 당연한 일이었습니다. 제가 직접 처단했지요."

"아그니 술탄!"

전혀 흔들림 없는 자마드의 태도에 되레 당황한 앙투안이 자마드를 질책했다.

이곳의 여성관은 최악이다. 그걸 제외하고서라도 술탄의 아내이자, 차기 술탄의 어머니가 타인과 정을 통했다는 것은 충분히 단죄될 수 있는 일이었다. 전혀 민주적이지 않지만, 이곳은 남성우월주의의 신분제 사회였으니까.

하지만 확신조차 없이 단지 의심을 받았을 뿐인 이를, 그것도 아들이 직접.

끔찍한 패륜에 내 얼굴이 새하얗게 질렸다.

"저는 그녀를 죽임으로써 주신에게 용서를 빌었으나, 주신께서는 아무 답도 해주시지 않으셨지요."

자마드를 겹겹이 쌓아온 것은 주신에게 선택받은 아그니 술탄으로서의 고귀함과 자존심, 그럼에도 불구하고 그와 이야기를 할 수 없다는 것에 대한 자괴감, 열등감, 분노, 경멸이었다. 제 손으로 어머니를 죽일 정도로.

어머니의 죽음으로 트라우마를 갖게 된 모크샤. 트라우마 때문에 어머니를 죽인 자마드.

도대체 왜 이렇게 된 걸까. 주신의 권능이, 주신의 저주가 도대체 뭐기에 이토록 사람을 비참하게 만드는가. 나는 알 수 없는 울렁거림에 죽을 것 같았다.

"저주받은 자로부터 카마를 구해내면, 주신께서 이번에야말로 저에게도 목소리를 들려주시지 않겠습니까? 어떻게 생각하십니까, 카마시여!"

그리 외친 자마드는 손을 들었다. 자마드의 명령에 아그니의 예니체리들이 결연한 표정으로 창을 치켜들고 돌격했다. 상대가 신군임을 알면서도 머뭇거림이 없었다.

적의 공격에 신군들도 창을 휘둘렀다.

바르나와 인드라의 예니체리들도 가세하였다. 처음에 언뜻 보기엔 우리 쪽이 우세한 것처럼 보였다.

하지만 신군들은 나에게 「제한」받은 게 있었기에 힘을 낼 수 없었고, 한정된 바르나와 인드라의 예니체리들과 달리 아그니의 예니체리들은 끝도 없이 밀려들었다.

나와 모크샤, 그리고 자마드를 사이에 두고 병사들이 성난 파도처럼 얽혔다. 그것은 무척 괴이했다. 시간의 흐름 속에, 우리만이 박제된 것 같았다.

모크샤를 노려보는 자마드의 시선에 살의 섞인 증오가 가득했다. 모크샤는 혹여나 나를 놓칠까 두려워하는 것처럼, 내 어깨를 감싼 손에 힘을 주었다.

세력은 거의 막상막하였지만, 아그니의 예니체리들이 밀리는 것이 눈에 보였다.

생각대로 되지 않는 일에 분노한 자마드는 주먹을 꾹 쥔 채 입술을 깨물었다. 초조하고 불안해하고 있었다.

무엇이 자마드가 이렇게까지 하게 만들었을까. 아니, 몰아붙였다는 표현이 더 정확하리라. 그는 나를 얻기만 하면 모든 것이 다 해결될 사람처럼, 맹목적으로 내 존재만을 바랐다.

어쩌면 나를 사랑한다는 자마드의 말이 그리 틀린 것은 아닐지도 모른다. 그는 나를 사랑했다. 그가 지금껏 얽매여 왔던 정통성이라는 속박에서 벗어나게 해줄 나를.

정작 나를 취하면, 눈 가리고 아웅처럼 제대로 해결되지 않은 문제가 속으로 곪아버릴 게 분명한데도.

나는 소란 속에서 조용히 자마드를 불렀다.

"자마드."

자마드의 시선이 나를 향했다. 주변을 메우는 고함과 병장기 부딪치는 소란 속에서도, 그는 내 목소리를 놓치지 않았다. 나는 내가 결심한 바를, 단호하게 말했다.

"마음을 정했어. 나는 절대 너에게 가지 않을 거야. 크하트의 목숨을 저울 위에 올려놔도, 레누카의 목숨을 올려놔도 마찬가지야. 내 존재가 너에겐 독이 되고, 네 존재는 나에게 감옥이 되지. 우리는 서로 같이 있어봐야 좋을 게 없어."

자마드의 얼굴이 일그러졌다. 나에 대한 원망과 모크샤에 대한 미움이 그득하니 뚝뚝 떨어져 내렸다. 그는 믿을 수 없다는 듯 눈을 끔뻑끔뻑 뜨더니, 이내 바락 소리쳤다.

"저자 때문에!"

"아니, 모크샤가 아니었다 해도 달라질 건 없었을 거야."

나는 쓰게 웃었다. 언제나 자마드에게 시달리고 있다고 생각했는데, 자마드 또한 내 존재에 시달리고 있다는 사실을 이제야 깨달았다. 서로를 상처 입히고 있다는 사실을 몰랐다. 그저 자신의 고통을 괴로워했다. 나는 자마드 또한 눈을 뜨고 사실을 알게 되기를 바랐다.

신의 흔적이 눈에 그대로 보이는 세계에서, 실제로 신이 간섭하는 세계에서.

신의 유일한 소통자로서 그 의무를 다하지 못한다는 것은 자마드를 얼마나 짓눌렀을까. 숨이 막히도록 죄어오는 압박감 속에서 그는 도대체 어떤 생각으로 살아온 것일까.

신의 존재가 인간을 망가트린다면, 과연 그것은 신이라 할 수 있겠는가.

수많은 물음이 나를 스치고 지나갔다. 하지만 나로서는 무엇 하나 제대로 대답할 수가 없었다. 도대체 주신은 왜 이런 세계를 만든 것일까. 영문을 알 수가 없었다.

단호한 내 말에 자마드는 멍하니 자리에 서 있었다. 한참을 그리 있던 그는 대뜸 뒤돌아, 비척비척 걸어 제단이 있는 곳으로 향하기 시작했다. 마치 자포자기한 듯, 기력 없이 축 처진 모습이었다.

나와 모크샤는 자마드가 무슨 짓을 하는지 멀거니 지켜보았다. 병장기 부딪치는 소리, 고함치는 소리, 고통에 괴로워하는 소리가 먹먹히 귀를 울렸다.

이 와중에도 제단에는 불꽃이 푸르스름하게 타올라 하늘을 간지럽히고 있었다. 주신의 목소리를 간절히 바라며 애태우는 것처럼, 불은 하늘을 향해 치솟았다.

자마드는 제단 앞에 놓인 횃불을 잡아 들었다.

공기를 태우는 듯, 화르르 소리가 강하게 들렸다.

자마드가 무슨 짓을 할지 몰랐던 나와 모크샤는, 그가 우리에게 횃불을 들이밀기라도 할까 주의하며 그의 행동 하나하나를 주시했다.

횃불을 쥔 그는, 조심성 없이 비틀거리는 발걸음으로 제단으로 향했다. 더 영문을 알 수 없었다. 제단은 이미 주신을 기리는 불꽃으로 번들거리고 있었다.

그때, 자마드가 제단의 밑부분에 불을 놓았다. 놀랍게도, 불은 제단의 밑에 붙어 화르르 타올랐다. 나는 눈을 둥그렇게 떴다. 지금껏 끊임없이 불을 태워도 멀쩡했던 제단이 타오르고 있었다.

"자마드!"

"아그니 술탄! 뭐 하는 짓입니까!"

그제야 상황을 파악한 앙투안이 기겁을 하며 소리를 질렀다. 모두가 휘두르던 무기를 멈추고 망연히 제단을 바라보았다.

치솟은 불이 제단에서 치솟아 오르던 불꽃을 삼켰다. 자마드의 얼굴에 역광이 드리웠다.

강한 불꽃은 그만큼 강한 어둠을 불러일으켰다. 자마드는 소리 높여 웃었다.

"제단은 고대로부터 지금까지 계속 이어져 내린 신물이지요. 애지중지 다루어졌다고는 하나, 나무 위에 덧댄 금이 언제까지고 그대로일 리 없지 않습니까. 혹시나 하여 도금이 벗겨진 밑동 부분에 미리 기름을 먹여두고 그 주변에 장작을 쌓아두었습니다. 아주 잘 타오를 겁니다."

"아그니의 술탄이여, 미쳤습니까!"

칼리프가 경악을 감추지 못하고 물었다. 돌았다고 하지만 이 정도로 미쳤을 줄은 몰랐다는 듯, 그들은 생각할 수조차 없는 불경에 몸을 떨었다.

자마드는 낄낄 웃으며 팔을 벌렸다. 마치 타오르는 불꽃을 끌어안으려는 듯이, 그대로 제 몸마저 태워버려 이 세상 속에서 소각되고 싶은 듯이. 그의 보랏빛 눈동자가 위험스레 넘실거렸다.

"어차피 인간과의 대화를 거부하신 신입니다! 카마께서 권능을 버리면 어차피 대화할 가능성조차 없을 텐데, 무엇하러 제단을 남겨둔단 말입니까!"

"그건 그저 당신이 부정한 출생이기 때문이 아닙니까!"

"그것은 의심이었을 뿐! 나를 모욕하지 마십시오!"

앙투안의 반박에 자마드가 으르렁대듯 외쳤다. 곧이라도 앙투안을 죽일 듯, 날 선 기세였다.

하나가 되어 넘실넘실 타오르는 불꽃 밑으로, 제단이 서서히 무너져 내리는 것이 보였다. 한번 무너져 내리기 시작한 제단은 걷잡을 수 없이 빠른 속도로 붕괴했다.

몇천 년 역사의 흔적이 사라지는 건 순식간이었다.

신군들은 경악에 차 불을 끄려고 했지만, 그들에게 주어진 권능은 파괴이지 수복이 아니었다. 그들은 아무것도 할 수 없었다.

제단이 무너지는 꼴을 지켜볼 수 없었던 신군 몇이 불 속으로 몸을 던지려 했다. 아무 의미 없는 허튼짓일지라도 해야만 하는 강박증이 있는 것 같았다.

다른 이들이 헛되이 희생하는 것을 볼 수 없었던 나는 그들이 불 속으로 뛰어들기 전, 다급히 외쳤다.

"그만!"

"하지만, 카마시여! 제단이 무너지고 있습니다. 주신과 소통할 수 있는 유일한, 더할 나위 없이 신성한 곳이 무너지고 있단 말입니다!"

"나도 알고 있어!"

나는 입술을 잘근 깨물었다. 내가 이 세계에 처음으로 발을 내디딘 장소요, 주신을 만나기 위한 유일한 장소였다. 모크샤의 저주를 풀고, 나의 권능을 버리기 위한 유일한 방법이었던 만큼, 하늘 높이 치솟을 불길을 보는 내 심정이 허탈하지 않을 리 없었다. 불길은 주변 모든 것을 잡아먹을 것처럼 위험스레 혀를 날름거렸다.

이렇게 두어서는 위험해.

권능보다도, 모크샤의 저주보다도, 제일 우선은 바로 목숨이었다. 한시바삐 이 불길을 다잡지 않으면 화마가 주변을 덮칠 것이다. 나는 주먹을 불끈 쥐고, 없는 기력까지 죄 끌어 올려 이 제실에 있는 전부가 들을 수 있을 정도로 쩌렁쩌렁 외쳤다.

"주변으로 번지기 전에 불을 꺼야 해. 당장 모래더미를 가져와!"

CHAPTER 18
맞춰진 퍼즐, 드러난 그림

동이 터 오를 때가 돼서야 불이 진압되었다.

자마드가 이렇게까지 할 줄 몰랐던 아그니의 예니체리들은 전의를 상실했고, 자포자기한 자마드는 신군에 의해 구속되었다.

과거에는 신의 은총을 받은 아그니의 술탄으로서 신군들의 존중을 받았지만, 이제는 그저 불신자일 뿐이었다. 게다가 자마드가 아그니 혈족의 혈통이 아닐 수도 있다는 말을 들은 신군들은, 당장에라도 주신을 속인 자마드에 대한 날카로운 재판의 판결을 내리고 싶어 했다.

마치 아벨을 죽인 카인처럼, 자마드는 제일 높은 곳에서 떨어져 바닥으로 고꾸라졌다.

그가 인간으로 취급조차 하지 않았던 수마트인이나 저주받은 자, 모크샤보다도 더 밑으로 추락한 그는 여전히 고상하고도 기품 있는 모습 그대로였다.

저항하지 않은 채, 허리를 빳빳이 세우고 꿇어앉아 세상 모든 것들을 굽어보듯 내려다보았다.

다만 그 보랏빛 눈동자에 담긴 것은 하늘을 향한 분노요, 저를 사랑하지 않은 나에 대한 원망이었다. 특히 주신에게로의 증오는 그 감정의 존재조차 자각하지 못한 채 너무나도 켜켜이, 오랜 세월 동안 자마드의 마음속에 쌓여 있었던 것 같았다. 아마 자마드는 그가 주신을 증오하는 것조차 모르리라. 그는 내가 알기로, 그 누구보다도 주신에게 얽매여 있는 자였다.

나는 까만 잿더미만을 남기고 사라진 제단 위에 서서 한숨을 쉬었다. 모든 것이 허무하게 흩어졌다. 무너진 제대는 더는 주신을 맞이하는 불꽃을 타오르게 할 수 없었다. 또다시 제단을 만든다 하여도, 주신과 연결될 수 있다는 보장이 없다 하였다. 그만큼 신물의 상실은 전무후무한 일이었다.

귓가에 악마가 유혹을 속삭이듯, 달콤한 생각이 떠올랐다. 제단은 무너졌지만, 그래도 자마드는 몰락했다. 모크샤와 나의 관계를 억압할 사람은 존재하지 않는다. 그렇다면 이번 생은 나와 함께 있으니 괜찮지 않을까? 그가 세상에 배척받는 만큼, 내가 그를 위해줄 테니까. 내가 그를 사랑해줄 테니까.

그러면 다음 생은? 다음의 저주받은 자를 데려와서 내가 대신 키우기라도 할 셈인가? 세상의 모든 경멸을 피할 수 있도록? 그렇게 얼마나 오랫동안? 과연 나는 그 긴 세월 동안 지금이 마음, 이 각오 그대로일까?

반신으로 떠받들어지는 동안 나는 타성에 젖지 않을 것이라, 과연 단언할 수 있을 것인가? 반신으로서의 삶은 생각해본 적이 없다. 나는 꾸준히 신성성을 버리고 평범한 삶으로 돌아가기를 갈구했고, 그런 만큼 내가 그려온 미래는 필멸자의 것일 뿐이었다. 나는 반신이지만, 정신까지 반신이라는 이름에 걸맞은 존재는 아니었다. 나약하고 이기적이고 생각보다 잘 흔들리는, 더할 나위 없이 연약한 인간의 정신 그대로였다.

만약, 반신으로서의 나의 삶에 익숙해지고 적응한 내가 모크샤를 버리면 어떻게 하지? 지금은 타인의 손길을 닿는 것조차 두려워 벌벌 떨고 있지만, 나중에는 성욕의 신이라는 이름에 맞게 변해갈지도 모른다. 그렇게 되면, 나에게 모크샤가 더는 매력적인 존재가 아니게 되면.

내 사랑이 끝을 고하게 되면.

단 한 번도 사랑을 해본 적 없던 나는, 첫 사랑에 있어서 그 무엇 하나 확신할 수 있는 게 없었다. 모크샤를 사랑한다는 사실조차도 뒤늦게 깨날은 내가, 지금 이 감정의 행방에 대해 예측하는 것은 거의 불가능에 가까운 일이었다.

나는 변하기를 바라면서도, 변하기를 두려워했다. 권능을 버리고자 한 것은 내가 바란 변화였지만, 모크샤를 버리는 것은 내가 바라지 않는 변화였다.

"카마시여, 제단은 이미 무너졌습니다. 내려오십시오."

한참을 제단에서 생각에 잠겨 있던 나에게, 가우란이 말을 걸었다. 제단의 파편 위에 위태위태하게 서 있는 것이 못내 불안한 모양이었다.

하지만 나는 제단에서 내려갈 수가 없었다. 지금 여기서 내려가 버리면, 모르는 척 뒤돌아서는 것밖에 되지 않을 것 같아 그러했다.

모크샤는 전생은 전생이고, 현생은 현생일 뿐이라고 해주었다. 나는 그에 답을 해주어야 했다. 현생은 현생이다. 나는 지금의 모크샤에게, 지금의 내가 할 수 있는 것을 해야만 했다. 모든 일에는 시기적절한 때가 있다. 모크샤의 저주를 끊어내는 건, 바로 이 순간임이 분명하다 내 본능이 외치고 있었다.

나는 폐허의 자리에 서서 하늘을 바라보았다. 태양이 어둠을 몰아내고, 붉은 밝음이 검은 어둠을 몰아내었다. 나는 내 마음 속 어둡고 심약한 부분을 모크샤에 대한 죄의식과 사랑으로 뒤덮어 밀어내었다.

분명 주신과 이야기하기 위한 방법은, 단 하나가 아니었다.

나는 제단의 폐허 위에 서서 고요히 그들을 내려다보았다.

제실을 정리하는 이들, 예니체리들을 포박하는 이들, 앞으로의 주신제를 어찌할지 고민하는 이들, 그리고 오롯이 나만을 바라보는 이들.

지금이 바로 결단을 내릴 때다. 단호히 마음을 먹은 나는 나직이 말했다.

"카마로서 말한다. 나는 내가 바라는 일을 할 터이니, 신군은 그를 돕도록 하여라."

"존명!"

내 말이 떨어지기가 무섭게 신군들이 무릎을 꿇으며 내 명을 받았다. 다들 내 명을 받는 것만으로도 더할 나위 없는 영광이라는 듯, 기쁨에 겨운 표정이었다. 다만 단 한 명의 신군, 가우란만이 미처 숨기지 못한 불안을 품은 채 나를 바라보았다. 나는 가우란을 보며 슬며시 미소 지었다. 미소 짓는 것밖에 내가 그에게 해줄 수 있는 것이 없었다.

신군이 아닌 다른 이들은 갑작스러운 내 말에 당황하여 멍하니 나만을 바라보았다. 모크샤 또한 마찬가지였다. 자마드의 몰락에 한시름 덜었지만, 내 발언으로 인해 다시 불안함에 떨며 얼굴을 딱딱하게 굳혔다. 나는 시야 가득 모크샤를 담았다. 떠오르는 햇살이 그를 비쳤다. 황금빛 태양빛에 반짝반짝 빛나는 모크샤를 보고 있자니, 괜히 눈물이 치솟았다. 나는 조용히 속삭였다.

"모크샤. 고마워, 사랑해."

"왜, 갑자기……."

"지금껏 줄곧 내 입으로 말하고 싶었어. 이제야 그럴 용기가 나네."

내가 생각해도 비겁하기 짝이 없다. 언제나 미리 지레짐작하여 펼쳐지지도 않을 일을 두려워하다가 결국 끝의 끝까지 와서야, 모크샤가 모든 걸 알고 있다는 걸 알게 돼서야 고백하다니. 만약 모크샤가 내 사랑을 모르고 있었더라면, 나는 지금 그에게 고백했을까? 지금 와서 되짚어봐야 아무 의미 없는 일이었으나 괜히 궁금했다.

나는 허리춤에 매인 칼을 빼 들었다. 그리 길지 않은 검이었지만 내 오랜 여행 동안 함께해준 동반자이기도 했다. 잘 갈아놓아 시퍼런 칼날에 빛이 비쳤다.

갑작스러운 내 행동에 놀란 모두가 웅성거렸다. 나는 소란 속에서 고요히 말했다.

"하지만 나는, 해야만 해. 그것 또한 네가 이해해주길 바라는 건 지나친 오만일까?"

"설마."

내가 무얼 하려고 하는지 깨닫기가 무섭게 모크샤가 나에게로 달려왔다. 하지만 제단까지의 거리는 멀었고, 그는 제단에 닿지 못한 채 가우란에게 속박되었다.

아무리 모크샤라 해도 신군의 힘을 풀어내고 빠져나올 수는 없는 법이었다. 모크샤의 부릅뜬 눈이 나에게 향했다. 그의 눈이 터질 것처럼 벌겠다. 경악과 분노, 온갖 끔찍한 감정으로 뒤범벅된 그의 얼굴에 내 마음 한구석이 아렸다.

가우란의 얼굴이 괴롭게 일그러졌다.

그는 자신에게 왜 이런 괴로움을 주느냐는 듯, 원망에 찬 눈으로 나를 바라보았다. 마지막에 가면서 원한이란 원한은 다 쓸어가네. 나는 쓰게 웃었다.

자마드 또한 내가 무얼 하려고 깨달은 것인지, 구속당해 꿇려진 상태에서도 버럭 소리쳤다.

"하지 마십시오!"

나는 흘끗 자마드에게 시선을 주었다. 하지 말라 하여도 이미 늦은 일이었다. 나는 한숨과 함께 고개를 내저었다.

"그러게. 그러니까 왜 그랬어, 자마드."

"카마시여!"

자마드가 나에게로 향하려는 듯 몸부림쳤지만, 그 또한 부질없는 짓이었다. 나는 능숙한 손길로 칼을 한 바퀴 휘둘러, 칼날을 안쪽으로 고정한 채 단단히 쥐었다. 아마 내가 없어도 그들은 잘 지낼 것이다.

어차피 카마의 존재가 다시 나타난 것은 근 2년뿐의 일이요, 지금껏 나 없이도 잘 살아오지 않았던가.

다만 걱정되는 것은, 어머니가 그의 앞에서 목을 베어 자살했다는 모크샤가 내 일로 인해 충격을 받지 않을까 하는 것이었다.

처음 보던 여자의 목에 칼이 드리워지는 것에 기겁하는 모크샤다. 나는 최대한 부드럽게 모크샤에게 일렀다.

"눈 감아, 모크샤."

"하지 마. 안 돼. 하지 마."

모크샤는 애타게 말했다.

차마 큰소리로 외칠 정도의 기력조차 없는 듯, 그는 정신없이 중얼거렸다.

나는 그런 모크샤가 안타까웠다. 하지만 할 수밖에 없다. 지금까지는 오로지 나뿐만이 모크샤에게 상냥했겠지만, 저주가 풀린다면 다른 이들도 모크샤에게 상냥할 거야. 저주만 없다면 모크샤는 훤칠하고 능력 있고 잘생긴 데다 다정한, 누구보다도 좋은 남자니까.

그렇게 된다면 모크샤는 날 잊을까? 조금, 아니, 엄청 슬픈 일이기는 하지만, 차라리 그리되기를 바랐다. 나는 애달피 웃으며 모크샤에게 간청했다.

"제발."

하지만 모크샤는 눈을 감지 않았다. 더 또렷이 눈을 뜰 뿐이었다.

내가 지켜보고 있는데, 네가 정말로 그리하겠느냐는 듯한 시선이었다.

나는 가우란에게 눈짓을 했다.

가우란이 이를 악물고, 어쩔 수 없이 내가 바라는 대로 모크샤의 눈을 가렸다.

"카마!"

모크샤의 통한에 찬 비명이 새벽하늘을 찢었다. 그의 외침과 동시에 나는 허공으로 칼을 치켜들었다. 칼날에 어른거리는 태양빛이 나를 삼키려는 것처럼 번득였다.

할 수 있을까.

실패하면 어쩌지. 아니, 죽는 것도 실패할 리는 없잖아.

아프겠지. 당연하지. 죽을 만큼 아플 거야. 아니, 죽으려고 하는 거니까 당연한 거려나.

머릿속이 시끄럽게 웅웅거렸다.

나는 모든 잡음에서 귀를 닫은 채, 눈을 꾹 지르감았다. 그러고는 그대로 칼끝을 내 심장에 꽂아 넣었다.

푸욱, 칼날이 살점을 헤집고 들어오는 소리가 귓가에 생생했다. 고민은 영겁이요, 결단은 순간이었으나, 그 결과는 다시 영겁으로 늘어졌다.

칼에 찔린 것은 심장인데, 온몸이 갈기갈기 찢어지는 느낌이었다.

꿈에서 전생의 카마가 죽으면서 느꼈던 고통과는 비교도 안 되는 생생한 고통이 나를 잠식했다. 차라리 불구덩이가 있으면 거기에 몸을 던지고 싶을 정도였다.

찰나가 길디길게 늘어졌다.

바닥까지 쓰러져 내리는 거리가 바르나의 미나레트처럼 높게 느껴졌다.

시야가 뿌옇게 흐려졌다가 초점을 잡았다가를 반복했다. 하지만 그마저도 얼마 가지 못해 까만 암막으로 뒤덮이리라는 걸 알았다.

멀어지는 시선 끝에서, 가우란이 꽉 잡고 있었을 모크샤가 가우란을 밀쳐내고 나에게로 뛰어오는 모습이 보였다. 모크샤가 신군의 힘을 떨쳐낸 것인지, 아니면 가우란이 못 이기는 척 놔준 것인지 지금의 내가 알 도리는 없었다.

나는 온몸에서 영혼이 빠져나가는 것처럼 몽롱한 부유감을 느끼며, 땅바닥에 고개를 고꾸라트리는 것과 동시에 그대로 정신을 잃었다.

나는 눈을 떴다. 하지만 그건 습관적인 내 자각일 뿐이었고, 실제로는 내가 눈을 떴는지, 감았는지 알 수가 없었다. 검은 지빠귀 새의 깃털에 둘러싸인 듯, 눈에 보이는 세상은 온통 까만 암흑뿐이었다.

[도대체 왜?]

내 머릿속에 울리는 주신의 목소리가 아니었더라면, 나는 내가 도대체 어디로 온 것인지, 미친 건 아닌지 혼란스러웠을 터였다. 나는 그제야 마음을 놓을 수 있었다. 내가 제대로 죽은 게 맞긴 하구나.

주신은 정말 이해할 수 없다는 듯 중얼거렸다.

[나는 네가 왜 이곳에 다시 오게 되었는지 모르겠구나.]

"저도 제가 이런 선택을 하게 될 줄은 몰랐죠."

허탈감에 나는 홀로 중얼거렸다. 소리를 낼 수 있을 거라 생각조차 못 했는데, 절로 목소리가 흘러나왔다.

내 손조차 보이지 않을 정도로 검은 공간에서, 내 「목소리」가 울린다는 것은 무척이나 기이한 일이었다. 마치 허공에 입술만 둥둥 떠다니고 있는 것 같은 착각이 들었다.

발에 닿는 감각이 없었다. 허공에 둥둥 떠다니는 부유체 같은 느낌이었다. 정말로 이렇게 될 줄은. 지금까지의 내 인생이 스쳐 지나가듯 머릿속에 잠깐 떠올랐다 사라졌다. 그래도 트럭에서 떨어지는 철골에 꿰뚫려 죽는 것보다는 의미 있는 죽음이 아니었나. 적어도 이렇게 주신을 만나게 되었고, 모크샤를 저주에서 벗어나게 해줄 기회를 얻지 않았는가. 나는 그리 나를 다독였다.

[이렇게 될 줄 알았더라면, 그자의 영혼을 저주하는 것이 아니라 아주 말살해버렸을 거다. 그자에게 네 권능이 통하지 않고, 그로써 네가 그자를 위해 죽은 건 정말로 예상치 못한 일이었어.]

죽은 내 이유를 꿰뚫어 본 주신의 말이 날카롭게 내리꽂혔다. 하긴, 권능을 버리자고 죽기까지 할 리는 없을 테니까. 주신의 말을 부정하지 못한 나는, 되레 당당히 고개를 치켜들고 말했다. 내 몸짓이 주신에게 보일는지는 모르겠지만, 적어도 목소리는 힘을 얻고 당당히 울렸다.

"권능이 통하지 않았다는 이유만으로 모크샤를 좋아하지는 않았을 거예요. 모크샤는 누구라도 사랑할 만한 사람이었어요.

저주만 없다면. 그러니까 제발 그의 저주를 풀어주세요. 그는 충분히 고통받았어요."

[그럴 수 없다.]

자식이 죽어서까지 바라는 소원이다. 당연히 들어줄 거로 생각했건만, 주신은 단호하게 말했다. 당황한 나는 순간 말문이 막혔다.

나는 혼란스러움을 그대로 드러낸 채, 버럭 소리쳤다.

"내가 죽은 건 모크샤의 저주를 없애기 위해서라고요. 모크샤의 저주를 풀지 못하면, 내가 죽은 건 정말 헛죽음이라구요!"

[그래도 어쩔 수가 없구나.]

아마 주신의 형태가 보인다면, 그는 잔뜩 안쓰러운 표정을 한 채 냉엄하게 고개를 저었을 게 분명했다. 나는 빙벽과 같이 단단하게 솟아오른 주신의 거부에 참담히 허물어졌다.

나는 그저 주신이 모크샤를 저주하고 그의 존재를 잊었을 거로 생각했고, 내가 모크샤의 저주를 풀어달라 하면 쉽게 일이 해결될 거로 생각했다. 주신은 신이었으며, 모크샤는 인간이었다. 주신이 일개 인간을 이토록 집요하게 증오하리라는 걸 고려조차 하지 못했다.

카마가 죽고 나서 얼마나 오랜 세월이 지났을까. 그동안 모크샤의 영혼은 저주받은 자로서 괴로운 삶을 살아왔다. 그 정도면 충분히 된 게 아닌가.

나는 도대체 주신이 얼마나 더 모크샤를 괴롭게 하고 나서야 만족할지 감히 짐작할 엄두조차 나지 못했다. 목이 졸린 것처럼, 목소리가 잘 나오지 않았다. 나는 힘겹게 물었다.

"왜죠? 왜 그렇게까지 모크샤를 싫어해요?"

[그자가 너에게 한 짓을 생각하면 당연한 일이다.]

더 영문을 알 수가 없었다. 모크샤의 전생이 나를 죽였다고 하나, 전생의 내가 바란 일이었다. 내가 바랐음에도 불구하고 감히 신의 자식을 죽인 게, 그리도 인간으로서 천벌을 받을 오만한 짓이었다는 건가? 도저히 이해할 수 없었던 나는 고개를 내저었다.

"그가 날 죽였던 건, 전생의 내 문제였다고요. 지금의 나에겐 내 의지와는 상관없이 들러붙는 이들이 더 끔찍해요. 하지만 아버지는 내 권능을 그대로 두었죠."

[그렇지. 네 권능은 네가 내 자식이라는 증표란다. 그걸 어찌 앗아가겠느냐? 전생이라고 하나, 그자가 널 사랑하지 않는 건 죄악이다.]

"어째서?"

[넌 내 성욕, 그 자체니까.]

주신의 말이 어딘지 모르게 의미심장했다. 마치 대장군이 나를 죽인 것보다도, 그가 나를 사랑하지 않는 게 더 문제인 것처럼 느껴졌다.

존재하지 않는 머리가 지끈거리듯 아파지는 것 같았다. 무언가 놓치고 있는 기분이 찝찝하게 들러붙었다.

내가 알고 있는 것이 너무 적었다. 손에 쥐고 있는 퍼즐 조각이 너무 적으니, 띄엄띄엄 조각을 맞추는 것만으로는 완성된 그림이 무엇일지 제대로 파악하지 못하는 것도 당연했다. 그러니까, 이렇게 된 좀 더 근본적인 이유를 알아야만 했다.

나는 한숨을 내쉬었다. 학습된 습관적인 행동이었다. 한숨을 쉬면 영혼이 빠져나간다며 잔소리를 하던 모크샤가 떠올랐다. 그렇다면, 지금 영혼의 상태인 내가 한숨을 쉬면 어떻게 되는 걸까. 영혼이 흐트러지듯 사라져가기라도 하는 걸까. 모크샤를 떠올리는 것만으로도 입가에 미소가 떠올랐다. 용기를 얻은 나는 당돌하게 말했다.

"우선 전, 이야기를 듣고 싶어요."

[무슨 이야기를?]

"그냥 전부 다."

완성된 퍼즐의 그림, 한 점도 빼놓지 않은 그 모든 것을. 그림의 어디에, 무슨 퍼즐 조각에 모크샤의 저주를 풀 수 있는 힌트가 숨겨져 있는지 모르는 일이었다.

켜켜이 진실 위에 쌓인 안개는 그 존재를 제외한 모든 것을 뿌옇게 가리고 있었다. 내가 모르는 진실이 있다는 것만 알려줄 뿐, 그 진실이 얼마나 끔찍할지 아니면 감당해낼 수 있을 만한 일인지 감도 잡지 못하게 하였다.

전부를 알게 되면, 주신을 이해하게 되면. 과연 나는 주신에게 설득당해 모크샤를 포기할 것인가, 아니면 주신을 설득할수 있는 틈을 찾을 것인가. 무엇 하나 확신할 수 없지만, 주사위는 이미 던져졌다. 나는 흔들림 없이 꼿꼿이 앞만을 바라보았다.

[그래. 내가 너에 대해 좀 더 알려줘야겠구나. 그러면 너도모든 것을 이해하겠지.]

주신의 말이 떨어진 순간, 어둠뿐이던 공간에 환한 빛이 들이쳤다. 밤의 장막을 걷어내듯, 틈새 사이로 들이친 빛은 이내세상 전부를 뒤집어씌웠다. 시야가 하얀빛으로 잠식되고, 붉은빛 줄기가 점멸하듯 나타났다 사라졌다.

그렇게 얼마나 지났을까. 한참 끝에 시야가 확 트였다.

흰빛 사이로 모습을 드러낸 것은, 푸른 물결이 휘몰아치듯녹색으로 가득한 초원이었다. 나는 초원 위 한 곳에 서 있었다. 바람이 불어칠 때마다, 파도가 치듯 푸른 풀들이 쓸려갔다. 사라락 소리가 귀를 간지럽히고 끝없이 푸르른 능선이 이어졌다.

초원의 이곳저곳을 둘러보던 나는, 초원의 한가운데 붉은 치맛자락을 넓게 펼친 채 토끼풀을 이어 엮고 있는 한 소녀를 발견할 수 있었다. 하얀 뺨은 적당히 믹고 자라 혈색 좋게 발그레했고, 머리카락은 개암나무 열매처럼 오묘하게 빛을 발했다.

[인간은 내가 처음으로 만든 이성체였지. 그래서 제법 관심을 기울였단다. 그들의 말을 듣기도 하고, 그들에게 말을 전해주기도 하고. 하지만 단지 그뿐, 인간 개체 하나하나를 눈여겨볼 생각을 하지 않았단다. 마치 인간들이 옷을 짜 내릴 때 옷솔기 하나하나를 정성껏 만들지만, 막상 옷이 완성되고 나면그 옷 자체를 하나로 인식할 뿐이지 않으냐. 내가 인간을 만들기는 했지만, 한 명의 인간에게 따로 시선을 주어본 적이 없지. 하지만 네 어머니를 처음 보았을 때, 나는 난생처음으로 「이상한 것」을 느꼈단다.]

여자, 내 어머니는 토끼풀로 화관을 만든 채, 신이 나 어디론가 달려갔다. 아마 집으로 돌아가는 게 분명했다. 나는 눈을 깜빡였다. 계절이 바뀌었다. 갈색으로 노릇하게 변한 들판에서그녀는 무언가를 찾는 듯 풀숲을 헤매고 있었다. 나는 또 한번 눈을 깜빡였다. 계절이 바뀌었다. 그녀는 하얀 입김을 내뱉으며 하얗게 눈송이가 내려앉은 들판을 가로질렀다.

[처음에는 단지 한번 눈길이 닿았던 것뿐이란다. 하지만 그녀에게서 좀처럼 눈을 뗄 수가 없었어. 나는 점점 다른 것에서시선을 돌리고, 계속해서 그녀를 지켜보았지. 하지만 그녀를보는 것만으로 만족할 수가 없었단다. 그녀의 무언가가 나를이렇게 잡아끌까 궁금했던 나는, 그녀 앞에 나타났어.]

다시 봄이 되었다.

1년간 부쩍 큰 어머니는, 이제 토끼풀 대신 노란 민들레를 광주리에 넣고 있었다. 그렇게 광주리에 민들레를 채우던 도중, 새하얗게 포실히 올라온 민들레를 발견했다.

그녀는 짓궂은 미소를 짓더니, 그걸 냉큼 낚아채 공중으로 후 불었다.

하얗게 흩어지는 민들레 홀씨들 사이로, 한 남자가 나타났다. 자마드도 보자마자 한눈에 홀려버리는 미남이라고 생각했는데, 지금 나타난 남자는 그보다 더했다. 너무 잘생겨서 되레 무서울 정도로. 이상한 위압감을 주는 사내는 어머니에게 말을 걸었다.

"저는 이상한 사람이 아닙니다."

[저는 이상한 사람이 아닙니다.]

주신의 목소리와 사내의 목소리가 겹쳐졌다.

"그저 무엇을 그리 즐겁게 보고 계신 건지, 궁금하여 말을 건넸습니다."

[그저 무엇을 그리 즐겁게 보고 계신 건지, 궁금하여 말을 건넸습니다.]

주신이 인간으로 화한 것은 보기만 해도 넋을 놓을 정도의 미남이었다. 여자든 남자든 섣불리 대답하지 못 할 정도로 현실감이 떨어지는 이모인 그가 말을 걸었지만, 어머니는 얼굴을 붉히는 대신 그저 눈을 동그랗게 뜨고 깜짝 놀랄 뿐이었다.

[그녀는 그저 민들레를 보고 있을 뿐이라고 말했어. 아무런 재미도 없는, 심드렁한 대답이었지. 하지만 왜였을까. 한 번만 만나면 내 궁금증이 풀릴 거로 생각했는데, 도통 그러지를 못했어. 나는 그녀를 또 만나러 찾아갔지. 그러나 만나면 만날수록 그녀의 존재는 목 타는 갈증처럼 나를 괴롭혔단다. 나는 계속 그녀를 찾아갔지.]

주신과 여자가 만나는 장면이 휙휙 지나갔다. 주신은 처음 등장한 모습 그대로였지만, 여자는 눈을 깜빡이기가 무섭게 성장하고 있었다.

[그러는 와중 그녀의 가슴은 뽀얗게 올라왔지. 어느 날, 그녀가 이제 다른 사내의 하렘에 들어갈 나이가 되었으니 더는 이렇게 나를 만나러 올 수 없다 말했단다. 다른 사내의 하렘이라니! 불꽃 같은 분노가 나를 잠식했단다. 그제야 나는 내가 그녀에게 품은 것이 무엇인지 깨달았어. 그녀를 향한 욕망, 바로 성욕이었던 거야.]

주신의 현신이 와락, 어머니를 끌어안았다. 그가 어머니에게 무어라 무어라 말하는 소리가 들렸다. 내가 그대를 내 하렘으로 데려가겠다며, 그 남자가 아닌 나를 택하라 간청했다. 어머니는 고심 끝에 조심스레 고개를 끄덕였다.

[그녀를 품고 나니 모든 것이 명백해졌어. 나는 처음으로 느낀 성욕에 어찌할 바를 모르고 안달복달이 났지. 신일지라도,

욕정의 불꽃 앞에서는 아무런 자제도 할 수 없었단다. 그게 내 눈을 어둡게 가렸고, 내가 무얼 하는지조차 깨닫지 못하게 만들었지.]

그녀와 주신은 다정한 연인처럼 나란히 앉아 있었다. 서로 손을 도닥거리기도 하고, 이내 들판의 풀잎 사이로 부둥켜안으며 사라지기도 했다.

[그러는 사이에 아이가 생겼지. 네 어미 배 속에 아이가 생기자마자 나는 고심했단다. 그녀와 나 사이의 아이는 반신의 육체였고, 지금껏 반신은 존재하지 않았어. 인간의 영혼은 반신의 육체에 들어올 수 없었고, 그렇다 하여 반신에게 들어올 새로운 신의 영혼은 존재하지 않았단다. 그래서 나는 영혼을 만들기로 했어. 그녀와 나의 아이에게 걸맞은 것, 내가 성욕이라고 생각한 것을 모두 긁어모아 빚어 새로운 영혼을 만들었단다.]

주신의 손에서 무언가가 영롱하게 빛났다. 유리구슬 같기도 비눗방울 같기도 한 그것은, 어머니의 배 속으로 슬며시 사라졌다.

[하지만 새로운 영혼을 만드는 것은 호락호락한 일이 아니었단다. 그건 세계의 인과율을 어그러트렸지. 나는 네 어미에게 반해서, 주신으로서의 정노를 지키지 못한 것이었어. 나 자신의 신성성에 대한 권위, 세계의 규칙……]

순간 공간이 확 뒤바뀌었다. 처음으로 들판이 아닌 공간이 나타났다. 나는 갑자기 땅바닥이 꺼지는 기분에 화들짝 놀랐다. 허공으로 내동댕이쳐진 나는, 벌렁거리는 심장을 가라앉히기 위해 노력했다. 진정이 되고 나서야 나는 내 발밑에 펼쳐진 게 무엇인지 깨달을 수 있었다. 자그마한 마을이었다.

[인과율을 많이 어긴 나는 힘이 약해졌고, 인계에 미칠 수 있는 영향도 무척 줄어들었단다. 그렇기에 일정 이상 인계에 간섭하지 못하게 되었고, 현신할 수도 없게 되었지.]

작은 마을은 흉흉한 기운으로 뒤덮여 있었다. 마을 광장 한가운데에 나무로 제단이 쌓아져 올랐고, 젊은 남자들이 혐오스럽고 경멸 어린 기색으로 나무 곤봉을 치켜들었다. 마을 사람들이 모두 나와 광장을 둘러싸고 있었다. 그 사이로, 한 여자가 다른 사람들에게 떠밀려 비틀비틀 마을 광장 가운데로 발을 옮겼다.

산발이 된 채, 남루하고 헤진 거적때기를 입고 비척비척 걷는 그녀에게 한 남자가 침을 뱉었다. 여자는 이를 악물었지만, 그녀가 할 수 있는 것은 아무것도 없었다. 그녀는 그대로 화형대에 올랐다. 끌려오면서 잔뜩 허리를 굽히고 있던 와중에 눈치채지 못했지만, 화형대에 묶이고 나니 그녀의 배가 숨길 수 없을 정도로 불러 있다는 걸 알 수 있었다.

여자가 고개를 하늘로 치켜들었다.

그녀의 맑은 두 눈이 어둡게 드리운 하늘을 곧게 응시했다. 그녀와 내 눈이 마주쳤다. 나는 사람들에게 핍박받으며 화형대에 오른 그녀가 내 어머니라는 걸 그제야 알게 되었다. 경악에 질린 나는 입을 틀어막았다.

[내가 나타나지 못하니, 네 어머니는 그저 아비 없는 애를 품은 여자가 될 뿐이었단다. 과년한 딸이 홀로 배불러 있으니, 네 어머니의 아비는 그녀를 닦달했단다. 하지만 그녀는 입을 다물었고, 마을 사람의 눈총이 무서웠던 그녀의 아비는 그녀를 음탕한 여자라 매도하며 마을 재판에 회부했단다. 그녀가 하늘을 바라보는 시선이 보이니? 그녀는 그때도 저리 나를 보았단다. 마치 내가 그곳에 있는 것을 알고 있는 것처럼. 그녀는 내 정체를 짐작조차 하지 못했을 텐데 말이야.]

주신의 목소리에는 피로함이 가득 차 있었다.

나무에 매달린 그녀는 앞으로 벌어질 일에 대한 두려움으로 덜덜 떨었다. 하지만 단 한 번도 주신에 대한 원망의 말을 내뱉지는 않았다.

[나는 그녀가 날 원망하고 있을 거라 생각했단다. 당연하지. 내가 주신일지언정 그녀에게는 그저 임신시키고 도망친 한심한 사내일 뿐인데. 하지만 마지막으로 마주친 그녀의 눈빛은 맑고 결연했단다. 후회하지 않는 것처럼…….]

나무에 불이 붙여졌다. 불은 순식간에 화형대를 집어삼켰다.

만삭이었던 그녀는, 죽음에 대한 공포를 이기지 못하고 이어지는 복통에 괴로워했다. 그녀의 치맛단 밑으로 무언가 핏덩이가 주룩 떨어져 내렸다.

불길이 일렁이는 끔찍한 세상으로 내동댕이쳐진 아이는 사산된 게 틀림없었다. 설령 살아 있다 하더라도 다를 바가 없었다. 곧 그 아이를 불길이 집어삼켜 녹여버릴 테니까. 불길이 어머니의 발끝에 닿았다. 어머니는 끔찍한 고통에 비명을 질렀다. 그와 동시에 아이의 울음소리가 우렁차게 울렸다. 어머니와 아이가 함께 죽어가는 걸 보면서도, 누구 하나 끔찍함에 고개를 돌리는 사람이 없었다.

[내 전령조차 전하지 못할 정도로 힘이 약해진 나는 그녀의 죽음을 막을 수 없었어. 그저 무력하게 지켜보고 있었을 뿐.]

불길이 모든 것을 집어삼켰다. 타오르는 붉은 화염 속에서, 여자의 몸은 숯처럼 그을리며 비명이 퍼져 나왔다. 하지만 그마저도 오래가지 못했다. 기도가 연기에 질식되고 목청이 시꺼멓게 탄 게 분명했다.

하지만 아이의 울음소리는 계속되었다. 마치 어머니의 죽음을 깨달은 듯, 서글프고도 애처로운 울음이었다. 사람들은 그제야 무언가가 이상하다는 걸 깨달았다. 죽었어도 한참 전에 죽었어야 할 미약한 생명은, 끊임없이 제 존재를 사람들에게 피력했다.

환청이다. 불길의 아지랑이가 주는 환청임이 틀림없다. 사람들이 두려워하며 몸을 떠는 와중, 모든 것을 집어 삼킬 듯 날름대던 불꽃의 기세가 서서히 줄었다. 타오르고 남은 잿더미와 연기 속에서, 아이는 보란 듯이 울어젖혔다.

[저 아이가 바로 너란다.]

전후 사정상 당연한 일이었기에 놀라지 않았지만, 충격받는 건 어쩔 수가 없었다. 설마 했던 일이 보란 듯이 까발려져 내 뒤통수를 후려치는 기분이었다.

사람들은 불길 속에서도 죽지 않은 아이를 두려워하였다. 아마 내가 제단의 불꽃에서도 멀쩡할 수 있었던 것 또한 제단의 불꽃이 특별하기 때문이 아닌, 태초부터 갖고 있던 반신의 권능 중 하나였을 터였다. 다들 가까이할 엄두조차 내지 못하는 와중, 나무 막대기를 들고 우뚝 선 사내 중 하나가 용기 있게 앞으로 나왔다.

사내는 잿더미를 지나 여전히 우렁차게 울고 있는 아이에게 조심스레 다가섰다.

앞서 나서기는 했지만 차마 아이에게 칼끝을 들이밀 용기까지는 없었던 모양이었다.

사내의 막대기 끝이 바르르 떨렸다. 결국, 사내는 아이의 여린 살결에 날붙이를 박아 넣는 대신, 질식시켜 죽이기 위해 아이를 들어 올렸다.

하지만 사내가 아이를 들어 올린 순간, 겨울의 찬바람 사이를 헤매고 다니던 와중 따뜻한 모닥불의 온기가 내리쬔 듯 그의 얼굴이 부드럽게 누그러졌다. 아이의 존재를 더할 나위 없이 사랑스레 여기는 표정이었다.

[어린 시절, 네 권능은 제대로 발현되지 않았지만, 그것만으로도 충분했지. 너는 권능을 무기로써 살아남았단다.]

만지면 성욕을 불러일으키는 내 능력은 태어난 당시는 그저 애정만을 느끼게 했던 모양이었다. 무척이나 다행이었다. 이제 막 태어난, 세상에 대해 아무런 이지조차 없는 갓난아이에게 성욕을 느끼는 성인들이라니. 끔찍하기 그지없는 결과가 벌어졌을 것이다.

다른 사내가 카마를 안고 도통 죽이려 하지 않는 사내에게서 카마를 빼앗았다. 하지만 똑같은 일의 반복일 뿐이었다. 젊은 사내. 늙은 사내. 여인, 노파. 어렸던 전생의 카마를 만지는 모든 이들은 누구나가 알 수 없는 사랑에 빠져 카마를 돌봤다. 카마의 어머니를 죽인 게 그들이며, 카마가 아비를 모르는 자식이라는 것은 아무런 상관이 없는 것 같았다.

카마는 그렇게, 그 마을에서 젖동냥과 무한한 애정을 받았다. 누운 채 허공에 주먹을 휘두르는 것밖에 할 수 없던 카마가 이내 몸을 뒤집기 시작하더니, 기어 다니기 시작했다. 카마의 성장이 빠르게 스치고 지나갔다.

[인과율의 억압에 휘둘리던 나는 주신제 때, 아그니의 술탄에게 대답해주는 걸 제외하고는 현세에 아무런 영향도 끼칠 수 없게 되었단다. 그러던 와중 드디어 주신제가 되었고, 나는 술탄에게 너의 존재에 대해 말했지.]

장소가 바뀌었다. 익숙한 제실의 모습이었다. 아그니의 술탄으로 생각되는 자가 제단의 앞에 무릎 꿇고 있었다.

주신은 구석진 촌에 자신의 자식이 있다며 당시의 아그니 술탄에게 전했다. 그 아이는 성욕의 신이니, 주신인 저를 대하듯 극진히 모시되 자유롭게, 하고 싶은 것을 할 수 있도록 하라 말했다.

아그니 술탄은 갑작스러운 주신의 자식이 등장한 것에 당황하였다. 주신께서 무슨 말씀을 내려주셨느냐 묻는 인드라와 바르나, 그리고 지금은 멸망한 고(故) 파르바티 술탄의 독촉에 당장 말씀드리기 어렵다며 침묵으로 일관한 채, 아그니의 술탄은 주신제를 파했다. 그리고 주신제가 끝나기가 무섭게 직접 말을 몰아 카마가 있는 마을로 향했다.

성욕의 신이라니, 도대체 그 무슨 망측하신 존재란 말인가! 그의 속마음이 쩌렁쩌렁 울렸다.

하지만 그곳에는 이제 막 기어 다니는 어린아이가 있을 뿐이었다. 요염한 묘령의 존재를 떠올리던 술탄은 당황했다. 남자의 무릎만큼도 안 오는 아이에게 성욕의 신이라니.

술탄은 카마를 안아 들어 올렸다. 그리고 예정되었다는 듯, 그는 카마에게 사랑에 빠졌다.

마을 사람이 카마의 어머니를 죽였다는 걸 알게 된 술탄은 그 작은 마을을 쑥대밭으로 만들었다. 술탄의 예니체리 군단 아래, 민간인이었던 그들은 무참히 도륙되었다. 아름다웠던 푸른 들판을 군마의 발자국이 짓밟고 지나갔고, 남은 것은 시체와 폐허뿐이었다. 그제야 나는 내 어미에 관한 이야기가 왜 남아 있지 않았는지 알게 되었다.

술탄은 카마를 아그니 술탄 궁으로 데려왔다. 하지만 차마 카마를 성욕의 신으로 공표할 수 없었던 당시의 아그니 술탄은 카마를 사랑의 신으로 공표하였다.

술탄 궁의 사람들은 카마를 떠받들었다. 누구나 카마를 만지면 그 귀엽고 보드라운 아이를 사랑하지 않을 수가 없었다. 어렸던 카마는 술탄의 하렘에서 여인들의 보살핌을 받으며, 그리고 술탄의 경애를 받으며 무럭무럭 자라났다. 귀엽고 오동통했던 팔다리는 사슴처럼 날렵하고도 가늘게 뻗어 내렸고, 깜빡이는 까만 눈동자는 밤하늘을 그대로 옮겨놓은 것처럼 별빛으로 반짝였다.

카마가 성욕에 눈을 뜬 건, 태어난 지 열네 살 되던 여름날이었다. 한여름 밤의 어느 날, 무더운 밤중에 잠 못 이루고 뒤척이던 카마가 조심스레 하렘의 정원으로 발을 내디뎠다.

차가운 물이 한가득 담겨 있는 키오스크에 발을 적시고 나면 이 더위가 한풀 가실 거로 생각했다.

하지만 키오스크에는 선객이 있었다. 바로 아그니의 술탄과 그의 애총이었다.

술탄과 오달리스크는 벌거벗은 채, 남들의 시선을 아랑곳하지 않고 정사를 벌였다. 카마는 몰래 그들의 정사를 훔쳐보았다. 카마의 아랫배가 뜨겁게 달아올랐고, 카마는 자신을 휩싼 열기에 몸을 비틀었다.

카마는 그다음 날, 술탄의 침실에 들었다. 주변의 사랑을 한껏 받으며 방종해진 그녀는 거리낄 게 없었다. 반신이 갑작스레 침실에 등장했다는 사실에 술탄은 당황하였으나, 카마가 그에게 손을 뻗으니 이루 말할 수 없는 성욕의 충동에 어찌할 바를 몰랐다.

그렇게 카마가 아그니 술탄을 처음으로 취한 뒤로, 그녀의 권능은 서서히 변하게 되었다.

주변의 따듯했던 눈길은 타오를 듯한 정염으로 뒤바뀌었고, 봄결 같던 그의 주변은 뜨겁게 내리쬐는 여름의 뙤약볕처럼 덥고 끈적끈적한 체온으로 뒤덮였다.

어렸던 카마를 차마 성욕의 신이라 말하지 못하고 사랑의 신이라 고한 아그니 술탄이 카마를 성욕의 신으로 만들었다는 것이 참 아이러니하게 느껴졌다.

카마는 술탄을 기점으로, 제 맘에 드는 이 누구와도 잠자리에 들었다. 여자였지만 카마는 여자가 아니었다. 그녀는 주신이 공언한 성욕의 신이었으니 그녀가 그리 방탕히 구는 것은 당연한 일이었다.

나는 과거의 내가 다른 이들과 얽혀 있는 것을 바라보았다. 이것보다 더한 야동을 본 적도 있었지만, 주인공이 전생의 나라는 사실이 얼굴을 홧홧 달아오르게 하였다. 하지만 못이라도 박힌 듯 시선을 돌릴 수가 없었다.

그리 자처한 인생을 보내던 카마는 결국 대장군의 손에 죽었다. 스러지는 카마의 모습을 기점으로 장면이 멈추었다. 그리고 또다시 칠흑 같은 암흑이 시야를 가두었다.

주신이 말했다.

[너는 내가 「성욕의 신」으로 만든 아이다. 너는 나의 일부요, 너를 만든 업보로 나는 아직도 인과율의 억압에 속박되어 있다. 그렇게 정성을 들인 너에게 반하지 않는다는 건, 내 권능에 반항한다는 것과 같은 의미 아니겠느냐?]

"그건, 뭔가…… 이상해요. 뭔가 아니야."

나는 쏟아지듯 던져진 정보를 더듬더듬 다시 되짚어가며 중얼거렸다.

어머니의 시신 아래서 울부짖던 카마. 누구에게든 사랑받지만 정작 부모의 애정은 받지 못한 채 방종하게 자라난 카마.

수치심도, 부끄러움도, 그 어떤 것도 배우지 못한 채 오롯이 반신으로서 추앙받던 카마. 그랬기에 대장군을 만나기 위한 이유조차도 이기적이며, 사랑을 깨닫고 난 뒤에조차 변치 않은 채 잔악하게 상대를 절망으로 빠트리고 죽어버린 카마.

과연 저것이 좋은 삶이었을까?

나는 고개를 내저었다. 저건 아니야. 나는 망연함을 감추지 못한 채 주신에게 되물었다.

"지금, 카마의 인생을 보면서, 이상한 게 없어요? 아버지는, 절 뭐라 생각한 거예요?"

[너는 내 성욕을 끌어모아 만든 아이지. 네 어미는 이 나를 매혹시킬 정도로 매력적인 이였으니까, 너 또한 이리 매혹적인 것이 당연한 게 아니냐.]

주신의 답은 되레 나를 참담하게 만들었다. 겉도는 대화의 실마리가 잡힐 것처럼 눈앞에 살랑였다. 계속해서 어긋나는 이유. 사랑이라는 말 대신 성욕만을 입에 담는 주신.

[나는 너를 위해 모든 것을 다 했다.]

주신이 말했다. 그것만큼은 부정할 수 없었다. 내 영혼을 만들기 위해 세계의 인과율에 억압될 정도였고, 대장군과 엮인 카르마를 끊어내기 위해 다른 세계로 영혼을 보내기까지 하지 않았던가. 하지만 그렇다고 순순히 인정하기엔, 알 수 없는 찝찝함만이 불에 탄 자국처럼 눌어붙어 있었다.

[너는 이상하게 그 사내에게 집착했다. 네 영혼을 그 사내에게 스며들게 하고 싶어 할 정도로. 네 간절한 소망이 통했는지, 네 영혼은 그자의 영혼에 강하게 얽혔단다. 그래서 네가 다른 세상에서 카르마를 끊어내고 왔음에도, 그 저주받은 자와 엮이지 않으리라고는 장담할 수 없었지.]

주신은 말을 멈추었다. 나는 그 사이에 들리지 않는 한숨을 느꼈다. 주신이니 그럴 리 없을 텐데도, 그의 목소리에는 피로가 짙게 배어 있었다.

[그래서 널 아그니의 술탄에게로 보냈단다. 술탄은 너에게 목을 맬 수밖에 없을 테니, 널 절대 하렘에서 내보내지 않아 그 남자와 부딪치지 않게 할 거로 생각했거든.]

"그거 왠지, 좀 이상하게 들리는데요."

나는 침을 꿀꺽 삼켰다. 무의 공간에서 유난히 침 삼키는 소리가 크게 울렸다. 실제로 존재하지 않는 피부 거죽을 타고 소름이 오소소 돋았다.

분명 영혼 상태임이 분명한데도 오한이 들며 식은땀이 흐르는 것 같은 기분이었다.

진실이라는 이름의 무척 역겨운 괴물이 내 머리 위에서 구취 나는 아가리를 벌리고 곧이라도 나를 집어삼키려 하는 것 같았다. 무거운 입술, 입천장에 들러붙은 듯한 혀. 가쁜 숨을 몰아쉬며 나는 힘겹게 입을 열었다.

"마치, 자마드가 나에게 목을 매도록 아버지가 만든 것처럼……."

[맞아.]

주신의 얼굴은 보이지 않았지만, 나는 그 순간 그가 짙게 미소 짓고 있으리란 확신이 들었다.

세상이 빙글빙글 돌았다. 아무것도 보이지 않는데도 그러했다. 타고 있던 롤러코스터가 어두컴컴한 공간에 들어가 이리저리 휘도는 것처럼 몸이 제멋대로 휘청거렸다.

주신이 어쩌다가 어머니를 만나게 되어 카마를 낳게 되었는지, 어머니가 얼마나 끔찍하게 죽었는지, 카마가 어떻게 자라왔는지, 그 모든 것보다도 지금 주신에게 들은 단 한마디가 더 충격적이었다.

주신은 아랑곳하지 않고 이야기를 마저 늘어놓았다. 자신이 해놓은 일을 자랑이라도 하는 듯한 태도였다. 마치 손으로 꾹 눌러 죽인 개미의 사체들을 전시하는 어린애 같았다.

[그에게서 술탄의 권위를 빼앗았지. 그는 정식 아그니 혈통이 맞지만, 내가 그의 말에 화답하지 않으니 다들 그를 의심하고, 그가 정통이 아니라는 말로 수군덕거리더구나. 그렇게 오랫동안 지내온 그가, 자신의 권위를 세울 수 있는 카마의 등장을 어찌 기꺼이 여기지 않겠느냐? 제 권위를 위해 어미조차 죽인 그가, 어찌 너에게 집착하지 않을 수 있겠느냐?]

"일부러였다고요?"

지금까지 흩뿌려진 퍼즐 조각을 찾아 더듬더듬 바닥을 만져 나가고 있었다고 생각했다. 그렇게 퍼즐을 모으면 숨겨진 진실을 찾을 수 있을 거라 여기며 한 발짝 발을 내디뎠다.

하지만 사실은 주신이 흩뿌려둔 진실의 편린만을 왜곡된 시선으로 되짚어가고 있을 뿐이었다.

그렇게 벗어나고 싶다, 자유로워지고 싶다 바랐는데. 모든 것은 주신의 손바닥 위였다. 나는 그저 실에 팔다리가 묶인 채 부자유스럽게 늘어트려진 인형이요, 내가 지금껏 알고 있던 현실은 『트루먼 쇼』에 불과했다.

지금껏 주신의 행동과 사고방식이 답답했던 적은 많지만, 이 순간처럼 소름 끼쳤던 적은 없었다. 몸서리가 절로 쳐졌다.

광기 어린 보랏빛 눈동자를 번들거리며 나에게 비탄 어린 외침을 부르짖던 자마드가 떠올랐다. 어미를 제 손으로 직접 죽였다며, 아그니의 혈통에 누가 되는 일을 저지른 자를 처단하는 것은 당연하다는 그의 목소리가 아직도 생생했다. 그 모든 것이 주신이 조작한 것이었다. 주신으로서는 무척 간단한 일이었으리라.

그는 순수한 혈통이 맞음에도, 주신의 침묵 아래 모든 근간을 부정당했다.

락시타의 죽음. 모카의 죽음.

자마드가 한 일은 결코 용서할 수 없는 일이었다. 하지만 그렇다 하여 그를 동정할 여지조차 주지 않을 수는 없었다. 심지어 그가 그렇게 된 원인에 내가 한 발짝 영향을 들이밀고 있다면 더더욱.

그리고 그와 동시에 주신에 대한 배신감이 치밀었다. 완전히 믿지는 않았지만, 그래도 내 편일지도 모른다 은연중에 내심 생각하고 있던 주신이 이런 식으로 뒤통수를 치다니. 나는 끔찍함에 소리 질렀다.

"당신은!"

[나의 신탁을 받는 영광을 누렸음에도 네가 성욕의 신이라는 나의 전언을 거짓되게 이른 자의 영혼이다. 그는 죄의 대가를 치르는 것일 뿐이야.]

"……이건 아니에요. 그건, 너무."

주신의 담담한 말에 나는 무어라 반박하고 싶은 말이 이것저것 치밀어 올랐지만, 그 무엇 하나 완전한 문장이 되지는 못했다. 마치 소용돌이에 휩쓸린 나무판자가 된 것 같은 기분이었다.

[알겠니? 감히 너를 사랑하지 않고, 내가 내린 권능을 얻은 널 부정하였으며, 심지어는 미천한 인간의 손으로 네 목숨마저 앗아간 저 대장군을 내가 얼마나 증오할 수밖에 없었는지?]

주신은 모크샤에 대한 증오가, 정작 그의 자식인 나의 의견보다도 더 중요한 것처럼 보였다.

순간, 목에 쉿 하고 바람 소리가 스며들었다. 그제야 목이 트인 나는 어지러운 정신을 붙잡고 주신에게 비난 어린 항변을 토로했다.

"아버지의 방법은 이상해요. 아니, 끔찍해요. 아무리 그래도 이건 아니에요. 모크샤를 증오하더라도 이렇게 굴 수는 없다고요! 나를 사랑하기는 하는 거예요?"

[사랑?]

되묻는 주신의 목소리에 영문 모름이 가득하였다. 만약 그의 외형이 보였더라면, 잔뜩 의문을 머금고 고개를 갸웃댔을 게 분명했다.

[사랑이라니, 알 수 없는 말을 하는구나. 지금의 네가 하는 말은 언제나 이해하기 힘들단다. 그건 마치 네 어미를 닮았어. 내가 그녀에게 수많은 보석을 줘도 필요 없다며 나를 거절했지. 그래놓고는 내가 건넨 한 떨기 꽃송이에 수줍게 미소 짓는 여자였어. 어째서였을까?]

아. 짧은 신음이 절로 흘러나왔다. 막막함이 높이 치솟은 파도처럼 나를 집어삼켰다. 동시에 알았다. 주신은 사랑을 성욕으로 착각하고 있는 게 분명했다.

그는 성욕이라 생각한 것을 모두 쏟아 만든 것이 바로 나의 영혼이라 하였다. 그가 사랑을 성욕으로 착각했다면, 그에게 있는 사랑이란 사랑을 나에게 전부 쏟아 부은 만큼 그에게는 사랑이라는 것이 멀쩡히 남아 있을 리가 만무했다. 그렇기에 아버지로서의 사랑을 모르고, 내 어머니에 대한 사랑을 잊었다. 그에게는 그저 내 존재 자체만이 한때 품었던 「성욕」의 증표로서 남아 있을 뿐이었다.

지금껏 그에게 품었던 기이한 이질감이 순식간에 동질감으로 녹아들었다.

나는, 이제야 그를 이해할 수 있을 것 같았다.

"불쌍한 아버지."

지금까지는 입술만을 빌어 아버지라 말했을 뿐이었다. 내가 반신이라는 것이 여전히 현실감이 없는 만큼, 이 세계의 주신이 내 아버지임을 마음속 깊은 곳에서 인정하는 건 쉬운 일이 아니었다.

하지만 지금 이 순간만큼은, 진심으로 그를 아버지라 여겼다. 부족하고 불완전한 그의 감정이 어딘지 모르게 내 마음속을 그대로 비춰 보여주는 것처럼 느껴졌다.

"불쌍한 주신이시여."

그대는 신이기에 자신에 대해 완고하였다. 자신의 감정적인 흔들림을 쉬이 인정하지 못하고, 그걸 굳이 무언가의 메커니즘으로 납득시켰으리라.

육체의 욕정이든, 혹은 감정의 욕망이든.

그렇게 그의 순수한 사랑은 그렇게 존재조차 왜곡당한 채 거
짓된 이름을 뒤집어쓰고 있었다.

"아버지는 어머니를 사랑했으면서도, 그 사랑을 성욕으로 착
각했군요."

[……]

주신은 아무 말도 하지 않았다. 내 말을 그저 들어보겠다는
듯 기다려주는 것인지, 아니면 처음으로 깨달은 사실에 대해
선뜻 답을 할 수 없는 것인지, 주신의 모습을 볼 수 없는 내가
알 수 있는 방법은 존재하지 않았다.

나는 내가 깨달은, 주신과 나 사이에서 어긋난 일방적인 의
사소통의 원인을 담담히 고했다.

"아버지가 저에게 불어넣은 것은 성욕으로 착각한 어머니에
대한 사랑이었던 거였어요. 그래서 자신의 사랑의 대리자이자
증표인 제가 부정당하는 걸 누구보다도 싫어하시는 거였고요."

처음에는 그저 내가 일정한 세계의 규칙에 맞춰 행동하기를
바라는 줄 알았다. 세계의 규칙은 절대적이었으며, 계층의 피
라미드는 결코 흔들리는 것이 아니었기에.

그래서 나는 성욕의 신이라는 위치의 내가 평범한 인간으로
돌아가고 싶어 하는 걸 주신이 이해하지 못하는 것도 당연하다
여겼었다. 주신이 보기엔 인간이 침팬지가 되고 싶어 하는 것
처럼 느껴졌겠지. 나는 그리 납득했다.

하지만 그게 아니었다. 그는 무의식중에도 자신의 사랑이 폄훼되는 것이 싫었던 것이었다. 그렇기에 그의 사랑의 흔적이라 할 수 있는 내 영혼의 권능이 통하지 않는 것을 못 견뎌 했고, 그에 그리도 모욕을 느꼈던 것이리라.

단단하고 딱딱하게 굳어버린 그의 마음은 사랑을 사랑이라 여기기엔 지나치게 오랜 세월을 지새워 왔다. 그의 첫 사랑은 너무나 오랜 세월 뒤에 찾아온 것이었다. 주신이 신으로서 존재하던 영겁의 시간은 그에게 남아 있었을지도 모르던 조금의 감정마저 무디게 하였다.

"존재조차 알지 못한 사랑을 긁어 저에게 봉인하였으니, 아버지가 또 다른 사랑을 느끼는 것은 거의 불가능한 일이었겠네요……."

주신은 자식인 나를 아낀다고는 했지만, 단 한 번도 사랑한다 말한 적이 없었다. 내가 아무리 권능이 필요 없다 애원하여도 곤혹스러운 표정만을 지었다. 그는 정말 사랑을 느낄 수 없는 것일까? 성욕으로 착각한 사랑을 봉인했다는 이유만으로?

주신은 그저, 익숙하지 않을 뿐이었다.

"누군가에게 끌리는 건, 특별한 건 맞지만 절대적인 권능 같은 게 아니에요. 신성할 필요도 없죠. 그저 누구에게나 있을 수 있는, 평범한 사람들도 느낄 수 있는 인생의 특별함일 뿐이라고요. 아버지는 사랑을 몰랐어요. 그렇기에 당신에게 찾아온 특별한 행복을 눈치채지 못했던 거예요."

목소리 끝에 한숨이 어렸다. 꽉 틀어막힌 듯 속이 답답하기도 했고, 나뭇잎을 차곡차곡 접어 잘근 어금니로 씹어 문 듯 입맛이 쓰기도 했다. 어쩌다가 일이 이렇게 되었을까. 가해자는 누군가의 피해자였고, 피해자 역시 누군가의 가해자였다. 물고 무는 죄와 원한의 고리의 끝은 과연 누구에게 수렴하는가. 나는 누구에게 이 죄를 물어야 하는가.

자마드가 주신에게 외면당한 이유는 바로 모크샤로부터 나를 격리하기 위해서였다. 모크샤가 저주받은 원인은 바로 카마의 오만방자한 애정의 갈구 때문이었다.

카마가 그렇게 오만방자하게 자라난 이유를 캐물어 들어가면 정말 끝도 한도 없을 것이다. 어미의 보호와 교육 아래서 나를 떼어놓은 마을 사람들. 아비 없는 자식을 품었다 하여 여인네를 무참히 화형에 처하는 이 세계의 말도 안 되는 가치관. 그 가치관이 만들어지게 된 원인.

하지만 아무리 생각해봐도, 나는 차마 주신에게 네 잘못이라 손가락질할 수가 없었다. 그가 자마드에게, 모크샤에게 한 모든 끔찍한 짓의 원인이 전생의 카마인 만큼, 나로서는 주신에게 모든 죄를 뒤집어씌울 수가 없었다.

주신은 오랫동안 침묵했다. 주신이 이토록 오래 고심하는 것은 무척 생소한 일이었다. 주신은 여전히 인정할 수 없다는 듯,

혼잣말하듯 내 말을 곱씹어 되풀이했다.

[내가 네 어머니를 사랑했다고? 그저 욕망한 것이 아니라?]

"네."

[그럴 리가 없다. 너는 내 성욕의 현신이 아니더냐. 네 권능이 무엇보다도 그 증거. 성욕이 사랑일 리가 없어.]

주신은 부정했다. 하지만 그리 말하는 주신의 목소리에는 힘이 없고 대신 혼란함만이 가득 차 있었다. 그 혼란스러움을 이해한다. 나는 내가 모크샤를 좋아한다는 사실을 자각했을 때를 떠올렸다.

사랑이라는 단 하나의 단어만으로 지금까지 알 수 없었던 내 행동이 명쾌하게 설명되었다. 당황스럽기도 했지만, 마침내 답을 알게 되었다는 기쁨 또한 벅차올랐다. 그러다 보니 내 지나간 모든 행동에 사랑이라는 이유를 부여하게 되고, 그렇게 끝없이 나 자신에 침몰할 뿐이었다.

언제서부터였을까. 어디서부터였을까. 상대 없는 과거 일에 대한, 의미 없는 되짚기일 뿐이었다.

"가끔은 성욕과 사랑이 무척이나 모호한 경계를 띨 때도 있지요. 마치 닭과 계란의 관계처럼. 지구의 신화에 나오는 우로보로스의 꼬리처럼."

나는 물끄러미 허공을 바라보았다. 눈의 착각일까. 그곳에는 어깨를 축 늘어트린 가련한 남자가 있는 것 같았다.

"하지만 어머니에게 느낀 그것이, 그게 사랑이 아닐 리가 없어요. 사랑이 틀림없어요."

비록 욕망이란 이름을 빌었지만, 그건 분명 사랑이었다.

주신의 형체는 보이지 않았지만, 내가 한마디 할 때마다 그가 무너져 내리는 것이 느껴졌다. 내가 부유하는 이 공간이 울렁이며 무언의 비명 같은 파동이 내 몸을 아프게 찔렀다.

이제야 드디어 자각한 것일까. 그의 당황을 따라 무의 세계가 부서지며, 지금까지 지켜보았던 풍경이 회오리치듯 어지럽게 뒤섞였다.

그의 자각은 너무 늦었다. 하지만 그의 영겁의 세월에 비견한다면, 지금 깨달은 것만으로도 충분할지도 모른다.

주신은 이미 한 번 사랑을 했다. 비록 그가 나에게 어머니에 대한 사랑을 봉인했다 하나, 사랑이라는 건 그렇게 한번 묻어 둔다 하여 사라지는 감정이 아니다. 다시 한 번 싹을 틔울 기회가 오면, 언제든 그 모습을 드러낸다. 억누르려야 억누를 수 없기에. 만약 그에게 두 번째 사랑이 찾아온다면, 그 사랑은 이렇게 허무하게 놓치게 하고 싶지 않았다. 그것은 자식 된 자로서 부모의 행복을 기리는 당연한 바람이었다.

나는 웃으며 덧붙였다.

"아버지가 어머니를 사랑하지 않았더라면, 보석을 거절당했는데도 불구하고 꽃송이를 건넬 리가 없으니까요. 아버지는 제 권능이 통하지 않는 것에 분노할 정도로 권위와 자부심이 강한 분이시잖아요."

나는 웃었다. 생각하고 보니 아이러니했다. 주신이 사랑을 성욕으로 착각하여 만들어진 나는, 모크샤를 사랑하기 위해 성욕을 배제했다. 모크샤를 떠올리니 심장이 옥죄었다. 마치 너의 영혼에 새겨진 원죄라 말하기라도 하는 듯이.

[사랑, 사랑이라.]

주신은 혼잣말하듯 중얼거렸다. 여전히 납득하지 못한 것인지, 납득하고 싶지 않은 건지, 그는 먹먹한 목소리로 되뇌었다.

[나는 여전히 모르겠구나. 불덩이를 삼킨 것처럼 속이 타오르고 눈에 불길이 치솟아 보이는 게 없었어. 그런 일은 처음이었지. 네 어머니가 유일했어. 이것이 사랑이란 말이냐?]

"네."

[그녀가 필멸자라는 걸 알고는 있었지만, 될 수 있다면 그녀와 평생을 함께하고 싶었어. 그것이 내 욕정 어린 이기심이 아니었단 말이냐.]

"사랑 맞아요."

[그렇다면 지금의 너는?]

주신이 돌연 나에게 물었다. 순간 입이 막혔다. 여기서 왜 내 이야기로 튀었는지 알 수가 없었다. 나는 얼떨떨해져 눈만을 깜빡였다.

[그렇다면 너는 왜 그자를 위해 죽었지? 너는 그자를 사랑한다 하지 않았느냐. 만약 네가 그자의 저주를 풀기 위해 죽지 않았더라면, 너는 그자의 죽음까지 함께할 수 있었을 텐데.]

"난 확신하지 못했으니까요."

입술이 비틀렸다. 나도 그러기를 바랐다. 누구보다도 더. 폐허가 된 제단 위에 서서, 모르는 척할까 하는 갈등에 마음이 흔들렸다. 하지만 그러지 못했다. 나는 내가 생각했던 것보다도 더 모크샤를 사랑했다. 그의 미래를 위해 내 목숨을 희생할 만큼이나.

"내가 그를 일평생 사랑할 수 있으리란 확신을."

내 대답에 당황한 듯, 주신은 황급히 덧붙였다.

[넌 그와 영혼을 얽으려 할 정도로 그를 사랑해.]

"그렇다 해도, 기억에도 없는걸요. 같은 영혼이지만 두 사람이죠. 지난번의 생은 실패였어요. 이번 생의 결과가 어떻게 나올지, 아버지는 어떻게 확신을 하죠?"

나는 허공에 외쳤다. 답은 돌아오지 않았다. 하지만 침묵 속에서 나는 답을 읽었다. 군데군데 비어 있던 진실의 조각이 완전히 맞춰졌다.

세상의 진리를 깨달은 것처럼 안개가 낀 듯 뿌옇게 가려졌던 시야가 일순에 탁 트였다.

"확신을 바라는 건 아버지로군요."

나는 머릿속에 복잡이 솟아오르는 진실의 실타래를 입술 밖으로 끄집어냈다. 내가 깨달은 것을 말하지 않으면, 그대로 머리가 터져버릴 것 같았다.

"아버지의 무의식은 자신의 「사랑」이 부정당하는 걸 싫어했어요. 그렇기에 저에게 이런 권능을 준 거였고요. 그러면서도 계속해서 권능이 닿지 않는 상대에게 과연 사랑이 통하는지를 궁금해하신 거예요. 아버지는 어머니에게 주신임을 숨겼고, 신성성을 내세우지 않은 아버지를 어머니가 정말로 사랑했는지 확신할 수 없었으니까."

공기조차도 있는지 없는지 의문인, 우주와 같은 공간이었지만 숨이 들어찼다.

"그래서 과거의 대장군이 카마를 죽였을 때, 더 화를 내신 거죠? 신성성이 통하지 않는 상대에게 내쳐진 카마의 모습이, 주신이 아닌 당신 자신의 모습과 겹쳐져서. 맞죠?"

나는 주신에게 물었다.

하지만 주신은 답이 없었다. 나에게 모든 것을 읽혀서 침묵하는 것인지, 아니면 그 자신조차 몰랐던, 이제야 알게 된 본인의 내심을 곱씹고 있는 것인지.

"하지만 어머니는 아버지를 사랑했어요. 그러니까 저를 계속 품으셨고, 화형대에서도 아무런 말도 하지 않았죠. 어쩌면, 어머니는 아버지가 사람이 아니라는 걸 알고 있었을지도 몰라요.

그건 제 추측이지만. 하여간 어머니가 아버지를 사랑한 것만큼은 확실해요."

[……]

내가 사랑에 대해 확신을 가질 만큼 사랑에 대해 잘 아는 것은 아니었다.

무엇보다도 나 자신부터가 사랑에 실패하지 않았던가. 하지만 내가 본 어머니의 모습만큼은, 그녀가 주신을 사랑한다는 걸 부정할 수가 없었다.

침묵 끝에 주신이 운을 뗴었다. 머릿속에 울리는 그의 목소리에 서린 것은 깊은 후회와 자신에 대한 질책, 그리고 의문이었다.

[넌 후회하지 않니? 죽음으로서 이렇게 피안 너머로 흘러들어 오면, 두 번 다시 그를 보지 못할 수도 있는데?]

"후회요? 당연히 후회하죠. 그냥 모르는 척, 모크샤랑 계속 함께할걸. 하지만 똑같은 상황이 닥쳐도 똑같이 행동할 게 뻔한걸요. 그럴 일은 후회해봤자 소용없잖아요. 그러니까, 아버지는 순순히 사랑을 인정하고 모크샤의 저주나 풀어주세요."

나는 툴툴대며 덧붙였다.

솔직히 말해서 주신의 사랑보다도, 자마드의 희생보다도 더 중요했던 건 모크샤의 저주를 풀어주는 일이었다. 그것을 위해 내가 지금 이러고 있는 거니까. 나는 목적을 덧그렸다.

"아버지께서는 당신의 사랑의 집약체인 카마가 부정당한 분노로 모크샤에게 저주를 걸었지만, 실상은 당신의 사랑을 제일 모르는 척한 것은 아버지 본인이시니까요. 게다가 카마의 죽음은, 그녀가 내심 바랐던 일이기도 했고……."

전생의 나를 생각하니 피식, 웃음이 나왔다. 사랑의 권능을 안고 태어났지만, 정작 우리는 여러모로 사랑에게 환영받지 못하는 모양이었다.

"뭐, 제 사랑이야……. 처음은 비극으로 끝났고, 두 번째는 이 모양이거든요. 매번 좋지 않은 결과라서 민망하긴 하지만. 사실 잘 모르겠어요. 다음 생에서도 그를 만나 사랑에 빠질지 아닐지. 그때의 나는 지금의 내가 아닐 테니까."

나는 어깨를 으쓱였다.

과거의 카마가 내가 아니고, 과거의 대장군이 모크샤가 아니듯, 다음 생의 우리는 우리가 아닐 것이다.

지금의 모크샤와 나의 관계는 이것으로 마무리를 지어야 했다. 나로부터의 해방.

마음속 깊은 곳의 진심은 그러지 말라 외치고 있었지만, 나는 나의 이기심을 묵살했다.

[내가 그의 저주를 풀어주면, 그에게 있어서 네가 유일하지 않을 게야. 그렇다면 처음의 그 내장군처럼, 네가 아닌 다른 이를 사랑할 수도 있지.]

"그건 어쩔 수 없죠, 뭐. 전 이미 죽었는데. 죽은 사람이 질 척대면서 들러붙는 거, 산 사람한테 안 좋고요."

주신은 이브를 꾀는 뱀처럼, 나를 설득하려 했다. 하지만 나는 단호하게 고개를 내저었다. 지금껏 모크샤를 힘들게 한 것만으로도 충분했다. 그리 결정을 하고 나니 되레 마음이 편해졌다.

주신은 한참 동안 침묵했다. 복잡했던 머리가 정리되고 나니, 내가 침을 한 번 삼키는 동안의 시간이 1년처럼 늘어졌다.

[내가 너에게 마지막 기회를 주마.]

"네?"

주신의 말에 나는 눈살을 찌푸렸다. 그의 말을 이해할 수가 없었다. 나한테 마지막 기회라니. 모크샤의 저주나 풀어주라고. 주신은 찬찬히 말을 덧붙였다.

[그자의 저주를 푸는 방법도 알려주마. 다만…….]

주신이 속삭이듯 말했다.

무척이나 작은 소리에 나는 귀를 기울였다. 나는 내가 제대로 들은 게 맞는지 그의 말을 몇 번이고 곱씹었다. 하지만 달라지는 것은 없었다.

무척이나 당황스러운 주신의 말에, 나는 입만 뻐끔거릴 뿐 그 자리에서 바로 반박을 하거나 되묻지 못했다.

[나는 아직도 내가 그녀를 사랑했는지, 사랑과 욕망이 어떻

게 다른지, 사랑이란 무엇인지 잘 모르겠구나. 하지만 네가 말한 대로 사랑이 특별한 행복이라면, 나는 너를 사랑한단다, 카마. 그것만큼은 나도 확신할 수 있겠구나.]

말을 끝마친 주신이 웃었다. 내가 지금까지 들었던 주신의 웃음 중 제일 인간적이고 따스한, 아버지 같은 웃음이었다.

그의 미소 아래 반론할 때를 놓친 나는, 갑자기 몰려오는 졸음에 그대로 까무룩 정신을 잃었다. 그 뒤로 이어진 것은 깊고 깊은, 마치 밤하늘과 같은 쪽빛의 안락함뿐이었다.

CHAPTER 19
재판의 시간

번쩍, 눈을 떴다.

무저갱처럼 어두웠던 공간은 사라지고, 시야에 닿은 것은 높디높은 화려한 천장이었다. 섬세하게 조각된 무늬들과 그림들. 술탄의 침실이라 해도 과언이 아닐 정도로 화려한 천장은 확실히 눈에 익었다.

나는 몇 번이고 눈을 깜빡였다. 주신이 보여주는 환영이 아닐까. 나는 주신과 마지막으로 무슨 대화를 나누었는지 떠올리기 위해 이맛살을 살짝 찌푸리고 기억을 되짚어갔다.

나한테 마지막 기회를 준다고……. 잠깐, 그 기회라는 게 분명……!

기억을 떠올리기가 무섭게 나는 몸을 벌떡 일으켰다.

갑작스레 몸을 움직이니 잔뜩 뻣뻣하게 굳어 있던 몸이 삐걱대며 근육통을 호소했다. 내가 고통에 신음할 때, 사내의 높은 외침이 귀를 찔렀다.

"카마!"

"카마시여!"

나는 눈을 깜빡이며 소리가 난 곳으로 서서히 고개를 돌렸다. 끼기기긱, 목의 근육이 비명을 질렀다.

"아야야야야."

나는 목을 잡았다. 아픈 걸 보니 현실은 현실인가 보네. 내가 일어서며 흐트러진 비단 이불, 바닥에 깔린 화려한 카펫. 누군가의 침실인 모양이었다. 도대체 내가 정신을 잃은 동안 무슨 일이 일어났던 거지. 나는 뻐근한 몸에 숨만 몰아쉬며 상황을 짐작하기 위해 애썼다.

하지만 생각은 오래가지 못했다. 무언가 거대한 것이 바로 내 위로 덮쳐들었다. 묵직한 것이 순간 몸을 짓누르는데 헉 소리가 절로 났다. 그것은 나를 꽉 끌어안았다.

코끝에서 퍼석하고 건조한 모래 냄새가 닿았다. 나는 무의식 중에 나를 덮쳐누르는 이의 등을 향해 손을 뻗었다. 가는 손끝에 엉기는 거친 천은 내 몸 위에 덮인 매끄러운 비단보다 더 익숙한 것이었다. 본능적으로 깨달을 수 있는 상대의 존재에 나는 조용히 속삭였다.

"괜찮아."

"괜찮기는!"

바락 반박이 되돌아왔다. 울컥거리는 목소리에는 물기가 그득하였다. 나는 손으로 모크샤의 등을 토닥였다. 등이 들썩였다. 상처 입은 짐승처럼, 숨죽인 채 울음을 삼키는 그의 모습에 가슴이 아렸다.

나는 나를 덮쳐 오른 그의 어깨너머로 목을 빼끔히 뺐었다. 그곳에는 환희와 격정, 기쁨의 표정으로 나를 바라보는 신군들이 있었다. 나는 그중 가우란을 발견했다.

어떤 표정을 지어야 할지 모르는 듯, 잔뜩 일그러진 표정으로 나를 보는 그의 뺨은 눈물로 축축이 젖어 있었다. 나는 괜찮다는 의미로 손을 흔들었다.

모크샤는 그의 품에서 나를 떼어내었다. 하지만 어깨를 틀어쥔 손은 그대로였다. 그의 손가락이 아플 정도로 어깨를 파고들었다. 모크샤는 이를 악물며 화와 분노를 삭이려 노력했지만, 그의 시도는 그리 효과가 있지 않았다. 그는 결국 치민 감정을 그대로 표출했다.

"자살 같은 거 안 한다며!"

부릅뜬 모크샤의 눈이 바로 코앞이었다. 두 번 다시 볼 수 없을 거로 생각했던 모크사의 얼굴을 이리 마주하니, 심각한 그의 표정과 달리 웃음이 절로 나왔다.

나는 소리 내 웃었다. 목이 거칠거칠 아팠지만, 웃지 않을 수가 없었다.

"하하하."

자기는 심각해 죽겠는데, 내가 실없이 웃어대니 모크샤는 어처구니가 없는 모양이었다. 그는 억울함이 가득한 표정으로 말을 이었다.

"내가, 진짜……."

"미안, 미안. 그런데 정말 그 수밖에 없었어."

나는 모크샤를 달래듯 덧붙였다.

모크샤는 납득하지 못한 듯 몇 번이나 입을 여닫았다. 아무리 수가 없다 해도 죽는 게 말이 되느냐는 것이 그의 붉은 눈에 쓰여 있었다.

하지만 지금 당장 나를 설득하기가 쉽지 않은 일이라는 것을 깨달았는지, 그는 그 주제에 관해 이야기하는 것을 잠시 포기하고 다른 주제로 말을 돌렸다.

"권능은? 권능은 없어진 거야?"

"하하, 그게……."

나는 어색하게 웃었다. 돌린 주제 또한 난처하기 그지없는 일이었다. 나는 말을 얼버무리며, 주신이 속삭이듯 덧붙였던 말을 떠올렸다.

—내가 너에게 마지막 기회를 주마. 다행히도 너는 제대로

죽지 못했단다. 멸신의 귓속으로 들어가기 일보 직전의, 신계를 부유하던 상태였지. 지금이라면 너를 다시 돌려보내 줄 수 있어.

제대로 죽었다고 생각했는데, 그게 아니란 걸 깨닫고 나니 참으로 기분이 묘하기도 했다. 돌아갈 수 있다 생각하니 기쁜데, 어찌 생각하면 죽는 것조차 못 하는 바보처럼 느껴졌다. 뭐, 이러니저러니 해도 내 목적은 죽는 게 아니라 주신을 만나는 것이었고, 초기 목적을 달성하였으니 그것으로 되었다 생각하기로 했다. 이렇게 모크샤도 다시 만날 수 있고. 그것만큼은 다행이었다. 주신이 덧붙인 「마지막 기회」는 기껍지 않았지만.

—그자의 저주를 푸는 방법도 알려주마. 다만, 네 권능을 당장 회수해 가지는 않을 것이다. 네가 사랑하고, 또 널 진심으로 사랑하는 사람과 결실을 맺어야지만 네 성욕의 신으로서의 권능이 없어질 거란다.

결국 결실이라는 게 섹스란 소리 아냐. 그걸 떠올리기가 무섭게 나는 머리를 쥐어뜯고 싶은 기분이었다. 내가 잘못 들은 거라 부정하고 싶지만 속삭이는 듯한 주신의 목소리가 아직도 생생했다. 당황스럽기도 당황스러웠고, 결정적으로 불가능한 일에 대한 좌절로 울부짖고 싶었다.

나야 모크샤를 좋아하지만, 모크샤가 날 좋아하는지 안 좋아하는지는 모르겠는걸. 심지어 그와 같이 자야 한다니.

주신이 준 기회는 차라리 두 번 죽으라 하는 게 나을 정도로 힘들게 느껴졌다. 정말 주신이 나를 사랑해서 그런 기회를 준 건지 의심이 갈 정도였다.

나는 막막함에 한숨을 내쉬었다. 모크샤는 묵묵히 나를 바라보며 대답을 재촉하고 있었다. 그의 붉은 눈동자는 내 움직임 하나하나를 전부 씹어 삼키려는 듯, 나를 빤히 주시하고 있었다. 내 권능에 관해 이야기하고 싶지 않았던 나는 말을 돌렸다.

"그래도 네 저주를 푸는 방법은 알아 왔어."

맞아. 그나마 모크샤의 저주를 푸는 방법을 알아 온 게 어디야. 나는 그것으로 만족하기로 했다. 이 정도면 목적 달성이지. 나는 그렇게 자기합리화를 했다.

나는 주신이 말한 방법대로 그의 눈가로 손을 뻗었다. 그의 속눈썹이 내 양쪽 손바닥을 간지럽혔다. 나는 그의 눈꺼풀을 손으로 감싼 채, 기억 속에 있는 말을 그대로 외었다.

―그대에게 주신의 축복을.

"그대에게 주신의 축복을."

그 순간 손에서 빛이 퍼져 나갔다. 반딧불이가 불을 빛내는 듯한 짧고 은은한 빛이었다. 빛이 모크샤의 눈에 스며드는 것을 나는 신기하게 바라보았다. 맨날 만지면 성욕이 들끓는다든가 그런 종류의 권능밖에 쓰지 못하던 나로서는 이제야 제대로 된 신성력을 써보는 것 같았다.

갑자기 무슨 일인가 싶었던 모크샤는 눈을 깜빡였다. 마치 붉은 물에 검은 물감을 탄 듯, 까만 동공이 서서히 퍼져 나가며 그의 홍채색이 오묘하게 뒤섞였다. 얼마 지나지 않아 모크샤의 붉은 눈동자는 선명함을 잃고 선연하고 순수한 검음으로 뒤바뀌었다.

저주받은 자의 저주가 풀렸다. 저주받은 자의 무엇보다도 확실한 증거가 사라졌다. 인계에 드리운 성스러운 주신의 흔적에 신군들이 하나같이 무릎을 꿇었다.

까만 눈동자의 모크샤는 무척 생소하고 이질적이었다. 하지만 뿌듯하기도 했다. 나는 자랑스레 미소 지었다.

"이제 넌 자유야, 모크샤."

"그게 중요한 게 아니잖아, 이 멍청아!"

머리 위로 불호령이 떨어져 내렸다. 저주가 풀렸다는 사실에 감격하는 것도 없이 다짜고짜 바로 쩌렁쩌렁 귀청을 울린 모크샤의 호통에, 나는 어안이 벙벙하여 눈만 깜빡였다. 당연히 모크샤가 좋아할 거로 생각했는데. 나는 당황하여 덧붙였다.

"하, 하지만 이제 눈동자도 붉은색이 아니고, 평범하게 살 수……."

"너 설마, 그 지랄 떤 게 전부 내 저주를 풀려고 했던 건 아니겠지?"

하지만 모크샤는 눈을 부라릴 뿐이었다.

지랄이라니, 그래도 나 카마인데. 신군들 앞에서 카마를 향해 욕설을 뇌까리는 모크샤의 눈에는 아무것도 뵈는 게 없는 것 같았다. 살벌한 그 기세에 입이 절로 다물렸다. 솔직히 모크샤의 말이 사실이라서 아니라는 답을 할 수도 없었다.

내가 아무 말도 못 하자 모크샤는 답답한 듯 가슴을 쳤다. 정말로 그럴 줄은 몰랐다며, 어처구니가 없어 할 말이 없다며 한탄하는 모크샤의 힐난에 나는 웅얼거리듯 항변했다.

"그래도 지랄이라니, 너……."

"저주 두 번만 풀었다가는, 아주 저주로 죽는 것보다 네 행동에 심장 떨어져 죽는 게 먼저겠다, 이 바보야!"

바보에 멍청이에. 아주 내가 동네북이지. 전부 모크샤 너를 위해서 한 건데. 나는 입술을 삐죽이며 투덜거렸다.

하지만 나쁜 기분은 아니었다. 그만큼 모크샤가 나를 걱정했다는 것 같아서, 이기적이게도 달가운 감정이 불쑥 치밀어 올랐다. 이내 나는 배시시 웃었다. 모크샤는 뭘 잘했느냐며 내 이마를 쥐어박았다.

순간 신군들이 깜짝 놀라 숨을 들이켜는 소리가 났지만, 아무도 모크샤를 제지하지는 않았다. 모크샤가 더는 저주받은 자가 아니라 주신의 축복을 받은 인간이어서 그런 것인지, 아니면 그들 또한 모크샤의 생각에 일정 부분 이상 동의하고 있어서 그런 건지 내가 알 길은 없었다.

설마 후자이겠냐 싶기는 했지만, 가우란이 옆에서 미묘한 표정으로 고개를 끄덕이는 걸 보아하니 후자일 가능성을 완전히 배제할 수는 없으리라.

나는 웃었다. 계속 웃음이 났다. 조금만 입을 다물어도, 다시 헤실 입가가 풀어지며 웃음을 흘렸다.

"뭐가 그리 좋아서. 나는 이렇게 속이 뒤집어졌는데……."

"그냥."

나는 다시 한 번 모크샤를 와락 끌어안았다. 품에 꽉 차듯 안기는 단단한 육체가 경직되며 굳었다.

나는 그의 목에 매달리듯 그의 어깨에 고개를 비볐다. 이럴 수 있는 현실의 소중함이 얼마나 값진 것인지, 죽기 직전에도 알고는 있었다 하나 그 절실함이 달랐다.

"다 좋아서. 다들, 다시 만나게 된 게 너무 좋아서."

이 세계의 햇살도, 질릴 정도로 예의를 차리는 신군들도, 무뚝뚝한 가우란도, 그리고 내가 너무 사랑하는 모크샤도.

죽으면서 한 번 포기했던 그였다. 하지만 이렇게 다시 만나게 되니 놓치고 싶지 않았다. 놓칠 수 없었다. 어떻게 다시 만나게 되었는데. 하지만 나에게는 모크샤를 속박할 수단이 없었다. 내가 내 손으로 놓아버렸다.

주신이 모크샤의 저주를 푸는 대신, 나에게 모크샤의 저주를 풀어주는 방법을 알려준 건 그와의 관계에 있어 일종의 주도권을

준 것이었다. 그의 저주를 풀어주지 않으면 그는 자기 세계에서 유일하게 호의적인 나를 사랑할 수밖에 없을 테니까.

하지만 그건 싫었다. 그런 식으로 그의 사랑을 받을 거였다면, 애초에 죽음으로써 주신을 만나러 가지도 않았을 터였다. 그래서 모크샤의 저주를 바로 풀었다. 그에 후회는 없었다.

모크샤가 나를 사랑하지 않을지도 모른다. 사랑이란 것은 노력한다고 하여 반드시 보상을 받는 종류의 것이 아니니까. 하지만 그래도, 사랑까지는 아닐지언정 모크샤는 나를 좋아하니까 그것으로 되었다.

내 권능을 버리고 말고에 대해서는 더는 미련이 남지 않았다. 모든 것은 제대로, 순리대로 돌아가게 되었으니까. 선대 카마가 어그러트리기 전으로. 나는 그것으로 만족했다.

⊱⊰♥⊱⊰

모크샤와 나는 한참 뒤에야 진정할 수 있었다. 남들 앞에서 찰싹 들러붙는 것이 뒤늦게 신경 쓰였던 나는 모크샤를 슬쩍 밀어내었지만, 그는 꿈쩍도 하지 않았다. 되레 왜 그러느냐는 식으로 나를 빤히 바라보니 할 말이 없었다. 나는 모크샤의 품에 안긴 채로 머쓱하니 뻐근한 목을 이리저리 꺾으며 주물럭거렸다. 잠을 잘못 잔 것처럼 온몸이 무거웠다. 그러고 보니 몸이 꽉 죄는 느낌을 받았는데, 나는 뒤늦게야 내 심장 부근이 붕대로 칭칭 감겨 있다는 걸 깨달았다.

아마 이리 치료해둔 걸 보니, 내가 완벽하게 죽지 않은 채 주신을 만나고 온 모양이었다. 미라도 아니고, 숨조차 멈춘 시체에게 붕대를 감을 리는 없으니까.

붕대를 감아준 건 역시 모크샤려나. 내가 칼로 찌른 것은 심장이었고, 가슴을 풀어 헤치지 않고서는 치료하거나 붕대를 감는 것이 불가능했다. 내 얼굴이 확 달아올랐다.

그때 요란스러운 발걸음 소리가 복도를 타고 들려왔다. 여럿이 뛰어오는 모양이었다. 나는 문 쪽으로 자연스레 시선을 주었다.

"카마께서 살아나셨다고!"

칼리프의 목소리가 쩌렁쩌렁 울렸다. 신군에게서 소식을 듣자마자 바로 뛰쳐나왔는지, 허겁지겁 방 안으로 들어서는 그들의 표정은 미처 갈무리되지 못한 채 당황스러움을 그대로 노출하고 있었다. 나는 모크샤의 품에 끌어안긴 채로 그들에게 한 손을 들어 인사했다.

"어어, 오랜만. 오랜만인거 맞지?"

"오랜만이라니, 말도 잘하십니다! 어쩌자고……!"

칼리프가 얼굴을 잔뜩 일그러트리며 외쳤다. 지금껏 어떻게 숨겨왔나 싶을 정도로 다혈질이었던 그는 불같이 성을 내었다. 옆에 있던 앙투안은 조용히, 하지만 뼈 있는 한마디를 건넸다.

"제 실책입니다. 카마께서 정말로 죽어서 주신을 만나고자 할 줄은."

"아니, 분명 앙투안 너, 그 이야기 할 때 내가 죽어도 상관없다는 투였거든."

"사람은 말도 안 되는 일에 대해 말할 때 되레 담담해지는 편이죠."

앙투안이 고개를 내젓자, 그의 흰 머리카락이 살랑살랑 움직였다. 한숨짓는 그의 입술 사이로 안도의 기색이 내비쳤다. 미안하기도 했다. 그들이 내 신변의 행방에 얼마나 노심초사했는지 알고 있었으니까. 괜히 죄책감이 들었던 나는 어색하게 말을 돌렸다.

"별일은 없었고?"

"카마께서 자진하신 일에 비하면 뭔들 별일이겠습니까?"

"아, 진짜."

단단히 속이 상한 듯, 비꼬며 대꾸하는 앙투안의 말에 나는 입술을 삐죽였다.

하지만 그저 말을 돌리기 위해서가 아니라, 정말 내가 죽고 나서 상황이 어떻게 굴러갔는지가 궁금했다. 내가 마저 정리할 것도 산더미처럼 쌓여 있었고. 모크샤에 대한 가장 큰 문제는 해결하였으니, 그다음 타자로 나는 눈을 돌렸다.

"자마드는?"

분노와 두려움 또한 감정이라는 걸 생각하면, 아마 내가 모크샤 다음으로 이 세계에서 마음을 준 상대는 자마드일 것이다. 거기에 미처 깨닫지 못했던 부채의식까지 한가득 안고 생환하였으니, 자마드가 어찌 되었는지 궁금한 것도 당연했다.

"그는 내일 열릴 재판에서 그간의 행적과 더불어 카마에 대한 불경죄, 주신의 제단을 망가트린 것들에 대한 판결을 받을 것입니다. 아마 사형이 확실하겠지요. 그자에 대해서는 너무 우려하지 마시옵소서."

"이제 막 일어나셨으니 좀 더 쉬십시오. 저희가 알아서 단죄하겠나이다."

앙투안과 칼리프가 주거니 받거니 하며 말했다. 그들은 내가 당연히 자마드를 처벌하기 바란다 생각하고 있었다. 나는 모크샤의 옷자락을 그러쥔 손에 힘을 주었다. 부드럽지 못한 그의 옷자락에 주름이 자르르 졌다. 모크샤의 손이 내 손등 위를 덮었다. 꽉, 내 손을 감싸 안은 그의 손바닥의 온기가 나를 위로해주었다.

내가 무슨 결정을 내려도, 납득하고 이해해주리라는 듯이. 용기를 얻은 나는 그들의 대화 사이를 끊어내며 말했다.

"아니."

내 말에 서로 이야기를 나누던 앙투안과 칼리프의 시선이 나에게로 향했다. 그들은 내가 도대체 어떤 진의를 품고 있는지 파악하려는 듯 내 이어지는 말을 기다렸다.

나는 침을 꿀꺽 삼켰다. 살아 돌아오기가 무섭게 줄줄이 이어지는 밀린 일거리들에 머리가 어질어질했지만, 힘들다는 핑계로 미룰 수는 없었다. 조금이라도 미뤘다가는, 단두대의 칼날이 자마드의 목 위로 떨어져 내릴 테니까. 나는 단두대만큼이나 단호하게 일렀다.

"나도 참여해야겠어. 그와의 일은 내가 마무리 지어야만 해."

꿍♥꿍

자마드의 재판에 참석하려는 나의 강경한 의지를 꺾지 못한 칼리프와 앙투안은 재판을 미루는 게 어떠냐 제안했지만,

나는 빨리 모든 것을 원래 그대로의 모습으로 되돌려놓고 싶었다.

그래도 운이 좋았다. 만약 내가 가사상태에 있는 동안 자마드가 사형에 처해졌더라면, 불쾌하게 들러붙은 죄책감이 평생 뒤통수에 찝찝하게 남아 있었을 테니까.

나는 다음 날의 재판에 참석하기 위해 술탄 궁의 깊숙한 키오스크에서 몸을 추슬렀다.

내 곁에는 모크샤가 있었다. 그는 아무 말 없이, 당연히 그래야만 한다는 듯 내 옆을 지켰다. 마치 조금이라도 시선을 떼면 내가 달음박질쳐 도망이라도 갈 것처럼. 침대에 누운 나는 나를 팔로 가둘 듯 끌어안고 있는 모크샤의 무게를 느끼며 숨을 내쉬었다.

그러는 와중 달이 뜨고 지고 해가 떴다. 키오스크에 스며든 따뜻한 햇볕의 온기에 나는 눈을 떴다. 이 세계에 와서부터 계속 나를 괴롭히던 악몽은 한낮의 별빛처럼 흔적조차 남기지 않고 완전히 사그라졌다.

하지만 그렇다 하여 내가 개운하게 일어난 것은 아니었다. 한동안 잊고 살았던 몸과 정신에 쌓인 피로가 이제야 존재감을 피력하며 나를 축축 잡아 눌렀다. 생각해보니 아그니로 오기 전부터 멀쩡한 상태는 아니었다. 빈속에, 지친 체력에. 오늘 눈을 뜬 것도 신기할 지경이었다.

자마드의 재판은 해가 저무는, 낮과 밤의 경계에 이뤄졌다. 아마 더 일찍 예정되어 있었을 텐데, 생환한 내가 자마드의 재판에 참여한다 하니 내 몸 상태를 생각해서 뒤로 미룬 게 틀림없었다.

식사한 나는 좀 더 침대에서 뒹굴었다. 시간은 무척 느릿하게 흘렀다. 한때 반신으로서 한량 같은 시간을 보내는 게 익숙했던 것이 거짓말처럼, 느긋하고 여유로운 지금의 순간이 무척 어색하게 느껴졌다. 시간이 늘어지면 늘어질수록, 재판에 대한 압박감이 더욱 무겁게 나를 짓눌렀다. 생각 외로 스트레스를 많이 받았는지, 나는 잠으로 현실에서 도피했다.

낮잠에서 깨고 나니 시간이 훌쩍 지나 있었다. 역시 시간을 보내는 데는 잠이 최고야. 너무 자서 머리가 어지러운 것만 빼면. 나는 재판에 참석할 준비를 하며 관자놀이를 꾹꾹 눌렀다.

가볍게 걸치고 있던 옷을 벗어 던지고, 준비된 정복(正服)을 차려입었다. 처음 아그니에 떨어져 내렸을 때는 어떻게 입는지도 몰랐던 옷들이지만 이제는 익숙한 손길로 착착 잘 차려입었다. 입고 보니 우연하게도 내가 처음으로 입었던 쿠르타와 도티와 비슷했다. 은사로 수가 놓인 흰 윗옷에 붉은 바지. 금술이 치렁치렁 달려 있고, 단추에 박힌 보석은 불빛에 반짝였다.

옷을 다 입고 나니 방 안에 모크샤가 들어섰다. 그는 언제나처럼 내 머리를 빗겨주었다.

내 머리칼은 허리춤에 올 정도로 길었고, 그만큼 머리를 빗는 데는 시간이 오래 걸렸다. 지루한 작업일 텐데도 모크샤는 촘촘히, 마치 비단을 짜는 직물공처럼 하나하나 놓치지 않고 내 머리를 빗겼다.

하지만 그의 섬세한 손길과는 달리 분위기는 마냥 좋지 않았다. 내가 처음 돌아오자마자 불만 어린 화를 와르르 토로했던 것과 달리, 지금의 그는 입을 다문 채 무거운 침묵을 유지하고 있었다.

나는 그런 모크샤의 눈치를 보았다. 모크샤가 침묵하고 있을 때는 주로 무언가 중요한 것을 생각하고 있을 때고, 그가 그렇게 골몰하는 중요한 것은 대체로 나와 연관이 되어 있을 때가 잦았다. 모크샤에게 있어 내가 중요하다는 의미라기보다는, 그의 행보가 나를 좌지우지한다는 것에 더 가까웠다.

머리를 잘 빗어 내린 나는 자리에서 일어섰다. 까만 머리카락이 운명의 실처럼 가닥가닥 흩어졌다 모이기를 반복했다. 내가 발을 한 걸음 내디딜 때마다, 시종들이 고개를 숙였다. 여전히 익숙해지지 않은 일이었지만, 어차피 술탄 궁을 나서면 익숙해질 필요도 없는 일이다. 나는 거북함을 숨기고 태연스레 걸었다. 해가 중턱에 걸리며 회랑에 사람의 그림자가 길게 늘어졌다.

곧, 재판의 시간이었다.

꧁♥꧂

둥, 두웅. 천으로 덧댄 채가 팽팽히 잡아당겨진 소가죽을 두 드리는 소리가 장내에 울렸다. 뇌를 뒤흔들 정도로 웅장하고 커다란 소리는 분위기를 고무시켰다. 해가 높은 성벽 너머로 기울어져 사라지며 남긴 잔영이 붉게 광장을 물들였다.

재판이 이루어지는 곳은 광장이었지만 사람들로 빼곡했다. 자신들이 지금껏 모셔왔던 술탄의 최후를 지켜보기 위해 아그 니의 귀족들 모두가 그 자리에 모였다. 그들 모두가 숙연히 고 개를 조아렸다. 마치 정복당한 패전국의 백성 같았다.

그들의 술탄, 자마드는 포박이 된 채 광장 한가운데 꿇어앉 아 있었다. 그의 양옆을 지키는 신군들을 제외하고, 그의 주변 은 마치 폭발 직후의 화산 근처처럼 아무도 존재하지 않았다. 자마드는 억압당한 상태에서도 뻣뻣이 허리를 세우고 전방을 직시했다. 마치 죄인이되 죄인이 아닌 것처럼, 술탄으로서의 기품과 권위가 남아 있는 모습이었다.

앙투안과 칼리프는 이미 자리에 착석해 있었다. 재판석의 가운데를 비우고 양옆에서 나를 기다리고 있었다. 나는 모크샤와 신군들의 호위를 받으며 재판석의 한가운데로 향했다.

내 등장을 깨달은 군중들이 환호성을 질렀다. 카마가 살아났다는 소식은 들었지만, 이렇게 일찍 그들 앞에 모습을 드러낼 줄 몰랐던 모양이었다. 반신의 부활. 그것은 여러 가지를 의미했다. 주신의 신성성의 건재함. 신의 화신으로서의 반신의 존재감. 주신의 권위를 훼손한 자마드의 죄업에도 불구하고, 주신이 인간을 버리지 않았다는 것에 대한 안도감. 그들은 모두 허심탄회하게 안도의 기색을 내비쳤다.

나는 단상의 한가운데 놓인 화려하고 드넓은 권좌에 앉았다. 권좌는 앙투안과 칼리프의 자리보다 한층 더 높은 곳에 자리하고 있었다. 황금으로 빛나는 뼈대에 빨간 비단을 덧씌운 권좌는 의자라기보다는 침대에 가까울 정도로 넓었다. 얼마나 넓은지 발을 뻗고 누워도 될 것 같았다.

권좌에 앉은 나는 광장을 한 바퀴 둘러보았다. 그러고는 마지막으로 광장의 한가운데, 축제의 제물처럼 가련히 홀로 꿇어앉아 있는 자마드를 보았다.

자마드와 내 시선이 마주쳤다. 그의 제비꽃 같던 눈동자는 새벽녘의 하늘처럼 짙게 가라앉아 있었다. 자마드는 나직이 입을 열었다.

"카마시여."

그의 목소리는 물기 없이 거칠거칠했다. 감옥에서 고생했는지, 양 뺨이 눈에 띄게 홀쭉했다. 수척해진 자마드는 눈을 접어 웃었다. 하지만 쉽지 않은지, 그의 얼굴에 괴로움이 스치고 지나갔다.

"돌아오셨나이까."

"운이 좋았지."

나는 평상시처럼 답했다. 우리 사이에 업보의 산이 켜켜이 쌓이기 직전처럼, 가벼운 목소리였다. 하지만 내가 답하기가 무섭게 칼리프가 대화를 가르고 들어섰다.

"죄인은 사사로이 카마께 말을 걸지 마시오."

칼리프는 냉정히 고개를 저었다. 자마드는 수긍하는 듯 고개를 끄덕였다. 무척이나 순순한, 기가 죽은 그 태도에 괜히 내 마음이 아팠다.

"죄인 자마드 아그니 1세는 반신 카마를 억압하려 하였으며, 신성한 성물인 제단을 불태우는 천인공노할 죄를 지었습니다. 게다가 아그니의 술탄으로서의 혈통과 정통성이 의심되는바, 지금껏 아그니의 모든 이들을 우롱한 대가로 죄를 치러야만 합니다."

앙투안이 눈썹을 눈 위로 드리운 채, 광장의 모든 이들이 다 들을 수 있을 만큼 맑고 청명한 목소리로 자마드의 죄를 고했다.

"판결은 카마께서 내려주시옵소서."

"판결은 카마께서 내려주시옵소서."

앙투안과 칼리프가 한목소리로 말하며 나를 향해 고개를 숙였다. 광장의 모든 이들이 이마가 땅에 닿을 정도로 고개를 숙였다.

나는 눈을 감고 숨을 들이켜고, 내쉬었다. 짧은 시간이었지만 그것만으로도 충분했다. 마음을 다잡은 나는 자마드를 보며 엄숙히 말했다.

"죄인, 자마드 아그니 1세는 판결을 들으라."

내 입에서 나온 내 목소리였지만 이질감이 들었다. 지금껏 내가 이렇게 큰 자리에 나서서 말을 할 일이 없었다.

특히 내가 주도하여야 하는 연설이라면 더더욱. 주신제야 자마드가 다 만들어놓은 식탁에 수저만 얹은 것일 뿐이었고, 다른 술탄들과 만나는 자리는 비공개인 만큼 신경 쓰지 않고 말해도 상관없었다.

호칭이나 말실수를 하면 어쩌지. 나는 작은 불안감을 안고, 어제저녁 내내 생각해둔 대사를 그대로 읊었다.

"그대는 성물인 제단을 무너트렸으나 주신께서는 그리 개의치 않으셨고, 되레 그대에게 권능을 주지 못한 대가라 생각하시니 그에 대한 죄를 묻지 않도록 하마."

내 말이 끝나기도 전에 웅성웅성, 소란스러움이 퍼졌다.

나는 개의치 않고 말을 계속했다.

"자마드 아그니 1세는 아그니 황족의 순수한 혈통이었으나, 주신께서 일부러 그의 부름에 대답하지 않으셨다. 그로 인해 자마드 아그니 1세가 정신적으로 궁지에 몰린 바를 참작해야만 하는바."

자마드의 눈이 크게 떠졌다. 그로서는 믿을 수가 없는 일일 터였다. 지금껏 그를 혼란케 한 정체성에 대한 진실을 드디어 알게 되었음에도 불구하고, 그는 전혀 기쁘지 않아 보였다. 오히려 얼굴을 일그러뜨렸다. 그가 그런 반응을 보이는 것도 당연했다. 그는 그 때문에 제 어미 또한 죽였다. 당황하지 않는 것이 이상했다.

내가 잠시 말을 멈춘 사이, 칼리프가 물었다.

"주신께서 어찌하여 그를 외면하셨나이까? 주신께서 외면할 이유가 그에게 있어서가 아니겠습니까?"

"그러나 그것은 자마드의 죄가 아니요, 엄밀히 따지자면 내 업보 때문이다."

주신이 나와 모크샤가 만나지 못하게 하려는 장기짝으로 자마드를 이리저리 휘저었으니, 내 업보 때문임이 맞았다. 혹여 이 사실로서 자마드가 나를 증오하게 될지라도, 내가 감내해야만 하는 일이었다.

사람들의 소란스러움이 커져 갔다.

당연히 자마드의 사형으로 끝날 거로 생각한 판결의 행방이 오리무중으로 사라졌기 때문이었다. 자마드가 죽을 것인가. 아니면 살 것인가.

다른 벌을 받을 것인가. 내가 무슨 말을 할지 짐작하지 못한 그들은, 이내 조용히 침묵하고 내 다음 말을 기다렸다.

"나를 억압하려 한 일 또한 그동안 나를 돌봐준 정을 생각하여 내 잊고 넘어가도록 하마."

자마드는 이어지는 내 말에 믿을 수 없다는 듯 멀건 표정으로 나를 바라보았다. 그는 연달아 이어지는 말에 어안이 벙벙해 보였다. 그것은 언제나 총기를 빛내며 여유롭게 상황을 파악하던 그답지 않은 모습이었다.

"자마드의 모든 죄는 주신의 신성과 반신인 나의 안위와 관련된 것들. 주신께서는 자마드를 용서하셨고, 나 또한 그러하였으니 그에 대한 판결은 무죄로 함이 옳다."

숨 들이켜는 소리가 여기저기서 들렸다. 자마드 또한 눈을 부릅뜨고 나를 빤히 바라보았다. 그의 눈에 들어찬 불신이 내 마음을 저몄다.

"자마드의 혈통 또한 확실하니, 그는 아그니의 이들을 우롱한 것 또한 아니다."

그는 아무도 속이지 않았다. 그의 잘못은 그저, 자신의 괴로움을 어그러진 방법으로 표출한 것일 뿐이었다.

나는 마지막으로, 자마드의 판결에 종지부를 찍었다.

"하지만 자마드가 죄 없는 이들을 죽인 것은 부정할 수 없는 사실. 그에 대한 죄는 아그니의 국법에 따르도록 하라."

"카마시여!"

칼리프가 소리 높여 외쳤다. 그는 잔뜩 당황스러운 기색이었다. 이번 재판을 앞두고, 나는 칼리프와 앙투안에게 자마드를 사형시킬 생각이 없다고만 말해두었을 뿐이었다.

내가 이렇게, 자마드에게 아무런 처벌도 내리지 않을 거라고는 생각지 못한 그들은 상황을 어찌해야 좋을지 갈팡질팡하며 혼란스러워했다.

그 와중에 당황스러움을 수습한 앙투안이, 내 판결이 어떤 결과를 불러일으킬지 설명하듯 덧붙였다.

"자마드가 술탄의 혈통이 맞다면, 아그니의 국법으로는 그를 강제할 아무런 수단이 없습니다."

"그렇다면 강제하지 않는 것으로."

앙투안과 칼리프는 납득하지 못한 표정이었다.

내가 자마드 때문에 무슨 고생을 했는지 빤히 봐온 그들로서는 내가 자마드를 이리 순순히 풀어주는 것이 바보 같고 멍청해 보이리라.

하지만 이 세계의 법도가 그의 행동을 묵인한다면, 다른 그 누구도 아닌 내가 그를 단죄할 이유는 없었다.

"그에게는 어느 정도의 관용이 허락될 필요가 있어. 사건의 당사자인 내가 용서했으니, 그대들도 그의 허물을 눈감아주길 바라."

앙투안과 칼리프를 설득하기는 쉽지 않았다. 하지만 내가 용서했다는 말에 그들은 허물어졌다. 그들이 아무리 납득할 수 없다 하나 신의 말은 절대적이요, 당사자는 나였으니까. 결국 내 말대로 될 테니, 여기서 내 결정에 더 날을 세워봐야 그들로선 좋을 게 없었다.

눈을 질끈 감은 앙투안과 칼리프는 침묵으로서 무언의 승낙을 했다. 그들의 도움을 많이 받았던 만큼, 그들의 말에 귀 기울여주지 못한 게 미안하기도 했다. 하지만 그들의 마음을 편하게 하기 위해 자마드를 벌할 수는 없는 노릇이었다.

나는 자마드가 술탄으로서 인정받기 위해 많은 일을 했다는 것을 알고 있었다. 필사적일 정도로 그는 모든 수단을 다했다. 공포정치 또한 그 일환이었다는 게 무척이나 안타까웠지만.

아그니의 귀족들 대부분은 자마드가 다시 술탄에 오르게 되는 것을 기뻐하듯 반겼다.

자마드가 성군이라 그러는 게 아니라는 건 나도 알았다. 자마드에게는 아직 자식이 없고, 그의 형제들도 없다. 만약 자마드가 술탄 위에서 내려오게 된다면, 아그니는 인드라나 바르나의 밑으로 종속될 것이다.

이미 기득권층인 그들로서는 타국의 술탄 밑으로 들어가는 것이 불만이고 불안했겠지. 자신들을 홀대할지도 모르는 타국의 술탄보다는 폭군 같은 자마드가 낫다는 것일까. 내가 바라던 대로의 결과임에도 불구하고 왠지 모를 씁쓸함이 남았다.

아그니의 귀족들이 기뻐하는 것과 달리, 정작 당사자인 자마드의 표정은 별다를 바가 없었다. 길을 잃은 어린애처럼, 그는 영문을 알 수 없는 표정으로 나를 올려다보았다. 하고 싶은 말이 많은 것 같았다.

소란이 잦아들었다. 어느새 밤이 찾아왔다. 호랑지빠귀 우는 소리가 휘파람처럼 바람결에 들려왔다. 불빛 흔들리는 소리가 들릴 정도로 고요한 와중, 나는 자마드에게 물었다.

"자마드. 내가 그대의 죄를 묻지 않는 이유를 알아?"

"……모르겠나이다."

자마드는 꽉 틀어막힌 목소리로 답했다. 그의 눈빛이 돌을 던진 호수처럼 불안스레 흔들렸다.

자마드는 고개를 숙이고 머리를 내젓더니, 다시 고개를 들어 나를 바라보았다. 그의 혼란이 나에게까지 전해질 정도였다. 자마드는 애끓는 목소리로 고했다.

"정말로 모르겠나이다. 카마께서 착하신 분이라는 건 알고 있습니다. 하지만 두렵지 않습니까? 그대께서 풀어놓은 나라는 역귀가, 그대의 사랑을 계속해서 갈구하며 들러붙을지 걱정되지 않습니까? 차라리 지금 여기서 죽여 없애십시오. 그러면 카마께서도 편안하고, 저 또한 편안하지 않겠습니까."

그리 말한 자마드는 그대로 고개를 세차게 바닥에 내리찧었다. 단단한 돌바닥에 내리쳐진 그의 이마가 붉게 물들었다. 그는 한 번 더 고개를 들더니, 다시 한 번 바닥을 향해 머리를 내리찧으려 했다.

자마드의 곁에 있던 신군들이 당황하며 자진하려는 그를 구속했다. 깨진 이마 사이로 피가 줄줄 흘러 그의 흰 콧날을 물들였다.

자마드는 정말로 죽으려 하고 있었다. 처연히 목을 떨구는 그에게서 짙은 죽음의 향기가 났다.

자마드는 힘겹게 고개를 들어 안타까이 나를 바라보았다. 삶을 포기한 자의 시선이었다.

자마드가 이리 나올 줄 몰랐던 나는 입술을 질근 물었다. 나는 자마드가 화를 낼 거로 생각했다. 자신의 손으로 어미를 죽이게 하고서야 만족하였느냐며 주신과 나에 대한 울분을 토할 거로 생각했다.

"어차피 카마께서는 제 사랑을 믿지조차 않으실 것 아닙니까……."

지미드의 오열이 땅을 치고 허공을 울렸다. 끓는 듯 절절한 목소리가 애달피 내 속을 죄었다.

지금껏 그 누구에게도 약한 모습을 보이지 않았던 자마드였다. 심지어 나를 붙잡으려 할 때도 여유를 잃지 않았었다. 그런 자마드가 비치는 약한 기색에, 그가 여태까지 어떤 심정으로 내심을 억눌렀던 건지 조금이나마 짐작이 되었다.

그에게는 내가 유일한 해답이었을 터였다.

나를 붙잡지 못하면 세상에서 내동댕이쳐질 것 같은 불안감에 그는 필사적이었다.

"예전에 그대의 사랑을 부정했었던 적이 있었지."

믿지 못했다. 믿을 수 있을 리가 없었다. 반신인 내 권능이 필요할 뿐이라고 생각했다. 지금도, 그의 사랑에는 일종의 자기세뇌가 서려 있을 거라는 생각이 들었다. 그는 그럴 수밖에 없는 환경에서 고독히 지내왔으니까.

권능을 지니지 못한 어린 술탄.

나는 처음에는 자마드가 신하들에게 혈통을 의심받는다 생각했다. 그래서 더더욱 강경책을 쓰고 손속을 잔인하게 했다 생각했다.

하지만 생각해보면, 정작 자마드의 주변인들은 그를 미워하지 않았다.

크하트도, 레누카도, 하다못해 죽은 락시타마저. 그들이 자마드를 향해 내비친 것은 혈통을 의심받는 술탄에 대한 경멸이라기엔 지나치게 따뜻하고 호의적인 반응이었다.

어쩌면 주변이 그를 탓하지 않았기에, 자마드는 자신의 주변인들을 실망시키지 않기 위해서라도 냉정하고도 잔악한 방법을 이용하여 권능이 없다는 걸 숨길 수밖에 없지 않았을까. 하지만 초심은 퇴색되고 변질되기 마련이다.

그렇게 1년, 2년, 점차 세월이 지나갈수록 자마드는 처음의 자기 마음을 잃고, 오로지 권능이 없다는 걸 숨기기 급급하게 된 걸지도 몰랐다.

자신의 무고를 증명하기 위해 어머니를 죽일 정도로.

"미안했어. 내가 받아줄 수 없다고, 그대의 감정마저 거짓으로 치부해서는 안 되는 것이었는데."

비록 비틀린 애정이요, 내가 받아주어 봤자 함께 나락으로 떨어질 뿐인 질척한 사랑이었지만, 그 사랑의 존재만큼은 진실이었다.

모크샤와 자마드, 저주받은 자와 선택받은 자. 하지만 둘 다 결국은 카마로 인해 주신에게 이용당한 가여운 영혼의 주인들이었다. 하지만 술탄인 자마드의 주변에는 사람이 많았고, 일개 저주받은 자일 뿐인 모크샤의 주변에는 사람이 없었다.

자마드는 자신이 쳐내는 사람이었고, 모크샤는 쳐내지는 사람이었다. 그랬기에 자마드는 내가 타인을 소중하다 생각하는 감정을 그리 중요하게 생각하지 못했다.

만약 자마드가 락시타를 죽이지 않았더라면.

나는 언제나 그때를 되짚어 생각한다. 그랬더라면, 나는 결국 자마드의 고백을 받아들였을까?

주신이 나를 속박해두기 위해 자마드에게서 빼앗은 권능이 그를 이렇게 몰아붙여, 결국은 내 마음이 완전히 떠나게 되는 기점이 되었다. 참으로 아이러니한 일이었다.

나는 자마드가 조금 더 주변에 마음을 열기를 바랐다. 그의 세상에서 유일한 것이 나뿐만이 아니라는 것을, 그를 소중히 여기는 많은 사람이 있다는 것을 그가 깨닫기를 바랐다.

"비록 모카와 락시타를 죽이고, 날 손에 넣기 위해 많은 짓을 저질렀다지만 그와 별개로 나는 그대를 믿어, 자마드. 지금까지는 주신에게 버림받았다는 사실에 전전긍긍하였지만, 이제 그대는 좋은 술탄이 될 수 있을 거야."

자마드는 잘 이겨낼 것이다. 그의 주변에 있는 사람들이, 그를 도와줄 테니까.

자마드는 알 수 없는 표정을 지었다. 그 자신조차도 본인을 믿지 못하는데 어째서 내가 이토록 그를 믿는지, 몇 번이고 그 때문에 고통스러워한 내가 그를 풀어주는 건지 영문을 알지 못한 얼굴이었다.

내가 백번 설명을 해도 자마드 본인이 깨닫지 못하면 아무 의미 없는 일이기에, 나는 더는 설명을 생략하고 그저 미소 지었다. 언젠가는 자마드 또한 이해할 날이 올 터였다.

"제단이 무너졌으니 이제 아무도 주신의 목소리를 듣지 못할 것입니다, 카마시여. 당신 또한 말입니다. 그걸 알고서도 자마드를 용서하시는 겁니까?"

가만히 듣고 있던 앙투안이 물었다. 내가 절실히 권능을 버리기를 바랐던 것을 알고 있던 만큼, 그는 자마드로 인해 물거품이 된 현실을 날카롭게 언급했다.

"주신의 말을 듣지 못하더라도 괜찮아. 주신이 나를 사랑하는 것을 믿으니까."

지금껏 불안했다. 갑작스러운 죽음, 갑작스러운 세상. 아버지라고 나타난 주신의 존재. 쉽게 그렇구나 하고 고개를 끄덕일 수 없었다. 게다가 권능은 이 모양 이 꼴이지.

주신에게 권능을 없애달라 해도 한 귀로 듣고 한 귀로 흘릴 뿐이었다.

솔직히 내가 권능을 버리고 싶어 한 데는 주신에 대한 불안 또한 작용했다. 그가 나를 진실로 자식으로서 사랑하여 두는 것이 아니라는 두려움이 항시 마음속 한구석에 도사리고 있었기 때문이었다. 그가 정말로 나를 자식으로서 사랑한다면, 내가 괴롭도록 그냥 보고만 있지는 않을 거로 생각했다.

하지만 주신과 만나고 그의 진심에 대한 확신을 얻었다. 게다가 비록 실현 불가능한 것이나마 내 권능을 버릴 방법 또한 알게 되었다. 나는 그것만으로도 족했다.

물론 주신과 더는 소통할 수 없다는 사실이 안타깝게 느껴졌다. 주신과는 단 네 번 말해보았을 뿐이었으니까.

하지만 그는 신이었다. 이번, 자마드의 일을 보면서 나는 신의 목소리가 인간에게 좋은 영향만을 끼치는 것이 아니라는 것을 배웠다.

반신인 카마가 아닌 인간의 입장에서는 신이 존재함을, 그가 인간을 사랑하는 것을 아는 것만으로도 충분했다. 그것만으로도 인간은 살아갈 수 있다.

"그대들도 마찬가지야. 주신의 목소리를 듣지 못해도, 자마드의 재위 기간 동안 별문제 없었잖아. 앞으로도 똑같아. 내가 주식의 자식이지만, 그대들 또한 엄연히 주신의 자식 아닌가. 주신이 그대들을 사랑하는 것을 믿도록 해."

주신은 인간의 신이다. 사랑을 깨닫게 된 주신은 머지않아 인간 또한 사랑하게 되리라. 주신의 자식이자 반신으로서 본능적으로 깨달은, 예지에 가까운 확신이었다.

내 말에 모든 이들이 숙연히 고개를 숙였다. 주신의 자식이라는 말이 그들의 마음을 스치고 지나간 듯, 하나같이 이루 말할 수 없이 감격한 표정이었다. 칼리프도, 앙투안도, 내가 그리 말하니 더는 할 말이 없는 듯 수긍하며 고개를 기울였다.

나는 고개를 들어 하늘을 보았다. 달무리 없이 그저 맑을 뿐인 밤하늘에 오롯이 걸린 달 조각만이 빛을 발했다.

"그렇지요, 아버지?"

달빛이 유난히 밝은 밤이었다 하나, 그 순간 휘황찬란하게 빛난 달빛의 광채는 어둠을 물리고 온 세상을 밝게 비추었다. 마치 주신의 대답처럼. 나는 빙긋이 웃었다. 초승달 같은 미소가 입에 걸렸다.

⊱⊱❦⊰⊰

자마드가 무죄가 되었으니 아그니 술탄 궁은 다시 그의 차지가 될 터였다. 자마드를 용서하고 그가 좋은 술탄이 될 거라 믿는 것과 별개로, 그가 나에 대한 사랑을 쉽게 버릴 수 있는지는 의문이었다. 지금은 영혼이 빠져나간 사람처럼 조용히 있기는 하지만, 그가 이런 상황에도 불구하고 나를 손에 쥐려 할지 아닐지는 확신하지 못했다. 아직 권능을 버리지 못한 상황에서 위험을 자처하고 싶지는 않았던 나는 자마드가 빨리 나에 대한 미련을 버리고 마음을 다잡게 하기 위해서라도 하루빨리 이곳을 뜨려고 했다.

하지만 무작정 나갈 수는 없었다. 앞으로 어떻게 할 예정인지, 나름대로 고민이 컸다.

아직 권능이 남아 있기 때문에 사람들 사이에 섞여 살 수는 없었다. 그런 내 처지를 알고 있는 앙투안과 칼리프가 각자 자신의 술탄 궁으로 오라고 넌지시 제안했다.

"술탄 궁으로 오십시오. 제가 궁을 내어드리겠나이다."

"저희 바르나로 오시옵소서. 편히 지내실 수 있을 겁니다."

"바르나는 주변에 삭막한 사막만 있을 뿐, 머무르시기 편한 곳은 아닙니다."

"인드라야말로, 백성들 모두가 난폭하기 짝이 없습니다. 머무르시기 편하지는 않을 것입니다."

지금까지 잘 지내왔던 앙투안과 칼리프가 기 싸움을 하기 시작했다. 언제나 여유롭던 칼리프의 입꼬리가 가식적인 미소를 지으며 파들 흔들렸고, 앙투안의 휘어진 눈꼬리 또한 마찬가지였다. 마주치는 두 눈동자에 화르륵 불이 튀었다. 둘의 대치를 보고 있던 나는 심드렁히 말했다.

"술탄 궁에는 안 갈 건데."

"그러면 어떻게 하실 생각이십니까? 술탄 궁이 답답하시다면 한적한 곳에 있는 저택을 알아보겠습니다."

물론 술탄 궁이 답답하기도 했지만, 단지 그 이유만으로 술탄 궁에 머물지 않겠다 한 것은 아니었다.

아무 생각 없이, 단지 편하다는 이유만으로 술탄 궁에 기약 없이 머물렀다가 이 사달이 나지 않았던가.

칼리프와 앙투안이 과거의 자마드처럼 나에게 집착할 리는 없지만, 그래도 과거의 실수를 반성하기 위해서라도 나는 홀로 자립할 필요가 있었다. 나는 고개를 내저었다.

"그래도 언제까지 지원받기도 좀 그렇고. 나도 홀로서기를 해야지. 내 밥벌이는 해야……."

"바, 밥벌이라니요? 카마께서 일하실 생각이십니까? 말도 안 됩니다! 하실 수 있는 일도 없지 않습니까!"

칼리프가 내 말을 끊으며 끼어들었다.

입을 떡 벌리고 어처구니없다는 듯 외치는 그의 말에 괜히 내 비위가 상했다. 아무것도 할 수 없는 무능력자라고 단언된 기분이었다.

물론 권능 때문에 사람들 사이에 섞일 수 없는 만큼, 아무 일이나 할 수는 없었다. 그래도 언제까지 무위도식할 수는 없는 법이었다.

나도 나 나름대로 기술을 익힐 생각이었다. 나는 슬쩍 생각해두었던 이야기를 꺼냈다.

"카펫 짜는 방법이라도 배우면 어떻게 되지 않을까. 집에서 만들어서 내다 파는 거야. 그러면 굳이 다른 사람들하고 부딪칠 일도 없잖아."

"천인공노할 소리 하지 마십시오! 아니, 도대체 카마께서 만드신 카펫을 얼마를 받고 누구한테 팔려고 그러는 것입니까?"

"그냥 마을에서……?"

"저희가 그 꼴을 어찌 그냥 보겠습니까? 카펫을 금전 10만을 주고 사는 수가 있으니 그냥 대놓고 지원을 받으십시오!"

내 대답이 얼마나 어이가 없었는지, 지금껏 조용조용히 목소리를 높이는 법이 없던 앙투안마저 목덜미에 핏줄이 올라설 정도로 화를 내며 벌컥 소리를 질렀다. 무시무시한 기세에 나는 겁을 먹었다.

내가 철없는 주장을 하는 건가 싶은 생각이 들 정도로, 두 명의 술탄은 강경했다.

그들은 내가 말하는 족족 반론을 했다. 몇 번이나 되는 참패에 기력이 쇠했지만, 그래도 쉽게 포기할 수는 없었다. 나는 약해진 기세에도 불구하고 내 의견을 주장하려 애썼다.

"하, 하여간. 그러면 지원을 받긴 하겠는데……. 나도 놀고먹을 수만은 없다고. 뭔가 생산적인 일을……."

"카마께서는 존재하시는 것만으로도 생산적이신 분입니다."

"매번 그렇게 높게 평가해주다니 고마워……."

하지만 두 명을 이길 수는 없었다. 지친 나는 결국 두 손을 들 수밖에 없었다. 항복이었다. 하지만 마음속 깊은 곳에서 납득한 것은 아니었다.

둘에게서 떨어지고, 저 먼 시골 마을에 간 뒤의 내가 카펫을 짜든 뭘 하든 그들은 어쩌질 못할 것이다. 몇십 킬로미터 밖에서 잔소리해봐야 나에게 닿지 않을 테니까. 나는 그렇게 웅크리고 있는 청개구리의 심정으로 기회를 엿보았다.

∞◦❤◦∞

주장이 한풀 꺾인 나는 쿵쾅거리며 방으로 돌아왔다. 방에는 짐 정리를 하는 모크샤가 나를 기다리고 있었다. 그대로 일직선으로 침대로 향한 나는, 씩씩 화를 내며 그대로 침대에 철퍽 쓰러졌다.

"아, 진짜 그놈의 권능 때문에 되는 게 없어! 주장에 신빙성이 없잖아!"

나는 발을 굴렀다. 발이 침대의 쿠션을 내리칠 때마다 팡팡, 경쾌한 소리와 함께 먼지가 모락모락 났다. 하다 보니 또 묘하게 중독성이 있어, 괜히 몇 번 더 성내듯 발을 굴렀다. 모크샤는 그런 내 모습을 한심하게 흘겨보았다.

모크샤는 한숨을 쉬었다. 그래도 내 고난을 곁에서 지켜봐 온 만큼 그 또한 내 답답한 심정을 이해해줄 터였다.

"그러게. 지금까지 같이 이동할 때도 느낀 거지만, 권능이라는 게 영 불편하네. 앞으로도 힘들겠어."

"얼른 버리고 싶은데."

나는 혼잣말로 중얼거리며 입술을 삐죽였다.

"버릴 수 있어?"

"방법을 알아 오긴 했는데……."

거의 입술 속에서만 맴돌던 말이었던 지라 모크샤에게 들릴 거라곤 생각도 못 했던 나는, 대뜸 건네진 모크샤의 질문에 당황하며 말을 흐렸다.

그래서 내가 말실수를 했다는 걸 잠시 늦게 깨달았다. 말하고 나서야 아차 했지만, 이미 엎질러진 물이었다. 모크샤가 모르고 넘어갔으면 좋으련만, 그는 밤중에 먹이를 낚아채는 부엉이처럼 날쌔게 내 말실수를 지적했다.

"뭐? 어떻게?"

"그, 그게……."

어떻게 해야 이 상황을 자연스럽게 넘길 수 있을지 고민하며 나는 어색하게 웃었다. 짐 정리 하던 모크샤의 눈이 가늘어졌다. 의심의 눈길이었다.

그는 정리하던 물건에서 손을 떼고 나에게로 다가왔다.

저벅, 저벅. 안 그래도 누워 있는 상태에서 올려다보는 모크샤의 접근은 더욱 위협적이었다. 나는 히이익, 숨 들이키는 소리를 애써 죽인 채 침을 꿀꺽 삼켰다.

모크샤가 침대 위에 있는 나를 가두려는 듯 몸을 기울이며 물었다.

"왜 말을 못 해? 너 또 이상한 생각 하는 거 아니지?"

"아니, 무슨 이상한 생각을 해? 그냥, 말해봤자 소용없는 거니까."

나는 되레 성을 내듯 뻔뻔스레 큰소리쳤지만, 모크샤와 차마 눈을 마주칠 수는 없었다. 이러다가 사실을 털어놓을까 두려웠던 나는 휙, 그대로 몸을 돌려 빠져나가려고 했다.

하지만 부처님 손바닥 위요, 뛰어봤자 벼룩이었다. 내가 몸을 돌리려 하기가 무섭게 내 얼굴 바로 옆으로 모크샤의 손이 내리꽂혔다. 시야 가득 채운 모크샤의 팔뚝에 힘줄이 불뚝 솟았다. 나는 침을 꿀꺽 삼킨 채, 슬쩍 곁눈질로 위를 보았다. 퇴로를 막은 모크샤가 나를 내려다보고 있었다.

그는 쉽게 익숙해지지 않은 까만 눈동자로 나를 내려다보며 물었다.

"뭐길래."

단 세 음절이었지만, 그의 짧은 한마디는 묵직했다. 대답하지 않으면 그대로 깔아뭉갤 것만 같은 위압감이었다.

아니, 물론 그게 나쁘다는 건 아니었고, 다만 심장에 나빴다. 가슴 거죽 밑에 있는 기관이 미칠 듯이 제 존재감을 피력했다.

모크샤 얘는 내가 저를 좋아하는 걸 뻔히 알면서. 그래. 이런 방법이 먹힐 걸 알아서 이러는 게 틀림없었다. 얼굴이 벌겋게 달아올랐다.

"그……."

나는 침을 꿀꺽 삼켰다. 이쯤 해서 물러서 주면 좋으련만, 모크샤는 납득이 가는 대답을 듣기 전까지는 꿈쩍도 하지 않을 것만 같았다.

나는 눈을 질끈 지르감고, 죽어도 밝히면 안 되는 비밀을 이야기하듯 결연히 말했다.

"자, 자야 한대."

"뭐?"

모크샤의 목소리에 당혹스러움이 배어들었다. 주어 목적어 전부 잘라내고 대뜸 자야 한다 말하니 뭔 말인가 싶은 모양이었다. 그의 미간 사이에 주름이 졌다.

그는 이내, 내가 말하고자 하는 걸 대충 알아들었는지 경악스러운 표정을 지었다. 타오르는 불에 그슬린 것처럼, 얼굴이 화끈거렸다.

"그, 나를 좋아하는 사람하고 서, 성교를 해야 한다고. 그러면 없어질 거래."

주신이 말한 건 내가 좋아하는 사람이 나를 좋아하는 상태에서 자야 한다는 거였지만, 아무리 그래도 차마 그걸 그대로 전할 수는 없었다.

내가 모크샤를 좋아하는 걸 모크샤도 뻔히 아는 상황이었던 만큼, 그 이야기를 그대로 토로해보았자 모크샤에게 부담만 안겨줄 뿐이었다. 모크샤는 나랑 같은 의미로 날 좋아하는 게 아니니까.

너랑 자야지만 내 권능이 없어진다 말하는 것과 일맥상통한 만큼, 차라리 이런 식으로 왜곡해서 전하는 쪽이 나았다.

한참 동안 할 말을 잃고 침묵하던 모크샤가 무겁게 입을 열었다.

"······그래서 어떻게 하려고."

"어떻게 하긴. 그냥 살아야지 뭐."

"······."

모크샤는 나를 빤히 바라보았다. 마치 내 얼굴에서 진실을 읽으려 하는 듯, 그의 시선이 샅샅이 내 얼굴을 훑었다. 괜히 민망해졌던 나는 홱 하고 고개를 돌렸다.

"이, 이제 내려가."

나는 모크샤의 가슴을 떠밀었다. 단단한 가슴팍이 손바닥 밑에 닿았다. 힘을 주어도 모크샤는 꿈쩍도 안 했다. 순간 가슴이 덜컹거렸다.

솔직히 모크샤를 밀어내면서도, 그가 은연중에 나를 잡아주기를 바랐다.

하지만 얼마 지나지 않아 모크샤는 순순히 떨어져 나갔다. 그게 모크샤가 나에게 가진 미련의 무게처럼 가볍게 느껴져서, 나는 굉장히 서운한 기분이 들었다.

꧁✿꧂

앙투안과 칼리프의 지원을 받기로 하고 나니 일은 일사천리로 해결되었다. 칼리프는 인드라와 아그니 근처에 한적하고 고즈넉한 마을이 있다며, 그쪽에 저택을 마련하겠다 말했다. 앙투안은 필요한 다른 것들을 채워 넣어 드릴 테니, 걱정하지 말고 바로 정착하시면 될 거라 덧붙였다. 칼리프와 앙투안 나름대로 서로 협의를 본 모양이었다.

어차피 그들의 고집을 꺾지 못할 거란 걸 안 나는 순순히 고개를 끄덕였다. 어느 정도 그들의 말대로 해줘야 그들도 마음이 편할 터였다.

다만 문제는, 앞으로도 모크샤가 나와 같이 어울려줄지 하는 것이었다. 과연 나와 같이 정착해줄까? 나, 그래도 아직 권능이 멀쩡히 남아 있는데. 혼자는 위험하니까 호위로 고용한다고 하면 나와 같이 가주지 않을까.

그래도 우리, 엄청 친한 사이잖아. 나야 모크샤를 좋아하지만, 모크샤도 나에 대해 어느 정도의 인간적 호감이 있으니 날 도와주러 아그니까지 와줬을 터였다. 그게 아니었다면 내가 그를 인드라에 두고 온 순간, 바로 다른 곳으로 향했겠지. 그렇게 생각하고 나니 기대감이 불쑥 치솟았다.

하지만 내가 그를 좋아하는 걸 뻔히 아는 상황에서, 그를 붙잡는다는 건 너무 들러붙는 것처럼 보일 것 같았다. 어떻게 하면 좋지. 나는 확신이 서지 않는 갈팡질팡한 마음에 휘둘렸다.

진즉 짐을 다 꾸려놓은 모크샤는 언제든지 떠날 준비가 되어 있는 상태였다.

어디로 갈 생각인지 무서워서 묻지도 못했다.

시간은 나를 기다려주지 않았다. 자마드의 복권이 가까워지는 만큼, 우리는 떠나야만 했다. 더 미뤘다가는 어영부영 그를 놓칠 것만 같았다.

각오를 단단히 다진 나는, 조심스레 모크샤에게 운을 떼었다.

"저기, 모크샤."

"왜."

모크샤는 갈고 있는 단도의 날에서 시선을 떼지 않은 채 심드렁히 답했다. 방 안에 들어찬 햇빛이 날카로운 날에 반사되어 천장을 비췄다. 나름 중요한 이야기를 하려고 하는 데 모크샤가 집중하지 않는 게 괜히 속상했다.

반면 그가 시선을 주지 않아 그나마 담담히 이야기할 수 있는 용기가 나기도 했다. 나는 슬쩍 눈치를 보며 말했다.

"나 인드라에 있는 이비아에 정착하기로 했어."

"그래?"

모크샤가 무슨 반응이 있을 거로 생각했는데, 그는 요지부동, 여전히 제 할 일에 몰입하고 있었다. 그러니 초조해진 건 나였다. 나는 안달 난 심정을 애써 숨기며 태연한 척 노력했다.

"저, 그때까지 같이 가줄래? 가는 거 보수는 충분히 쳐줄게."

그제야 모크샤가 단검에서 시선을 떼고 날 보았다. 보수 이야기가 흥미로웠던 건지, 그도 아니면 단지 단검 손질이 끝나서 그런 것인지는 알 수 없었다. 모크샤는 혀를 차며 고개를 내저었다.

"너, 지난번에 나한테 금덩이를 이만큼 주기로 했잖아."

"그것도 줄게."

마음이 급했던 나는 재빨리 답했다. 그 뒤에야 상황을 깨닫고는 얼굴이 빨개졌다. 결국 뭘 하려고 해도 술탄들의 재정 상황에 기대야만 했다.

앙투안과 칼리프의 지원을 거절하려고 했던 내가 한심하게 느껴졌다.

"흐음."

모크샤의 눈이 가늘어졌다. 나는 두근두근한 심정으로 모크샤의 대답을 기다렸다. 심장이 너무 뛰어서 토할 것만 같았다. 시간이 죽죽 엿가락처럼 늘어났다. 칼끝을 심장에 겨누었을 때보다도 더한 긴장이 나를 짓눌렀다. 공기가 날카롭게 나를 찌르는 것 같았다.

압박감에 숨이 턱턱 막히고, 손바닥에 땀이 찼다.

모크샤의 입술이 움직였다. 마치 슬로모션처럼, 그의 움직임 하나하나가 눈에 선명히 새겨졌다. 모크샤의 목소리가 귓가에 닿기도 전에, 나는 독순술로 그의 대답을 먼저 읽었다.

"좋아. 계약서 쓰자."

"조, 좋아!"

모크샤가 허락의 말을 채 뱉기도 전에 나는 반색을 하며 반겼다. 지금 이 순간만큼은 세상을 다 가진 것처럼 뛸 듯이 기뻤다. 모크샤는 품속에서 통을 하나 꺼냈다. 평소 중요한 계약서를 보관하고 다니는 통이었다. 모크샤는 단단히 틀어막힌 원통의 뚜껑을 열어 돌돌 말린 계약서를 꺼냈다.

우리가 처음 용병소에서 계약했을 때와 달리, 약식으로 간편하게 작성하고 추후 신고하는 형식의 계약서인 것 같았다.

신이 난 나는 계약서가 건네지자마자 모크샤의 마음이 바뀔까 후닥닥 책상으로 향했다. 룰루랄라, 콧노래가 절로 흘렀다.

책상에 계약서를 쫙 펼쳤다. 나는 펜촉을 잉크에 담그며, 내가 작성해야 하는 곳의 위치를 눈으로 훑었다.

혼인 당사자. 모크샤…….

계약서를 읽기가 무섭게 나는 딱 굳었다. 내 눈이 허해서 그런가. 아무래도 글씨를 잘못 읽은 모양이다. 최근 들어 너무 충격받아서 이 세계 글자를 잠시 까먹은 걸 수도 있다. 나는 차근차근 다시 읽었다.

혼인 계약서. 혼인 당사자. 혼인. 혼인…….

나는 한참 종이를 멀거니 바라보았다. 펜촉 끝을 타고 잉크가 책상 위에 뚝뚝 떨어졌다. 모크샤가 쯧, 혀를 차며 천으로 책상을 더럽힌 잉크를 닦아내었다. 나는 당황함을 감추지 못한 채, 잔뜩 흔들리는 목소리로 물었다.

"이, 이거 뭐야?"

"혼인 서약서. 처음 봐?"

"다, 당연히 처음 보지! 내가 이런 걸 왜 봐!"

천연덕스레 혼인 서약서라 말하는 모크샤의 말에 나는 펄쩍 뛰었다. 예전 세계에서도 본 적이 없는 건데, 이 세계 혼인 서약서를 볼 일이 뭐가 있겠어.

도대체 왜 이런 게 들어 있는 거야.

모크샤는 평소에 이런 것도 들고 다니나? 아니, 근데 왜 이걸 나한테 준 거지? 머리가 어질어질했다.

상황 파악하지 못한 내가 잔뜩 당황하는 것과 달리, 모크샤는 더할 나위 없이 침착하고도 담담하게 말했다.

"보통 여자를 시집보낼 때 여자의 아버지와 남편이 이런 계약서를 쓰지. 넌 쓸 필요가 없는 데다 이런 상황에서는 내가 여자 쪽 입장이지만. 하여간 이런 건 써두는 게 서로 간에 마음이 편할 테니까."

모크샤의 말은 이상했다. 마치 우리가 결혼하는 게 예정된 사이처럼. 그런 건 서, 서로 좋아하는 사이에서나 하는 거잖아. 그러니까 프, 프러포즈처럼. 나는 말더듬이처럼, 멍청하게 되물었다.

"아니, 그러니까 왜 이런 걸……."

"넌 날 좋아하잖아."

모크샤의 즉답에 얼굴이 화롯불처럼 활활 달아올랐다.

"트, 틀린 말은 아니지만, 너무 그렇게 대놓고 말하지 말아줄래, 부끄러우니까."

나는 고개를 푹 숙였다. 내가 누구를 좋아하는지 주변에서 아는 건, 그것도 당사자가 아는 건 생각보다도 더 부끄러운 일이었다.

시야 가득 혼인 서약서가 찼다.

노릇한 양피지는 고급은 아니었지만 구겨짐 없이 깨끗했고, 그 위로 빼곡한 양식이 새겨져 있었다.

바닥을 향해 고꾸라진 내 머리 위로, 모크샤가 말했다.

"나도 너를 좋아하거든."

"뭐?"

나는 바로 고개를 들었다. 내가 들은 것을 믿을 수가 없었다. 세상이 온통 거짓말 같았다. 그게 아니라면 이렇게, 듣고 싶은 말만 해주진 않을 것 아닌가.

믿을 수 없었던 나는 고개를 내저었다.

"넌, 차, 착하고 상냥한 여자를 좋아한다며."

"그 착하고 상냥한 여자는, 차별 없이 날 대해줄 사람이라는 뜻이었어. 내가 바라는 건 그리 큰 게 아니거든. 비록 큰 게 아니었더라도 지금까지 그런 상대가 없었지만."

모크샤가 웃었다. 가슴 한구석이 아려오는 외롭고 쓸쓸한 미소였다. 이제는 그럴 일 없을 거라며, 너는 이제 저주받은 자가 아니라는 말이 목 끝까지 밀려왔다. 다른 이들도 이제는 너를 좋아해줄 거라고, 지금까지와는 다를 거라고 말해주고 싶었다. 하지만 남은 이기심이 그 말을 막았다.

그런 내 마음을 훤히 읽은 듯, 모크샤의 손가락이 내 이마를 툭, 가볍게 건드렸다. 나는 그를 올려다보았다. 모크샤의 몸이 책상 위로 기울어지며, 다른 손바닥이 책상을 디뎠다.

그의 손바닥 아래에 서약서가 우그러졌다. 순간 나는 당황하여 혼인 서약서를 빼앗아 들었다. 내가 상황을 이해할 수 없는 것과 별개로, 혹시라도 서약서가 찢어지면 이 모든 게 거짓말처럼 무효가 되진 않을까 걱정되었다. 나는 구겨진 서약서를 애지중지 살펴보았다.

"그렇다고 해서 너밖에 선택지가 없어서, 어쩔 수 없이 너를 선택했다고 생각하게 하고 싶지 않았어. 네가 카마라서라든지, 네가 나에게 유일하게 잘 대해주는 여자라서 어쩔 수 없이 널 선택했다든지, 그런 식으로 여기게 하고 싶지 않았거든."

그런 식으로 생각하고 있었다. 모크샤의 세상에 인간이 나밖에 없어서, 어쩔 수 없이 날 좋아하게 된 건 아닐까 하는 생각이 순간 스치기도 했다. 한 발짝 나아가 더 많은 사람을 만나면, 새로운 사랑을 하게 되진 않을까 하는 불안감이 들었다.

"애초에 저주받지 않았다는 것만으로 손바닥 뒤집듯 태도를 바꾸는 사람과 사랑을 할 수 있을 리가 없잖아."

모크샤의 입가에 쓴웃음이 걸렸다. 그런 식으로는 단 한 번도 생각하지 못했다. 짧은 생각에 대한 부끄러움과 동시에 이 상황을 기꺼워하는 이기심이 내 표정을 이상하게 잡아당겼다.

"하지만 너란 놈은, 돌려서 말하면 전혀 못 알아듣고 이상한 삽질이나 할 거 같으니까 이렇게 대놓고 말하고, 계약서도 쓰는 수밖에."

모크샤는 씩 웃으며, 품에서 서약서를 하나 더 꺼내 흔들었다. 몇 개고 있다며, 까짓 구겨지고 찢어진 정도로 무효화할 수 없다 덧붙였다.

"다시 한 번 말하지만, 난 너를 좋아해, 카마."

모크샤가 손을 뻗어 내 뺨을 감싸 쥐었다.

뺨에 닿아오는 손바닥의 온기가, 그의 목소리가 주는 아릴 듯한 절절함이 나를 차츰차츰 잠식했다. 속눈썹이 바르르 떨렸다. 눈물을 참아내려 했지만 쉽지 않았다.

나는 뚝뚝, 눈물을 흘려냈다.

방울방울 동그랗게 떨어져 내린 물방울이 내 손에 들린 혼인 서약서를 물들였다.

나를 바라보는 모크샤의 눈길이 봄바람에 흔들리는 진달래 꽃잎처럼 부드럽고 따사로웠다. 날카로운 눈보라가 치는 하얀 세상에서 유일하게 타오르는 모닥불을 발견한 것도 같았고, 무덥고 숨이 턱턱 막히는 황금색 사막에서 유일하게 고여 있는 푸른 오아시스를 발견한 것도 같았다.

그는 그렇게 간절하게 바라는 듯 나를 보았다.

모크샤의 얼굴이 나에게로 다가왔다. 코가 닿을 듯 가까운 거리에서 바라보는 그의 까만 눈동자에 나의 얼굴이 비쳤다. 모크샤가 조용히 속삭였다.

"내 세상의 유일한 존재지."

모크샤의 입술이 내 입술에 닿았다.

파르르 떠는 입술이 도망가지 못하도록 그는 입술로 내 입술을 짓눌렀다. 울컥 치민 행복감은 나를 차고 넘쳤다.

더 이상, 이게 마지막 키스일지도 모른다는 불안감과 비참어린 서러움은 없었다.

그 순간만큼은 권능을 버리는 것도, 저주도, 그 모든 것이 아무 의미가 없었다.

모크샤의 고백은 나를 나로서 만들었다. 권능을 부정하면서도, 권능 없이는 사랑받지 못할 거라는 불안감에 떨던 카마는 이제 존재하지 않았다.

그저, 지금의 기쁨을 만끽할 뿐이었다.

사랑하는 기쁨, 그리고 사랑받는 기쁨.

더할 나위 없는 행복이었다.

CHAPTER 20
종막

모크샤와 서로의 마음을 확인하게 되었지만, 그렇다 해서 곧바로 몽글몽글 끈적끈적한 분위기로 돌입하기엔 상황도 분위기도 따라주지 않았다.

우선적으로 혼인 서약서를 통해 우리의 관계를 정의 내리는 것부터 차근차근 진도를 밟아나가기로 했다. 딱히 그러자 정했다기보다는, 그냥 묵언의 합의였다.

다들 내가 모크샤와 혼인하게 되었다는 것에 그럴 줄 알았다는 반응을 보였다. 당연히 이렇게 될 거라고 생각한듯, 올 일이 왔을 뿐인 것처럼 무덤덤하게 고개를 끄덕였다.

하긴, 제실에서 그렇게 대대적으로 고백을 했으니 모르는 쪽이 더 이상할 것이다.

하지만 무덤덤한 반응과 달리, 모크샤와 내가 혼인계약서를 한 장씩 나눠 가지는 것으로 간략히 예식을 끝낼 거라는 말에 앙투안과 칼리프가 화들짝 놀랐다.

어떻게 카마의 혼사를 그리 처리할 수가 있느냐며 소란을 떨었다.

전생의 카마도 혼인을 한 적은 없었다고 했다. 나와 모크샤의 혼인은 처음 있는 신의 혼인이라는 것이었다.

그런 만큼 우리 둘의 혼인을 축하하는 축제를 벌여야 한다 강하게 주장했다. 역사에 길이 남을 일이라는 말 또한 잊지 않고 덧붙였다.

하지만 정작 당사자인 모크샤와 내가 반기지 않았다. 둘 다 소란스러운 건 질색인 사람들이었다. 축제라니, 말도 안 된다. 나와 모크샤는 강경히 고개를 내저었다.

당사자들의 주장 아래 어쩔 수 없이 혼약식은 조촐히 치러졌다. 계약의 증인으로는 앙투안과 칼리프, 그리고 가우란이 나섰다.

술탄과 신군이 증서를 쓴 만큼, 이 서약서의 효력만큼은 이 세상 그 누구의 혼인 서약서보다도 강한 위력을 발휘할 터였다.

나와 모크샤는 함께 이비아로 향하기로 했다. 앙투안과 칼리프 또한 각자의 나라로 돌아가기 위한 짐을 꾸렸다.

이제 아그니는 다시 자마드의 것이었다. 나는 아그니 술탄 궁을 다시 뒤돌아보았다. 아마 한동안은 다시 볼 수 없을 테지. 피로 물들고 불로 그을렸던 붉은 술탄 궁을 바라보는 시선에 회환이 가득 찼다.

그때, 나와 모크샤의 곁으로 가우란이 다가왔다.

그의 한 손에는 말고삐가 쥐어져 있었다. 어딜 봐도 떠나는 이의 모습이었다.

그는 자연스레 우리 곁에 와서 섰다. 마치 일행처럼 보일 듯 가까운 거리였다.

가우란의 동행에 대해 아무 말도 듣지 못한 나는 당황하여 물었다.

"근데, 잠깐. 가우란. 너는 왜 거기에서 그러고 있어?"

"두 사람만 보내는 게 영 불안해서 말입니다."

가우란은 무표정하고도 담담하게 덧붙였다. 마치 당연한 사실을 읊는 것 같았다.

얼마나 당당한 태도인지, 사전 협의가 됐는데 나만 모르고 있었던 것 같은 착각이 들 정도였다.

하지만 모크샤도 들은 바가 없는 모양이었다. 모크샤가 한 발짝 나서며 말했다.

"이제 용병들이 우릴 쫓을 일도 없고, 카마 정도는 나 혼자서도 건사할 수 있어."

눈을 가늘게 뜨고 덧붙이며, 모크샤는 한 팔로 내 어깨를 끌어당겼다. 자연스레 드러나는 그의 독점욕에 심장이 뛰었다.

떨떠름한 모크샤와 내 반응에도 가우란은 아랑곳하지 않았다. 그는 되레 목소리를 높였다.

"하지만 언제 어떤 일이 펼쳐질지 모르는 일 아닌가. 카마는 여전히 카마시고, 세상이 위험한 건 모크샤 자네가 더 잘 알 텐데. 카마를 지킬 눈은 한 쌍이라도 더 있는 게 좋지."

나는 눈을 깜빡 떴다.

가우란이 모크샤의 이름을 직접 부르는 걸 처음 들었다. 하지만 모크샤는 종종 들은 모양인지 별로 놀라는 기색이 아니었다. 그렇다 해서 가우란의 말이 반가운 것은 아닌 듯, 모크샤의 미간이 찌푸려지며 눈썹이 잔뜩 휘었다.

생각해보니 모크샤도 처음처럼 가우란을 적대하지는 않았다. 어느새 둘 사이가 이렇게 친해진 건지 놀라울 정도였다. 뭐, 따지고 보면 친하다고 말하는 게 어폐가 있긴 하지만.

가우란이 덧붙였다.

"게다가 카마께서 자비를 베푸시긴 하였으나, 저는 아그니의 술탄이 완전히 개심할 거라 믿지는 않습니다."

"가우란."

나는 질책하듯 가우란의 이름을 불렀다. 자마드의 일은 끝난 일이었다.

물론 나도 자마드를 경계하고 있기는 했지만, 그건 그저 우려일 뿐이었다. 예전에는 나만이 자마드의 기이할 정도로 비정상적인 집착을 두려워했다면, 「그」 일이 있고 난 후로는 나를 제외한 모두가 자마드를 경계하고 비난했다. 그건 무척 이상한 느낌이었다.

"카마께서 뭐라 하셔도 제 불안을 종식시키시진 못할 겁니다."

"……."

자마드를 꺼리는 것은 가우란만이 아니었는지, 모크샤 또한 가우란의 말에 입을 다물고 골몰히 생각에 잠겼다. 한참의 생각 끝에, 모크샤가 무겁게 고개를 끄덕이며 가우란의 말에 동조했다.

"마음에 들지는 않지만, 가우란의 말에도 일리는 있어."

"모크샤!"

"불타버린 숲속에서 후회해봐야 의미가 없으니까. 사실 네 의지가 강경하지만 않았더라면, 그자를 다시 술탄의 자리에 올리는 걸 극구 반대했을 거야."

모크샤는 고개를 내저었다. 단단히 자마드를 경계하는 표정이었다. 얼마나 자마드가 꺼려졌으면 단둘뿐인 여행에 가우란의 동행을 허락할까 싶었다. 그린 모크샤의 심정이 이해가 되면서도 입맛이 썼다.

"카마께서 왜 저를 꺼리는지 알고 있습니다. 하지만 저는 분수를 아는 자입니다. 감히 말도 안 되는 소망을 품지는 않을 터이니, 제발 제 동행을 허락해주십시오."

가우란이 머리를 조아리며 간청했다. 예전, 가우란이 나에게 고백했을 때가 떠올랐다.

가우란이 정말로 나에 대한 마음을 접은 것인지, 아니면 신군으로서의 의무를 다하기 위해 그런 척할 뿐인지를 알 수 없었다. 차라리 그때의 고백 자체가 진심이 아니었다면 그나마 마음이 편할 것 같았다.

게다가 모크샤도 가우란의 동행을 예전처럼 질색하지는 않는 만큼, 나로서는 가우란을 마냥 거절하기도 좀 그랬다.

가우란과 모크샤는 자마드의 문제에 있어서만큼은 의기투합했다.

둘이 손을 잡고 나를 설득하려 하니, 나로서는 냉정히 대꾸할 수가 없었다.

칼리프와 앙투안 때도 느낀 건데, 두 명이서 협공하다니 이대 일은 너무 비겁했다.

그래. 뭐, 사람 손이 많으면 많을수록 정착하기 쉽겠지. 가우란은 신군이니까 장작도 잘 팰 거야. 나는 항복 어린 한숨을 쉬었다.

"그러면 이비아로 가는 길에, 그때 그 마을에도 들르자. 정착하게 되면 데리러 간다고 사히긴과 약속했으니까. 나름 잘 지내고 있을지도 모르지만, 그래도 확인은 해봐야지."

나는 전 남편의 폭행에 시달리다 죽을 뻔했던 사히긴을 기억해내었다. 카마의 가호가 그녀와 함께하고 있어 험한 생활을 하고 있진 않을 것이었다.

그때와 지금이 또 다를 테니 그녀의 마음이 어떻게 바뀌었을지 모르는 일이지만, 그래도 찾아오겠다 말했던 만큼 약속을 지키고 싶었다.

가우란과 모크샤 둘 다 고개를 끄덕였다.

"그럼 가자!"

그렇게 우리 셋은 다시 여행길에 올랐다. 이번에는 떠돌기 위한 여행이 아닌, 정착을 위한 여행이었다.

말에 올라타는 순간, 지금까지의 일이 머리를 스치고 지나갔다.

고생도 많이 했거니와 어지간히 부딪히기도 많이 부딪혔고, 힘든 일도 많았지만 되짚어보니 고통보다는 추억으로 남았다.

지금까지, 이것은 성욕의 신인 카마의 이야기, 즉 카마수트라였다.

그리고 앞으로는 새로운 카마의 이야기가 펼쳐지겠지.

과연 어떤 장르가 펼쳐질지는 아직 알 수 없었다.

나는 달콤한 로맨스가 되기를 바랐다.

하지만 아무리 생각해도 현실은 가내수공업에 열중하는 체험 삶의 현장이 될 것만 같은 불길한 기분이었다.

뭐, 그런들 어떠하고 이런들 어떠하겠는가. 어떤 종류의 삶일지라도 내 이야기일 텐데.

외전 3
우기의 끝, 새로운 시작

아그니를 떠난 우리는 인드라로 향했다.

단단히 일러두고 나온 보람이 있는지, 사하긴은 퍽 안락하게
잘 지내고 있었다.

하지만 내가 왔다는 말이 떨어지기가 무섭게 사하긴은 맨발
로 뛰쳐나왔다.

그녀는 몸은 편하지만 마음이 불편하다며, 제발 자신을 데려
가 달라 간절히 애원했다.

애초에 사하긴을 데려갈 생각을 하고 이 마을에 들렀던 나는
흔쾌히 고개를 끄덕였다.

다만 나와 함께 가게 되면 편한 생활을 할 수는 없을 거라
단단히 일렀다.

사하긴을 데려가기로 이미 모크샤와 가우란과 말이 되어 있었지만, 그래도 여자 일행이 하나 더 끼는 것은 처음인지라 내심 걱정이 되었다.

애초에 이 세계는 여성 인권이 바닥이었다. 모크샤와 가우란, 둘 다 특수한 위치라고는 하지만 그들이 사하긴을 어떻게 대우할지, 나는 확신할 수가 없었다.

하지만 다행히도 특별히 다른 건 없었다.

가우란은 애초에 나를 제외한 모든 사람을 자신의 밑으로 두는 이였고, 모크샤는 다른 모든 이들을 제 위에 두는 것에 익숙한 사람이었기 때문이었다. 그리고 사하긴은 눈치가 빨랐다.

그녀는 둘이 자신에게 정말 관심이 없다는 걸 깨닫고는 마음이 편해진 듯, 나에게만 말을 걸었다. 아니, 되레 남성 혐오증에 걸린 건 아닌가 걱정될 정도로 모크샤와 가우란을 무시하고 정말 필요할 때만 그들에게 말을 걸었다.

이래도 괜찮은 건가 싶었지만, 정작 가우란과 모크샤는 사하긴의 그런 태도를 신경 쓰지 않는 것 같았다. 그렇게 셋은 기묘한 관계를 구축하며 금방 서로에게 익숙해졌다.

이비아는 바르나와 인드라의 국경 근처에 있지만 인드라에 가까운 기후였다. 바르나의 사막 같은 기후면 어쩌나 걱정했던 만큼 다소 안도했지만, 마냥 마음을 놓을 일이 아니었다. 바로 인드라에는 우기가 있기 때문이었다.

우리가 이비아에 도착했을 때가 딱 우기에 걸친 기간이었다. 인드라가 우기임을 짐작한 모크샤가 기름종이를 덧댄 갈모를 준비해놓은 덕에 그나마 비에 시야가 가리는 것을 피할 수 있었지만, 쏟아져 내리는 빗속을 헤치고 가느라 옷은 축축해진 지 오래였다.

앞조차 보이지 않을 정도로 들이치는 빗물에 나는 도통 방향을 알 수 없었지만, 모크샤는 거침없이 성큼성큼 앞서 나갔다. 푹 젖은 옷에 체온이 빼앗기며 오들오들 추위가 찾아왔다.

사하긴도 표현은 하지 않지만 추운지 아랫입술이 퍼렇게 질려 있었다.

그래도 얼마 지나지 않아 우리는 앙투안과 칼리프가 말한 저택에 도착할 수 있었다. 그들이 미리 사람을 보내 정리해두게 한 저택은 생각보다 어마어마했으며 일꾼으로 가득했다.

다르마인 시종들이 늘어선 뒤로 수마트인 노예들이 무릎을 꿇고 있었다.

저택의 시종장이 우리를 반기며 말했다.

"인드라의 술탄께서 보낸 살라온이라고 합니다. 카마를 모시는 영광을 얻기엔 부족함이 많은 이이나, 최선을 다하겠습니다."

"이, 이렇게까지 준비할 필요는 없었는데……."

나는 부담스러울 정도로 늘어선 채 나를 맞이하는 사람들을 보며 말끝을 흐렸다.

그래. 내가 술탄들의 경제관념 기준을 얕보았다. 애초에 그들이 말하는 검소와 간략의 기준이 다를 거라는 걸 짐작하고 있었어야 했는데.

나는 뒤늦은 후회를 하며 가우란과 모크샤를 흘끗 곁눈질했다. 지원사격을 요청하는 간절한 눈길을 쏘아 보냈다.

하지만 나는 잠시 잊고 있었다. 홀로서기 위해 자립을 꿈꾸는 자는 이 일행 중 나만이 유일하다는 것을. 나의 간절한 눈빛은 가우란에게 닿지 않았는지, 가우란은 냉정하게 고개를 내저으며 말했다.

"이 정도도 부족합니다. 더 사람이 있어야 할 것 같습니다만······. 카마께서 사람이 많고 복잡한 걸 싫어하시는 걸 알고 있으니 인드라와 바르나 술탄께서 이쯤에서 타협하신 걸 겁니다."

가우란의 말에 배신감을 느낀 나는 모크샤를 보았다. 나와 함께 여행을 계속해온 모크샤라면, 내 자립심을 증명해줄 수 있을 터였다.

하지만 가까운 사람의 배신이 더 뼈아픈 법. 믿고 있던 최후의 보루이자 그만큼은 날 배신하지 않을 거로 생각한 모크샤마저도 단호히 고개를 저었다.

"너 수발드는 거 나 혼자선 무리다."

"수, 수발이라니!"

애 취급하는 모크샤의 말에 사하긴이 쿡쿡, 낮게 웃음 지었다. 얼굴이 확 달아올랐다. 나는 황급히 덧붙였다.

"나 알아서 잘하거든!?"

아, 이 말은 하지 말걸. 완전 어린애가 자기 혼자서도 잘한다며 떼쓰는 꼴이지 않은가. 하지만 이미 말은 입 밖으로 나선 뒤였다. 나는 패배감에 어깨를 늘어트렸다.

모크샤가 내 어깨를 두드렸고, 가우란은 카마의 옷이 젖었으니 목욕물을 데워놓으라 명령했다.

사람을 부리는 데 익숙한 가우란의 손짓에 시종들은 일사천리로 제자리를 찾아 흩어졌고, 시종장은 내 방이라 준비된 곳으로 나를 안내했다. 나는 터덜터덜, 느릿한 발걸음으로 그 뒤를 따랐다.

꽃

카펫 짜는 법이나 익혀서 먹고 살까 생각했던 내 생각이 우습게도, 나는 정말 한 발짝도 꿈쩍할 수가 없었다.

조금만 일하려고 하면 어디서 알고 득달같이 나타난 시종들이 간식이며 뭐며 가져다 안겼고, 내가 컵에 물이라도 따라 마시려고 하면 죽을 듯이 머리를 조아렸다. 그러면 또 마음이 약해져서 어쩔 수 없이 그들이 바라는 대로 가만히 있게 되어버리는 것이다.

분명 이렇게 될 걸 알고 가우란을 붙이고, 시종들을 준비해 둔 게 분명하다. 무시무시한 술탄 놈들. 내 머릿속에 앙투안과 칼리프가 킬킬 웃는 모습이 자동으로 그려졌다. 음모론에 가까운 망상을 떠올리며 나는 구시렁댔다.

결국, 나는 탱자 탱자 노는 백수 한량의 신세를 벗어나지 못했다. 장소만 바뀌었을 뿐. 이럴 거면 도대체 왜 술탄 궁을 빠져나가겠다고 한 건지 알 수가 없었다.

하도 답답해서 산책이나 할까 싶었지만, 한동안 우기인 만큼 들이붓는 장대비는 쉬이 그칠 기색을 보이지 않았다. 결국 나는 방에 틀어박힌 채, 주룩주룩 흘러내리는 빗줄기만 하염없이 지켜보았다. 마치 저택이라는 거대한 하렘에 갇힌 기분이 들었다. 물론 하렘과 비교하는 게 사치라는 걸 알고는 있었다.

그나마 사하긴이 있어서 다행이었다. 제법 돈이 많은 상인의 처였던 그녀가 있던 하렘에는 여자가 제법 되었으며, 여자들끼리 하렘에서 보통 무엇을 하고 지내는지 조잘조잘 이야기해주었다.

나는 대부분을 남자들과 지냈고, 자마드의 하렘에 있었을 때는 자의 반, 타의 반으로 거의 고립되다시피 했기에 이 세계 여자들이 어떤 문화를 향유하는지 알 기회가 별로 없었다.

그랬던 만큼 사하긴이 말동무가 되어주는 것이 기꺼웠다. 사하긴은 겉으로 보기엔 무척이나 유약하고 부드러워 보였지만, 그 속에 숨겨진 것은 활활 타오르는 횃불이었다.

밖이 궁금하다는 이유로 하렘을 뛰쳐나왔을 만큼 기가 세고 호기심이 많은 그녀는 하렘에서 하는 것들에 대해 조곤조곤 읊으며, 다들 사내에게 잘 보이기 위한 것이니만큼 카마께서는 할 필요가 없다 단언했다.

"가무, 자수, 화장……. 모두 남편을 기쁘게 하기 위한 것이지요. 조금이라도 부족하면 다른 아내들과의 경쟁에서 뒤처지게 되고, 그러면 남편과 잠자리를 못 하니까요. 남편과 잠자리를 못 하는 건 큰 문제예요. 우선 남편의 애정순위에서 밀리게 되고, 둘째로 자식을 가질 기회가 줄어드니까요. 자식이 있는 이들은 그래도 처지가 나아요. 남편의 애정을 자식으로 붙잡을 수가 있으니까."

"사하긴도 그랬어?"

"저도 그랬지요. 버림받는 건 두려웠으니까요. 언제까지 이렇게 살지도 모른다는 생각이 제 등을 떠밀었고 그 덕에 카마를 만나게 되었지만, 만약 저에게 자식이 있었더라면 아마 계속 하렘 속에 머물러 있었을 거예요.”

사하긴이 슬며시 미소 지었다. 아스라이 짓는 웃음에 미처 숨기지 못한 지난날에 대한 끔찍함이 남아 있었다. 사하긴은 순간 우중충하니 무거워진 분위기를 환기하기 위해 대화 주제를 바꾸었다.

“그러고 보니 카마께서는 모크샤님과 잘 지내고 계신가요?”

“에?!”

뜬금없이 튀어나온 모크샤의 이야기에 순간 표정이 무너졌다. 갑자기 왜 걔 이야기가 나와? 내심 당황했던 나는 큼큼, 헛기침하며 표정 관리를 하려고 노력했다. 하지만 이어지는 사하긴의 말에 내 노력은 수포로 돌아갔다.

“모크샤님과 결혼하신 지 얼마 되지 않았다 들었거든요. 모크샤님께서 잘해주시나요?”

“저, 사, 사하긴. 나 이런 주제는 좀 약해서.”

얼굴을 화끈화끈 달아올랐다. 이런 쪽에 완전 일자무식도 아니거니와, 몇 년간의 일을 거치면서 부끄러움이라는 게 제법 많이 사라졌다고 생각했는데 정작 내 문제가 되니 이야기가 달랐다.

“하긴, 카마께서 성욕의 신이신데, 잠자리 관련 문제는 주제 넘었지요. 죄송합니다.”

“아, 아니야. 뭐, 벼, 별것도 아닌데.”

고개 숙이며 사과하는 사하긴의 말에 나는 손사래 쳤지만, 내 등 뒤가 식은땀으로 축축했다. 실제로 찔리는 게 많았기 때문이었다.

모크샤와 약식이긴 하지만 혼례도 치렀고, 서로 마음 확인도 했고. 이제 남은 것은 거사뿐이었다.

여행길은 아무래도 가우란과 사하긴과 동행하다 보니 눈치도 보이고 해서 거리를 뒀지만, 저택에 도착하고 나서는 좀 더 여유가 있을 거라 내심 기대했다. 그렇고 그런 분위기가 되는 걸 상상만 해도 몸이 비비 꼬였다.

혹시라도 모크샤가 단둘이 있는데 그윽한 눈길이라도 보내면. 설마 내가 눈치 못 채서 얼렁뚱땅 넘어가는 건 아니겠지. 나는 마음의 준비를 하며 심호흡과 함께 모크샤의 행동 하나하나를 주의 깊게 살펴보았다.

하지만 마음의 준비는 개뿔.

모크샤는 데면데면, 평소와 다를 바가 없었다. 툭 하니 치고 지나가는 행동에 마음 졸인 것도 한두 번이지. 그게 별 의미 없는, 그저 익숙해진 스킨십이라는 걸 깨닫고 나니 마음이 허탈해졌다.

우리의 관계는 함께 여행할 때와 크게 다르지 않았다.

도대체 모크샤랑 내가 결혼한 게 맞긴 한 건가? 혹시 착각은 아닐까?

오죽 답답했으면 모크샤와의 혼인 계약서를 몇 번이고 확인할 정도였다.

굳이 권능을 버리기 위해서가 아니라 내가 좋아하는 사람이기에 결혼했는데 이렇게 아무것도 안 하고 하루 이틀 시간만 보내고 싶지가 않았다.

이러다가 모크샤 혼자 꼬부랑 할아버지가 되어버릴지도 몰라. 속이 답답했다.

내가 먼저 모크샤에게 들이대야 하나. 하지만 선뜻 그럴 용기가 없었다. 걱정이 태산처럼 쌓인 나는 슬쩍, 사하긴에게 고민을 털어놓았다.

"그런데, 서로 좋아하는 걸 뻔히 아는데도 남자가 손을 안 뻗는다는 건 뭘까⋯⋯?"

"혹시, 모크샤님과⋯⋯?"

"⋯⋯."

고개가 잘 익은 벼처럼 푹 수그러들었고, 얼굴은 푹 익은 홍시처럼 불그죽죽했다. 저희 지금 혼례를 치르고 한 번도 안 했답니다, 하하.

제가 그래도 명색이 성욕의 신인데도 말이에요. 나는 민망함에 불타듯 뜨거워진 얼굴을 손으로 부채질했다.

차라리 비웃으면 좀 덜 부끄러우련만, 사하긴은 정말로 진지하게 고민하고 있었다.

한참을 골몰하던 사하긴이 조심스레 말했다.

"글쎄요……. 보통은 남자 쪽에서 적극적으로 구애하는 게 일반적이기는 합니다만, 상대가 역시 카마셔서가 아닐까요? 카마께서 손을 뻗어주시기를 기대하고 계신 걸지도 몰라요."

"여, 역시 그런가?"

사하긴의 말이 그럴듯하게 들렸던 나는 침을 꿀꺽 삼켰다. 역시 내가 눈치가 없었던 건가. 나는 지금껏 흘려보냈던 시간에 대한 후회로 이를 갈았다. 그러기가 무섭게 사하긴이 덧붙였다.

"하지만 보통 하렘 내에서는 여성이 구애하는 편이죠. 여자는 많고 남자는 하나니까요. 그런 걸 생각하면 당연히 모크샤님께서 카마를 유혹해야……."

"그, 그럼 뭐야. 어떻게 해야 하는 거야."

유혹하라는 건지 말라는 건지, 도통 종잡을 수 없는 사하긴의 충고에 나는 울상을 지었다. 아무래도 특이 케이스인 만큼, 사하긴도 상황을 짐작할 수 없는 모양이었다. 사하긴은 주먹을 불끈 쥐며 말했다.

"자신이 없으시면, 모르는 척 꼬시세요."

"어떻게?"

"일부러 얇은 옷을 입는다든가. 둘이 있을 때 슬쩍슬쩍 달라붙는다든가……."

"모크샤 눈치 백 단이야. 그러면 다 들통날 거야."

나는 고개를 내저었다.

눈칫밥을 먹고 자라서 그런가, 모크샤는 내가 뭐만 하면 귀신같이 파악했다. 어쩌면 지금 내가 안절부절못하는 것도 이미 눈치챘을지도 모르는 일이었다.

사하긴이 혀를 차며 고개를 내저었다.

"참 어려운 분이네요. 그분 고자가 아닌 건 확실한가요?"

"아……마도?"

지금껏 한 번도 모크샤가 고자일 거라고는 생각해본 적도 없었다. 하지만 확신을 할 만한 일 또한 없었던지라, 갑자기 미친 듯이 불안감이 치솟았다.

뭐야. 모크샤가 고자면 내 권능은 어쩌라고. 아냐. 주신이 사랑의 결실이라고 했으니까, 유, 유사 성행위도 성행위로 인정해줄지도 몰라.

머릿속이 복잡하게 빙글빙글 돌아갔다.

사하긴은 너무 조급하게 생각하지 말라며, 자신의 도움이 필요하면 말하라 덧붙이며 나를 위로했다. 나는 멍하니 끄덕였다. 머릿속은 지금까지 있었던 일들을 득득 긁어모으기 바빴다. 과연 모크샤는 고자일까, 아닐까. 아니라면 도대체 왜 목석처럼 저러고 있는 걸까.

고민은 끝도 없이 늘어졌다.

목욕 시간이 되기까지 모크샤가 고자가 아닐 거라는 마땅한 반례를 찾지 못한 나는 한숨을 쉬었다. 차라리 대놓고 물어볼까 하는 생각도 들었지만, 대뜸 그런 걸 물어보자니 물어볼 용기 또한 나지 않았다. 아무리 그래도 고자냐고 묻는 건 자존심 상하겠지. 나는 오갈 데 없이 답답한 심정에 한숨만 연거푸 내쉬었다.

그래, 목욕이라도 하면서 마음의 시름을 잊자. 그리 생각하며 나는 가운을 욕조 옆에 걸어두고는 조심스레 욕조에 발을 내디뎠다.

향유를 뿌렸는지, 김에 섞여서 피어오르는 향기가 코끝을 간지럽혔다.

나는 목 끝까지 푹 몸을 담갔다.

이 정도 수준의 목욕을 하려면 사람을 쓸 수밖에 없다는 점이 참 마음의 양심을 찔렀다.

나는 입을 꽉 다물고 코끝 밑 찰랑할 정도까지 물속에 몸을 담갔다. 온몸을 감싸는 따끈한 물이 몸의 긴장을 노곤하게 풀어주었지만, 마음마저 풀어주지는 못했다.

그때 욕실 밖에서 인기척이 났다. 내 욕실의 향유나 수건, 욕실 가운, 물의 온도 등을 관리해주는 것은 사하긴이었다.

애초에 사하긴을 데려온 것은 일을 시키기 위해서가 아니었지만, 사하긴이 이 정도 일은 하게 해달라 주장했다.

가우란과 모크샤 또한 사하긴의 주장에 고개를 끄덕이고 나섰다. 내 곁에 믿을 만한 여자 시종이 없는 것도 한몫했던 것 같았다.

당연히 문밖의 인기척의 주인이 사하긴일 거로 생각한 나는 그녀를 부르며 부탁했다.

"사하긴, 나 등에 물 좀 뿌려줘."

목간이라도 할 생각이었다. 몸을 푹 담그는 목욕과 달리, 세찬 물에 머리라도 얻어맞으면 정신이 좀 들지 않을까.

하지만 밖에서의 인기척이 내가 말을 걸기가 무섭게 멈추었다. 나는 슬쩍 물 위로 고개를 빠끔히 빼며 입구를 보았다. 사하긴을 제외하고 이 시간에 내 욕실 근처에 올 만한 사람이 없는데.

나는 조심스레 물었다.

"사하긴?"

"사하긴은 무슨."

"뭐, 뭐야! 너 왜 거기 있어!"

입구 너머 복도에서 갑자기 들려온 모크샤의 목소리에 나는 화들짝 놀라며 외쳤다.

얼마나 깜짝 놀랐는지, 물이 출렁이며 욕조 밖으로 물이 넘쳐흘렀다.

하필이면 바닥을 짚고 있던 손이 미끄러지는 바람에 나는 한참이나 허우적댔다.

"괜찮아?"

"괘, 괜찮아. 욕실엔 갑자기 왜?"

나는 더듬더듬 물었다. 그래. 모크샤가 있었지.

모크샤는 다른 욕실을 쓰지만 방은 같이 쓰고 있었다. 내 욕실은 우리 방에서 이어지는 곳에 있었고, 그런 만큼 모크샤 또한 내 욕실에 쉽게 들락날락할 수 있었다. 모크샤는 복도에서 말했다.

"하도 나오지 않아서 죽었나 하고 와본 거야. 너 가끔 목욕하다가 정신 놓으니까."

"그, 그 정도까지는 아니거든."

그때야 여행길 때문에 피로가 쌓였을 때고. 이렇게 하염없이 평범하게 지내는 일상에서 목욕하다 잠이 들 정도는 아니었다. 나는 얼굴을 벌겋게 물들이며 반박했다.

그때 내 시야에 내 맨몸뚱이가 비쳤다.

뒤늦게 내가 벗고 있다는 걸 깨달은 나는 걸려 있는 가운을 향해 손을 뻗으며 외쳤다.

"자, 잠깐! 들어오지 마!"

"안 들어가, 안 들어가."

필사적으로 외친 나와 달리, 모크샤의 목소리는 느긋하고 가볍기 그지없었다.

피해의식인지는 모르겠지만, 내 알몸 따위, 몇 번이나 본 데다 별로 궁금하지도 않는다는 것처럼 들렸다.

들어오지 말라고 했지만, 정말로 안 들어오니까 괜히 기분이 이상했다.

미련이 철철 넘치는 내 마음과 달리 모크샤의 발걸음은 왔던 것만큼이나 가볍게 멀어져 갔다.

나는 가운을 꽉 부여잡은 채, 욕실 입구를 노려보았다.

영문을 알 수 없는 분노가 차올랐다.

후닥닥 목욕을 끝낸 나는 가운을 걸치고 성난 발걸음으로 방에 들어섰다. 길게 늘어진 검은 머리카락이 머금은 물을 뚝뚝 흘려내었다.

모크샤는 침대에 느긋하게 기댄 채 침대 옆 창을 통해 들어오는 달빛을 벗 삼아 책을 읽고 있었다. 근육으로 탄탄한 남자가 달빛 아래 책을 읽는 모습은 여심을 설레게 하였지만, 지금의 나에게는 설렐 만한 여심이 남아 있지 않았다. 모두 활활 타오르는 분노에 장작으로 처넣었으니까.

"다 씻었어?"

모크샤는 읽던 책을 덮어 콘솔 위에 두면서 몸을 일으켰다.

"이리 와. 머리 말려줄게."

모크샤는 침대 밑에 한 단 낮게 놓인 쿠션을 손바닥으로 팡팡 치며 말했다. 나는 가운 깃을 단단히 여미며, 모크샤가 말한 자리에 앉았다.

언제 준비해둔 것인지, 모크샤는 뽀송뽀송 갓 말린 수건을 꺼내 내 머리카락을 토닥이듯 감쌌다.

내 머리카락을 말리는 손길은 부드러웠다. 그래서 더 화가 났다. 사람 설레게만 하고 말이야. 이거 희망고문이라고. 어깨에 닿은 모크샤의 허벅다리에 괜히 더 화가 났다. 나는 오늘 기필코 답을 듣고야 말리라 다짐하며, 눈을 부릅뜨고 나직한 목소리로 말했다.

"솔직히 말해봐."

"……뭘."

추궁하는 듯 낮게 깔린 내 목소리에 모크샤의 손짓이 잠시 멈추었다. 나는 그 틈을 놓치지 않았다.

"너 별로 나한테 관심 없지?"

"또 헛소리한다. 왜 그렇게 생각하는데?"

잠시 멈추었던 것이 거짓말처럼, 모크샤는 덤덤하다 못해 칭얼대는 어린아이를 어르는 듯한 반응을 보였다.

"하지만 너……."

나는 입술을 질끈 깨물고 말끝을 흐렸다. 하도 답답하고 열이 뻗쳐 홧김에 말의 물꼬를 트기는 했지만, 막상 입 밖으로 말을 하려니 쉽지가 않았다. 나는 무릎 위에 놓은 손을 꽉 쥐었다. 얼굴이 산초에 물든 것처럼 벌게지다 못해 목까지 번졌을 게 분명하다. 나는 눈을 꾹 지르감고 외치듯 말했다.

"나, 나하고 자, 잘 생각 없잖아?"

"뭐?"

"같이 자도 손도 안 대고! 내, 내 알몸에 관심도 없고! 예전이랑 다를 것도 없고!"

한번 지르고 나니, 두 번째는 쉬웠다. 역시 시작이 반이라는 옛말 틀린 것 하나 없다. 말을 꺼내고 나니 알 수 없는 용기가 솟아올랐다. 나는 휙, 몸을 돌리며 모크샤를 올려 보았다. 눈에 그렁그렁 독기가 맺혔다.

시선이 마주친 모크샤의 얼굴에 당황한 기색이 역력했다. 그는 낭패 어린 표정으로 뭐라 날 설득할지 고민하는 듯 입만 뻐끔거렸다.

"그건……."

"아니면 뭐야! 너 고자야? 안 서?"

잔뜩 울컥한 나는 삿대질까지 하며 공격적으로 쏘아붙였다. 그래. 고자일 수도 있지. 하지만 말은 해줘야 할 것 아냐. 애꿎은 기대 안 하게.

차라리 고자이기라도 하면 마음이 되레 편할 거 같았다. 날 좋아하기는 하지만 내가 성적 매력이 없어서 별로 흥미가 안 생긴다는 대답을 받는 것보다 훨씬 나았다. 얼마나 눈을 부릅뜨고 모크샤를 노려봤는지, 눈기가 시근거리며 아파왔다.

모크샤는 연거푸 한숨을 내쉬었다.

모크샤가 참담한 심정을 감추기라도 하려는 듯 손바닥으로 얼굴을 감쌌다. 그의 손바닥 안에서 한숨이 감돌았다. 한숨 쉬지 말라고 몇 번이고 잔소리를 해대는 그가 저럴 정도니, 얼마나 속이 끓는지 짐작이 갔다. 그렇게 생각하니 너무 심한 말을 했나 싶어서 조금 미안해졌다.

한참의 침묵 끝에 모크샤가 말했다.

"고자는 아니고, 관심이 없는 것도 아니고."

"그러면 뭐야."

"내가, 좀 불안해서."

"뭐가."

모크샤의 회피성 발언에 나는 삐뚜름히 대꾸했다. 한동안 눈조차 제대로 마주치지 못하고 시선을 피하던 모크샤가 돌연 나를 빤히 바라보았다.

모크샤의 까만 눈동자는 집요할 정도로 나를 응시했는데, 그것이 마치 차가운 새의 시선처럼 느껴졌다. 아까만 하더라도 분기탱천, 기세등등하던 나였지만 모크샤의 시선이 닿기가 무섭게 소름이 오싹 돋았다. 그가 무슨 대답을 하든 들을 준비가 되었다고 생각했는데, 그건 아무래도 내 착각인 모양이었다.

모크샤가 손을 뻗었다. 그의 커다란 손아귀가 내 팔뚝을 잡았다. 얇게 미끄러지는 가운 위로 그의 손바닥의 크기와 손가락의 길이 모든 것이 생생하게 느껴졌다.

그의 손바닥의 체온이 낙인이라도 찍는 것처럼 홧홧했다. 모크샤의 눈동자에 찬기가 가시고, 그 모든 것을 삼켜버릴 듯한 열기가 치솟았다.

지금껏 어떻게 억누르고 있었는지 궁금할 정도로, 그의 목소리는 지층 밑 저 먼 바닥의 용암처럼 들끓었다.

"넌 어떻게 내 저주를 그렇게 바로 풀어줬어? 걱정되지도 않았어? 내가 너 말고 다른 사람을 좋아할 수도 있다는 생각은 안 했어?"

"해, 했지만, 그래도……."

아까의 기세가 거짓말처럼, 내 목소리가 흔들렸다. 모크샤가 다른 이를 좋아해도 어쩔 수 없다고 생각했다. 눈물 날 정도로 속이 뒤집힐 테지만, 애초에 모크샤가 나를 좋아할 수밖에 없게 된 이유가 나 때문이니까.

내 팔을 옥죄고 있지 않은 다른 손이 내 뺨에 닿았다. 모크샤의 손가락이 부드럽게 내 뺨에 들러붙은 머리카락을 떼어주었다. 그 손길이 무척이나 애틋하게 느껴졌다. 모크샤는 씁쓸히 웃으며 중얼거렸다.

"내가 널 안으면, 네 권능이 풀리면. 너를 만질 수 있도록 허락되는 사람이 나뿐만이 아니게 되면."

모크샤가 몸을 기울였다. 그의 얼굴이 내 바로 근처로 다가왔다.

모크샤와의 접촉에 익숙하다고는 하지만 코앞으로 들이밀어진 그의 시선을 바로 감당해내는 것까지 익숙한 것은 아니었다. 입 맞출 듯 가까운 거리가 익숙해지기엔, 우리는 손에 꼽을 만큼의 키스만을 나누었을 뿐이었다.

"그래도 네가 날 좋아해줄까? 네가 나를 좋아하는 건, 너와 사심 없이 체온을 나눌 수 있는 유일한 사람이기 때문이었지. 네 권능이 없어진다면, 모든 이들과 나는 동일 선상에 서는 거잖아?"

"그럴 리가……."

"그것보다도, 내가 타인이 널 만지는 걸 조용히 두고 볼 수 있을까? 네 손바닥에 손을 겹칠 수 있는 사람이 늘어나고, 네 머리카락도 다른 사람이 빗겨주게 되고."

모크샤의 손가락이 내 머릿결 사이를 파고들었다. 그의 콧대와 내 콧대가 부딪치며, 숨결이 닿을 정도로 얼굴이 가까워졌다. 그와 맞닿은 부분이 개미가 기어가듯 간지러웠지만, 도저히 그의 시선을 피할 수는 없었다.

"생각만 해도 속이 뒤틀리는군."

모크샤의 얼굴에 뒤덮인 것은 명백한 질투였다. 전혀 생각지 못한 모크샤의 내심이 드러나자 나는 어찌할 바를 모르는 채 멍하니 모크샤를 바라보았다.

"내가 너랑 잘 생각이 없다고? 네 알몸에 관심도 없다고?

하, 무슨 소리를 하는 거야."

모크샤는 비웃듯 입술을 비죽였다. 생소한 그의 표정에 놀라기가 무섭게 그의 이빨이 내 아랫입술을 지그시 물어 당기며 잘근 씹었다. 아프지는 않았지만 여린 부분을 붙들리니 온 몸이 뱀 앞의 쥐처럼 꽁꽁 굳었다.

"넌 내가 무슨 생각을 하는지 알게 되면 천 리 너머로 도망가겠지."

"아, 아니야."

"정말?"

모크샤의 눈이 위험하게 반들거렸다. 나는 숨을 들이켰다. 무언가 말이 입 안에서 맴도는데, 제대로 된 문장으로 이어지지가 않았다. 머리도 어지러웠다. 지금 이 상황은, 나로서는 전혀 예상치 못한 것이었다.

"카마. 나는 아직도 확신 못 하겠어. 너와의 하룻밤은 꿈같겠지. 나도 사내인데, 사랑하는 여인을 아니 품고 싶을까. 하지만 그 뒤에는? 권능이 사라지고 자유가 된 네가 언제까지 내 곁에 있을까? 응?"

그의 질문은 내가 지금껏 고민해온 것을 그대로 옮겨놓은 듯 똑같았다. 내가 끙끙 앓으며 홀로 고민하는 동안, 모크샤 또한 그러했으리라. 항시 곁에 있는 내가 눈치조차 채지 못하였으니 속이 장난 아닐 것이다.

시꺼멓게 타들어간 그의 심장이 눈에 보일 듯 선연했다.

내가 아는 모크샤는 가끔 난데없는 행동으로 나를 당혹하게 할지언정 언제나 여유로웠고 미련 없는 사내였다. 늘 안달내고 매달리는 것은 나라고 생각했다. 왜? 모크샤와 나 사이의 관계에서는 내가 죄인이니까. 내 전생 때문에 그가 저주받았고, 고통받았으니까.

모크샤도 나를 좋아한다 말해주긴 했지만, 내심 그의 마음의 무게가 내 무게와 같지 않을 거라 지레짐작했다.

하지만 그건 착각이었다.

나는 얼굴을 일그러트렸다. 목이 탁 틀어막혔다. 나는 내가 충분히 표현했다고 생각했고, 모크샤가 다가오기만을 기다렸다. 그래서는 안 되었던 것인데. 평소와 같은 관계에 만족하고 있던 건 정작 나였다는 걸 깨달았다.

나는 울컥대는 감정을 애써 억누른 채, 맞닿은 모크샤의 뺨을 손으로 끌어당기며 웃었다.

"……그러면 네가 확신이 설 때까지 기다려줄게."

기다리는 건 자신이 있다. 애초에 권능을 버리는 것 자체를 한번 포기한 적도 있었는데, 기다리는 것 정도야 문제가 아니었다. 내가 불안했던 것은 권능을 버리지 못할까가 아니라, 모크샤가 정말로 성적으로 좋아할까, 진심으로 그가 나를 바라는 걸까 불안했기 때문이었으니까.

"어떻게 보면 내가 너한테 확신을 못 준 거니까. 뭐, 까짓 권능 정도야. 지금까지도 잘 살았으니까 한동안 더 이렇게 지내는 것도 나쁘지 않아. 나한텐 네가 있으니까."

내 진심이 모크샤에게 전해질 수 있기를 바랐다. 오해와 착각으로 허무하게 스러질 만한 사이가 아니라는 건 알고 있었지만, 이미 우리는 서로의 많은 침묵과 묵언으로 심한 마음고생을 했다. 최대한 모크샤가 고민하지 않고 괴로워하지 않고, 고뇌하지 않기를 바라며 나는 덧붙였다.

"우리 사랑은 언제가 되어도 변치 않을 테니, 네가 마음의 준비가 되는 날을 기다리자."

모크샤의 얼굴이 울듯 일그러졌다. 그의 뺨에는 마른 눈물이 스쳤다. 모크샤는 작게 고개를 끄덕였다. 내 입술에 작은 숨결만을 남긴 채 그의 입술이 멀어졌다.

나는 그의 얼굴이 나에게서 멀어지려 하기가 무섭게 고개를 쭉 뻗어 그의 입술에 내 입술을 꾹 눌러 찍었다. 모크샤의 눈이 휘둥그레졌다. 나는 짓궂게 웃으며 덧붙였다.

"그래도 뽀뽀는 좀 자주 해줘. 난 또 네가 괜히 나랑 같이 오기로 했나 후회하는 줄 알고 얼마나 마음 졸였다고. 결혼 무르자고 하면 어쩌나, 하고."

"그거, 내가 하다 보면 참을 수가 없을 것 같아서."

모크샤의 역공이었다.

언제 울듯 얼굴을 구겼나 싶게 그의 입술이 삐죽이 올라갔다. 여유로운 듯 놀리는 어조에 괜히 호승심이 들끓었다. 나는 되바라지게 눈을 치켜뜨며 말했다.

"아무도 참으라고 한 적 없다고."

그리 말하기가 무섭게 나는 그대로 모크샤를 침대로 자빠트리며 그의 입술을 덮쳤다. 애초에 무술 실력도 좋고 덩치도 좋은 모크샤가 어설픈 내 기습에 순순히 넘어갈 리 없었지만, 지금은 손가락 끝의 도미노처럼 저항 없이 무력하게 허물어졌다.

들이치는 빗소리가 헐떡이는 숨소리를 지워줬다. 우기의 축축함에 늘어지던 몸은, 어느새 닿아오는 더운 체온에 땀으로 젖어들었다.

평생 지속할 것처럼 한참 쏟아져 내리던 빗소리가 어느샌가 잦아들었다. 지루할 정도로 긴 우기도 어느덧 끝이 다가오는 모양이었다. 내일은 햇빛이 뜰까. 그랬으면 좋겠다. 나는 맑게 갠 내일 아침 하늘을 떠올리며, 눈을 감았다.

외전 4
카펫 장인으로 가는 길

카마는 신기한 이였다.

주신의 유일한 자식. 주신의 사랑을 받는 자. 성욕의 신. 반신으로서 그녀를 수식하는 호칭은 손으로 꼽을 수 없이 많았다. 그녀는 이 인계에 존재하는 생명 중 제일 고귀하고 신성한 이였다.

세 나라의 술탄들은 줄지어 그녀를 모시기 위해 노력했다. 반신으로서 사람들의 떠받듦을 받기만 하면 되는 생. 그 어떤 금은보화든, 갖고 싶은 기색을 내비치기가 무섭게 그녀의 앞에 산처럼 쌓일 터였다.

그것이 의지를 갖고 살아 있는 사람이라 힐지라도 별반 다를 바는 없었다.

거부하는 이가 있을 리도 없을 뿐더러, 설사 거부한다 하더라도 그녀의 능력이라면 쉽게 그녀에게 굴복할 테니까.

하지만 그녀는 그 모든 것을 버리고 떠났다. 술탄의 궁전도, 으리으리한 저택도 거부한 그녀의 발이 닿은 곳은 시골 한적한 마을의 단출한 저택이었다.

저택은 시골 한구석에 우뚝 있기에는 지나치게 크고 화려했지만, 본디 그녀가 손에 쥘 수 있던 다른 것들과 비교하면 부족함이 많았다. 술탄들은 좀 더 그녀를 위해 무언가를 해주고 싶어 했지만, 그녀가 반기지 않으니 손에 쥐여주는 것에도 한계가 있었다.

저택 또한 그러했다.

어디로 가시려 하느냐 여쭈니, 카마께서 하는 말씀이 벽으로 바람을 가리고 짚으로 하늘을 가리면 충분하지 않겠느냐는 것이었다.

그때까지 카마의 말을 가만히 듣고 있던 술탄들이 그건 아니라며, 카마가 마뜩잖아 하는 것을 한참을 간청하고 빌어서야 그녀의 마음을 돌릴 수 있었다.

인드라와 바르나의 술탄들은 머리를 맞대고 고민했다. 지나치게 화려하면 카마께서 화를 내실 것이요, 너무 수수하면 카마의 격에 맞지 않으니, 그 중도를 짚어내는 것이 무척이나 힘들었다.

결단을 내리기가 무섭게 술탄들은 카마가 정착할 곳으로 인부를 보냈다.

아무것도 없던 평지에 순식간에 저택이 만들어졌고, 단기간이나마 엄히 교육받은 집사와 다르마인 시종들, 수마트인 노예들을 보냄으로써 그들의 도리를 다했다.

눈 깜빡하기가 무섭게 하늘에서 뚝 떨어진 것처럼 지어진 저택의 모습에 깜짝 놀란 시골마을 사람들은 저택에 대한 이야기로 두런두런 수다를 떨었다.

귀한 사람이 괜한 변덕으로 별장을 짓는 것이라느니, 유배된 귀족의 거주지라느니, 여러 가지 소문이 한적한 시골마을을 달구었다.

저택의 주인, 카마는 그런 허황된 소문의 존재조차 알지 못했다. 그녀를 과보호하는 가신들의 엄중한 감시 아래, 그녀는 그저 평범하고 평화로운 나날을 보낼 뿐이었다.

변성기를 거치지 않은 소년 같은 그녀의 목소리가 저택을 울렸다.

"그러니까, 나도 한 번쯤 도전해봐도 되잖아."

"카마께서 이런 일을 할 필요가 없으시다니까요."

"노동이라고 생각하니까 그런 반응이 나오는 거야. 취미라고 생각하라고. 난 지금 심심해 뒤질 지경이고, 그게 해보고 싶다니까. 카펫 짜는 건 위험하지도 않잖아."

카마의 말은 거침없었고, 그녀의 눈은 고집스레 빛났다. 사하긴은 어찌할 바를 모르고 당황하여 눈을 데굴 굴렸다.

사실 카마가 이렇게 평민들이나 할 법한 「노동」에 관심을 기울인 건 이번이 처음은 아니었다.

사하긴은 카마의 말동무이자 그녀의 시녀였지만, 서로가 대화하는 시간이 그리 길진 않았다.

그들이 주로 하는 일은 카마의 방에서 날씨 이야기나 오늘의 식단에 대한 이야기를 주거니 받거니 하며 서로의 시간을 보낼 뿐이었다.

카마는 주로 소파에 가늘고 긴, 흰 사슴 같은 몸을 우아하게 눕힌 뒤 쌓아둔 책을 뒤적여 읽곤 했었고, 사하긴은 그 옆에서 수를 놓거나 옷을 짓거나, 소일거리가 될 만한 일들을 했다.

그리고 어느 정도 시간이 지나면, 책을 읽던 카마가 어느샌가 곁으로 다가와 사하긴이 하는 모습을 지켜보았다. 그러기만 하면 괜찮은데, 문제는 매번 자신도 해보면 안 되겠느냐 넌지시 묻는 것이 아닌가.

오늘 사하긴이 손에 잡은 것은 카펫이었다.

"수를 놓는 거랑 달리 날카로운 바늘을 사용하는 것도 아니고, 지푸라기 가시가 손바닥에 박힐 이유도 없고. 안 그래?"

오늘 따라 카마는 유난히 집요했고, 청산유수 같은 말주변으로 무장되어 있었다.

눈을 빛내는 카마의 얼굴을 바라보고 있자니 좀처럼 빠져나갈 구석이 없었다.

카마의 말대로, 지금껏 사하긴은 요리와 농작물이야 위험한 도구가 주변에 널려 위험하니 참으시라는 말로 카마를 설득했지만 방 안에서 카펫 짜는 것마저 위험하다는 핑계를 댈 수는 없었다.

꿀 먹은 벙어리가 된 사하긴은 결국 백기를 들었다. 사하긴은 시종을 부르는 종을 울렸다. 달랑달랑, 소리가 들리기가 무섭게 집사 살라온이 방에 들어섰다.

"베틀 하나 작은 걸 부탁드려도 될까요?"

"물론입니다."

"어라, 작은 걸로 하는 거야? 난 사하긴처럼 큰 게 좋은데."

"……카마께서 쓰시는 겁니까?"

살라온의 얼굴에 곤란함이 스쳤다. 살라온을 호출한 사하긴의 낯 또한 마찬가지였다.

카마가 일을 한다니, 아무리 허물이 없이 행동하여도 그렇지, 반신으로서의 위엄에 적합지 않은 일이었다. 카마를 처음 겪는 집사 살라온은 카마의 이런 돌출행동을 겪을 때마다 매번 쩔쩔매며 난처해했다. 살라온은 카마를 만류하기 위해 운을 떼었다.

"카마의 위엄에……."

"그냥 작은 베틀 하나면 됩니다. 잠시 변덕이시니."

사하긴이 대신 살라온을 설득했다.

사실 사하긴도 살라온과 같은 생각이기는 했다. 반신이신 카마께서 카펫이라니!

하지만 사하긴은 살라온보다 좀 더 오랜 시간 카마와 함께 있었고, 그런 만큼 그녀의 성격에 대해 어느 정도 파악하고 있었다.

모크샤와 가우란을 제외한다면, 이 저택 내에서 카마의 성격을 제일 잘 알고 있는 것이 사하긴일 것이다. 이렇게까지 강경하게 나선 카마가 고집을 꺾을 리 없거니와, 그녀의 말을 들어주지 않으면 이후에 어떤 엉뚱한 일로 그들의 간을 철렁이게 할지 모른다는 걸 그녀는 잘 알고 있었다. 이쯤해서 카마의 기분을 맞춰주는 것이 옳았다.

사하긴의 단호한 눈빛에 살라온은 떨떠름하게 고개를 끄덕였다.

집사인 살라온과 카마의 측근인 사하긴의 사이는 썩 좋지 않았다. 살라온이 일방적으로 사하긴을 불편해한다는 게 옳았다.

카마를 모시는 일을 맡게 되었을 때, 상식을 갖고 움직이면 안 된다는 것을 미리 인지하고 또 인지했지만 아직도 가끔은 깜짝깜짝 놀랄 일이 있었다. 그중 하나가 사하긴에 관한 것이었다.

하렘에서 조용히 거주하는 여인네들만 보아온 살라온으로서는 평범한 여자임에도 불구하고 하렘에 틀어박히지 않은 채 행동하는 사하긴이 불편하고 또 불쾌했다.

그녀는 대부분의 시간을 카마의 숙소에서 보내긴 했지만, 카마의 명이라는 핑계를 대며 저택 이곳저곳을 자유롭게 쏘다녔다. 마치 자신이 카마라도 된 것처럼. 하지만 정작 카마가 그녀의 방종한 행동을 묵인하니, 살라온으로서는 카마의 권속인 그녀를 제지할 방도가 없었다.

좌우지간 그들은 대체로 서로의 일에 간섭하지 않은 채 무시했지만, 카마의 일에 관한 것만큼은 어쩔 수 없었다.

살라온으로서는 신군인 가우란도 아니고, 카마의 배필인 모크샤도 아닌 일개 여자일 뿐인 그녀의 말을 듣는 것이 불만스럽기는 했지만, 그녀에 대한 카마의 신뢰를 생각하면 무시할 수만도 없었다.

얼마 지나지 않아 사하긴이 사용하던 베틀의 4분의 1 정도되는 자그마한 베틀이 방 한 켠에 들어섰다.

카마의 얼굴에 미소가 번졌다. 말갛게 웃는 천진난만한 미소를 보고 있자면, 카마의 위엄에 맞지 않는 일이라는 걸 알면서도 들어주길 잘했다 생각하게 되어버렸다. 사하긴과 살라온의 얼굴에 어쩔 수 없다는 엷은 웃음이 떠올랐다. 이러니저러니해도 그들은 모두 카마에게 약했다.

카마는 그럴 수밖에 없는 존재였다.

카마는 열의에 넘치는 기세로 베틀 앞에 앉았다. 얼마나 열정적인지, 털썩 주저앉는 그녀의 무릎에 부딪혀 베틀이 덜그럭거렸다. 카마는 해맑게 사하긴을 돌아보며 물었다.

"어떻게 하면 돼?"

"이쪽 밑단에 실을 꿰고……. 잠시만요. 도안이 있을 거예요."

"도안을 보고 하는 거야?"

"보통 처음 카펫을 짜보는 어린 여자아이들은 어머니나 할머니가 만드신 도안을 보고 연습하곤 하거든요. 익숙해지면 저처럼 안 보고도 짤 수 있게 되지만, 한동안은 도안이 있어야 할 거예요."

"뭔가 생각이랑 다른데."

카마의 입술이 삐죽이듯 나왔다. 그 모습에 사하긴은 크게 웃었다.

"원래 그래요. 완성하면 보기 좋고 그럴듯한 카펫도, 짜기 전에는 그저 실들의 뭉치일 뿐이죠. 머릿속에서 상상했던 카펫을 온전히 만들어내는 건 쉽지 않아요. 오래 걸리기도 하구요. 카마께서 지금 앉아 계시는 것 같은 커다란 카펫은 2년이 걸리기도 한답니다."

카마는 화들짝 놀라며 자신의 엉덩이 밑에 깔린 고운 카펫을 보았다.

실크로 짜 내린 카펫은 방바닥을 가득 메울 정도로 컸다. 눈으로 가늠되는 실의 색만 서른이었다. 카마는 불안한 시선으로 눈을 데굴데굴 굴렸다.

"그러면 나는? 어느 정도 걸려?"

"처음 하시는 거니까, 그 정도 크기는 한 일주일 정도 걸리실 거예요. 나중에는 하루에도 금방 끝내실 수 있게 된답니다."

"조, 좋아. 해보겠어."

카마는 결연히 주먹을 쥐었다. 이왕지사 일이 이렇게 된 거, 카마가 카펫 만드는 일에 집중하면 한동안은 엉뚱한 일에 참견하시지 않고 조용하지 않을까. 사하긴은 그리 바랐다.

꾰♥꾰

사하긴이 예고했던 일주일의 시간이 지나고도 사흘이라는 시간이 더 흘렀다. 카마는 사하긴이 일러주는 대로 곧잘 따라 하려고 노력하고, 모르는 게 있으면 바로바로 물어보기도 했지만 영 진도가 지지부진했다.

이번에 확실히 알았다.

카마는 의욕에 비해 손재주가 없었다. 아니, 없는 걸 넘어 재앙 수준이었다.

어쩌면 그렇게 엉뚱한 곳에 엉뚱한 실을 꿸 수가 있는지, 차례로 실을 꿰어 넘어가기만 하면 되는 단순한 문양이었는데도 불구하고, 몇 번이고 실수하기 일쑤였다.

그렇게 몇 번이고 멈칫거리다 보니 단순한 카펫을 만드는 데 열흘의 시간이 흘렀다.

완성된 카펫도 엉망진창이었다. 카마는 자신이 완성한 카펫을 보며 투덜거렸다.

"이래서는 내다 팔기는커녕 내가 쓰다 버린 실 값이 더 들겠다. 수지가 안 맞네."

"이걸 파시게요? 카마께서 처음 만드신 귀한 카펫인걸요."

사하긴이 깜짝 놀라 목소리를 높였다.

사하긴은 카마가 만든 무늬가 삐뚤삐뚤한 카펫을 칭찬하기 시작했다.

"처음에 이 정도 짜시는 건 쉽지 않은 일이에요. 감촉도 봐요. 손바닥에 느껴지는 것이 사르륵사르륵 좋잖아요. 색도 화사하니 보기 좋고. 카마께서 술탄 궁에 계시면서 보는 눈이 높아지셔서 지금 만드신 게 성에 차시지 않는 것일 뿐이지, 조금만 더 연습하시면 금방 좋은 걸 만들 수 있으실 거예요."

사실 카마가 만든 카펫은 너덜너덜하다고 표현해도 좋을 정도로 카펫의 실의 길이가 제각각이었다.

카펫 실을 일정한 길이로 끊는 것도 능숙한 숙련도가 필요한 일인 만큼, 카마도 노력한다고 노력했지만 결과물은 들쭉날쭉할 수밖에 없었다.

일반 여자아이들이 연습용으로 사용하는 싸구려 양모를 썼으면 까칠까칠한 느낌이 그대로 느껴졌을 텐데, 카마가 쓴 실은 양모와는 차원이 다른 실크였다.

그래서 엉망인 결과물에도 불구하고 손바닥에 느껴지는 느낌이 무척 좋았다.

하지만 그 사실을 카마가 알 리 없었다. 손바닥으로 카펫을 몇 번 쓸어본 카마의 얼굴에 화색이 돌았다.

"그, 그래? 보들보들하긴 하네."

"그렇지요? 처음인데 정말 잘 만드셨어요. 대단하십니다. 역시 카마세요."

그렇게 카마가 사하긴의 사탕발림 어린 칭찬에 넘어가고 있을 찰나, 밖에서 말 투레질 소리가 들렸다. 말은 귀한 것인 만큼 말을 타고 오가는 사람은 한정적이었다. 보고 및 정세 파악을 위해 파베리티로 떠난 가우란이 돌아오려면 아직 시간이 많이 남았고, 지금 말을 타고 돌아올 사람은 장에 나갔다 온 모크샤뿐이었다.

식재료나 필요한 물건은 배달시키거나 시종들이 나가서 사오지만, 가끔 귀중품이나 무기 같은 것의 손질을 맡기러 직접 나가곤 했다.

말고삐를 하인의 손에 맡긴 모크샤는 돌아오기가 무섭게 카마의 숙소로 발걸음을 옮겼다.

방에 모크샤가 발을 디디자마자, 카마는 카펫을 쫙 펼쳐 보였다. 만면에 자랑하는 기색이 한가득했다.

"모크샤, 이것 봐봐."

"······이건 또 뭐야."

모크샤는 갑작스레 눈에 들이밀어진 이상한 천 조각을 가만히 바라보았다.

생긴 걸 보아하니 카펫인 것 같은데, 무늬고 품질이고 조악하기 짝이 없었다. 엄밀히 선별된 호화로운 사치품만 사용하는 카마가 도대체 왜 이런 물건을 들고 있는지 알 수가 없었던 모크샤는 미간에 주름을 잡았다.

카마는 뿌듯한 미소를 지으며 모크샤의 궁금증을 풀어주었다.

"내가 만들었지! 어때? 처음치곤 괜찮은 거 같은데."

"······뭐. 처음치고 나쁘지 않네."

느낀 사실 그대로를 말하려고 입을 열었던 모크샤는 사하긴의 눈총을 받고는 말을 얼버무렸다. 모크샤는 머쓱히 뒷목을 긁적이며 자리에 앉으며 카마가 만든 카펫을 향해 손을 뻗었다.

"어디 좀 보자."

하지만 나쁘지 않다는 말이 카마의 심기를 건드렸는지, 카마의 표정이 불퉁했다.

카마는 자신을 향해 뻗어 있는 모크샤의 손을 무시한 채, 새초롬한 표정으로 카펫을 사하긴에게 건넸다.

"자, 사하긴. 너 줄게. 가져."

"절 주시는 건가요? 영광입니다. 소중히 간직할게요."

사하긴의 얼굴에 화색이 돌았다.

혹시나 카마가 마음을 돌릴까 싶었던 사하긴은 카펫을 꼭 끌어안듯 쥐었다.

이러니저러니 해도 처음 만든 건 당연히 자신에게 줄 줄 알았던 모크샤는 당황스러운 기색을 숨기지 못했다.

"……뭐야. 나 주는 거 아니었어?"

"사하긴은 내 카펫이 괜찮다고 해줬거든."

카마가 흐흥, 코웃음을 쳤다. 모크샤의 얼굴이 떫은 감을 씹은 것처럼 일그러졌다. 모크샤의 시선이 사하긴의 손에 쥐인 엉망인 카펫을 향했다. 모크샤는 놓친 사냥감을 보는 듯한 아쉽고도 안타까운 시선으로 투덜댔다.

"내 것도 만들어줘."

"나쁘지 않은 카펫을 줄 수는 없지. 괜찮은 카펫 만들 때까지 기다려봐."

모크샤의 안달난 심정이 눈에 훤히 보였지만, 카마는 모르는 척 어깨를 으쓱였다.

모크샤의 눈에 초조함이 깃들었다. 별거 아닌 거라는 걸 훤히 알았지만, 자신이 카마의 모든 것을 독점하지 못하는 상황에 대해 질투가 자연스레 치솟았다.

아무것도 모르는 듯하면서도, 동시에 모크샤의 내심 전부를 파악한 것 같은 모호한 카마의 천진한 얼굴을 보고 있자 하면, 자신이 괜히 과하게 반응하는 건 아닌지 머리가 어지러웠다.

하지만 그렇다 해도 모크샤의 질투가 줄어들지는 않았다. 카마는 표정 관리를 잘 못하는 편이었고, 감정이 훤히 드러났다. 그녀가 모크샤를 좋아한다는 것조차도 카마가 그 마음을 품기가 무섭게 알고 있었다. 알 수밖에 없었다.

하지만 그렇다 해서 카마의 생각을 알 수 있는 건 아니었다. 그녀는 단순한 감정과 달리, 그 감정으로 가기까지의 사고가 남들보다 심히 복잡했다.

반신이라 그런지 남들과 다른 식의 생각, 다른 방향의 접근. 도대체 왜 그렇게 생각하는지 짐작하기가 어려웠고, 그건 모크샤를 불안하게 만들었다.

저주받은 자로 태어난 모크샤는 갖고 싶은 걸 갖지 못하는 상황은 질릴 정도로 익숙했지만, 카마와 엮이고 나서부터는 자꾸 치졸한 마음이 치솟았다.

가질 수 없는 것을 갖기를 바라고, 별거 아닌 것에도 쉽게 욕심을 내고. 카마와 관련된 것은 아무리 사소한 것일지라도 모크샤의 욕구를 충동질했다.

고작 카마가 만든 카펫 하나에 유치할 정도로 감정이 뒤흔들리는 걸 보면 저도 어지간하다 싶었던 모크샤는 쩝, 입맛을 다시며 뒤숭숭한 마음을 억눌렀다.

그렇게 카마가 처음으로 만든 카펫은 사하긴의 방에 전시가 되었다.

사하긴은 종종 방 한 켠에 걸린 카펫을 뿌듯한 눈길로 바라보며 손으로 쓰다듬곤 했다.

결국 카마는 두 번째 연습작을 모크샤에게 주었다. 사하긴에게 준 것보다 손가락 두 뼘이 더 길었고, 실력도 훨씬 나아져 있었다. 물론 그렇다 해도 절망적인 결과물이 조금 덜 절망적이 되었을 뿐이기는 했다.

모크샤는 카마가 카펫을 완성하기가 무섭게 제법 괜찮다며 입에 발린 칭찬을 좌르르 늘어놓았다.

모크샤는 혼신의 힘을 다해 카마를 칭찬했다. 애초에 남 듣기 좋은 소리나 아첨을 하는 것에 익숙지 않던 모크샤로서는 무척이나 고역인 일이었다. 하지만 카펫을 향한 열망이 더 컸다. 한껏 카마의 콧대를 추켜세운 끝에, 기어코 모크샤는 카펫을 얻을 수 있었다.

이번에 만든 건 제법 자신이 있었던 카마의 입꼬리가 헤벌쪽 벌어졌다. 카마는 희희낙락하며 즐거운 망상에 부푼 어조로 말했다.

"그렇지, 나도 지난번 것보다 훨씬 잘 만들어진 것 같아. 이렇게 몇 번 더 만들면 시장에 내다 팔 수도 있지 않을까."

"……일단은 좀 더 연습해보고. 그래도 근사하네. 색도 마음에 든다."

카마가 아무리 연습을 해도 절대 시장에 내다 팔 만한 결과물이 나올 것 같지는 않았지만, 모크샤는 차마 그 이야기를 입에 담지 못했다.

그랬다가는 지금 거의 손에 들어온 카펫도 도로 빼앗길 게 뻔했기 때문이다. 솔직히, 그냥 별생각 없이 건네는 농담이라고 생각했다.

모크샤는 카마가 만들어준 카펫을 말안장에 길게 늘어트려 장식했다.

안장도 있고 말의 풍채도 있는 만큼, 제법 그럴듯해 보였다. 사실 이쯤 되면 콩깍지가 낀 것에 가까웠으나, 모크샤는 그 사실을 인정하고 싶지 않았다.

＊＊＊＊

　며칠이 지나고, 가우란이 돌아왔다.

　가우란이 돌아오자마자 모크샤는 괜히 자신의 말에 카펫과 함께 안장을 씌워 그의 앞을 왔다 갔다 했다. 하지만 가우란이 전혀 아는 체도 하지 않자, 모크샤는 큼큼, 거드름을 피우며 가우란에게 슬쩍 말을 건넸다.

　"이거, 어때 보이냐?"

　가우란은 갑작스레 친한 척 구는 모크샤의 태도에 얼굴을 딱딱하게 굳히고 모크샤를 빤히 바라보았다.

　묘하게 자랑하는 것이 기분이 나빴다.

　모크샤가 도대체 뭘 자랑하는 건가 살펴본 가우란의 시선이 카펫에 닿았다.

　가우란의 석가면 같은 딱딱한 낯이 미묘하게 비틀렸다. 그는 딱딱한 말투 그대로 빈정거렸다.

　"출신이 천하다 보니 카펫 보는 눈도 없나? 실의 질은 좋아

보이지만 무늬고 재단이고 엉망. 설마 그런 걸 돈 주고 산 건
아니겠지."

"흐음."

모크샤는 고삐를 쥔 채 과장되게 어깨를 으쓱였다.

그러고는 저 멀찍이 있는 카마에게 들릴 정도로 목소리를 높
였다.

"카마, 가우란은 별로인가 봐."

"그렇단 말이지."

"……설마."

가우란의 가면 같은 얼굴에 와장창 금이 갔다. 가우란이 이
보다 더 당황한 모습을 본 적이 없을 정도로, 그의 낯에 곤혹
스러운 심정이 선명하게 드리웠다.

"뭐, 가우란이 카펫 보는 눈이 없을 수도 있지."

"잠깐, 카마시여. 실언했습니다."

카마는 일부러 한숨을 푹 내쉰 뒤 애수 어리고 안타까운 표
정을 지으며 고개를 내저었다.

가우란이 보기엔 어찌나 그 낯이 서러워 보이는지, 상처받은
심정이 뚝뚝 떨어져 가우란의 마음을 적셨다.

물론 남들에게는 장난기 넘치는 반신이 충직한 자신의 신군
을 짓궂게 놀리는 것으로 보일 뿐이었다. 카마는 가우란의 애
원을 듣지 못한 척 다른 이야기를 했다.

"지금 만들고 있는 건 칼리프한테나 보내줄까. 칼리프가 볼 때도 별로면 어쩌지."

"그러니까 그냥 나 달라니까. 나는 그거 마음에 든다니까. 잘 쓸게."

"그럴까나."

"카, 카마시여……."

카마와 모크샤가 주거니 받거니 하는 말에 가우란은 쩔쩔맸다. 만약 자신에게 시간을 돌릴 수 있는 능력이 있다면, 가우란은 실언을 뱉기 전으로 돌아가 자신의 입을 때려주고 싶었다.

어쩐지 범상치 않아 뵈는 카펫이더라니. 겉모습만을 보고 그 속에 숨겨진 깊은 의미를 알아채지 못한 것을 보면 아직도 수련이 부족하다.

카마께서 만든 성물을 알아보지 못한 자신의 얕은 안목에 화가 난 가우란은 몇 번이고 머리를 조아리며 카마의 화가 풀리기를 바랐다.

상상 이상으로 당혹스러워하는 가우란의 모습에 카마는 킬킬 웃었다. 그렇게 한참을 놀려먹은 뒤에야, 카마는 가우란의 것으로 미리 만들어두었던 카펫을 건넸다.

세 번째임에도 불구하고 여전히 엉망인 카펫을 받아 든 가우란은 몇 번이고 믿기지 않는다는 기색으로 손에 들린 카펫을 매만졌다.

가우란의 만면에 환한 미소가 번졌다. 눈에 띌 정도로 확연한 가우란의 표정에 카마는 모크샤의 옆구리를 팔꿈치로 치며 쿡쿡 낮게 웃음 어린 말투로 말을 걸었다.

"확실히 사람다워졌다니까."

"원래도 사람이었습니다. 카마시여."

원래의 딱딱한 표정으로 돌아간 가우란이 무뚝뚝한 목소리로 답했다. 그 돌덩이 같은 얼굴에 어울리지 않게 혹시나 카펫에 흠이라도 날까 두 손으로 모시고 있는 태도가 가우란의 본심을 보여주었다. 카마는 심드렁히 어깨를 으쓱이며 혼잣말하듯 가우란의 말에 대꾸했다.

"아니, 원래는 좀 로봇 같았거든?"

"로봇이 무엇입니까?"

가끔 카마는 알 수 없는 단어를 쓰곤 했다.

가우란을 비롯한 평범한 사람들로서는 그저 신계의 표현이겠거니 싶어, 그녀가 말한 단어의 뜻에 대해 묻곤 했지만 제대로 알려줄 때가 드물었다.

"그런 게 있어, 그런 게. 하여간 모크샤, 내가 이겼으니까 돈 내놔."

"쳇."

모크샤는 아까부터 계속해서 제 허리춤을 찌르는 카마의 손가락에 혀를 차며 품을 뒤적였다.

카마에게 돈 꾸러미를 건네는 그의 눈매가 못마땅하게 일그러졌다. 가우란은 모크샤에게서 카마에게로 넘어가는 돈 꾸러미를 바라보며 물었다.

"⋯⋯무슨 내기를 하신 겁니까?"

카마와 모크샤의 내기는 늘 있는 일이었지만, 오늘따라 그 내기 내역이 무엇인지 궁금함이 치솟았다.

그래서는 안 되었는데. 호기심이 쥐를 잡는다고, 이어지는 카마의 말이 가우란의 머리를 세게 때리듯 울렸다. 카마는 순진한 자신의 종을 내기 대상으로 삼았다는 것에 대해 전혀 개의치 않는, 밝은 목소리로 답했다.

"나는 내가 만든 걸 「못 알아본다」에 걸었거든. 모크샤는 「알아본다」에 걸었고. 역시 가우란은 나를 생각해준다니까."

"너를 생각해서 못 알아본 게 아닐 텐데. 이제야 자기 실력이 엉망이라는 걸 인정하는구만."

"네 거 뺏는다."

"아니, 뭐, 생각해보니 엉망까지는 아니고. 아무렴, 아니지."

"후회할 말을 왜 해?"

"그러게 말이다. 아, 신군의 감을 믿었는데, 그것도 영 믿을 게 아니구만."

카마와 주거니 받거니 하던 모크샤의 빈정거림이 가우란에게 향했다.

모크샤 자신도 처음에 카마가 만들었다는 걸 못 알아봤지만, 그런 옛날이야기는 기억에서 사라진 지 오래였다.

가우란은 좌우지간 카마에게 도움이 되었으니 기뻐해야 할지, 그도 아니면 카마에게 믿음을 주지 못했다는 사실에 좌절해야 할지 혼란스러웠다. 오히려 견원지간 같은 눈에 모크샤가 자신을 믿었다는 게 더 충격적이었다.

가우란의 쇠심줄같이 질기고 튼튼한 정신은 카마 앞에만 서면 불판 위의 비계처럼 흐물흐물 녹았다. 그렇게 가우란이 기쁨과 좌절의 사이에서 혼란스러워하고 있는 동안, 카마는 콧노래를 부르며 돈주머니를 던졌다 받았다.

"얼른 들어와. 가우란 너 오랜만에 온다고 내가 진수성찬으로 차리라고 했단 말이야."

방으로 향하는 카마의 발걸음이 가벼웠다. 모크샤와 가우란의 시선이 카마의 등 뒤를 향했다가, 자연스레 서로를 향했다. 아웅다웅 못 잡아먹어 안달인 앙숙 같은 둘이지만, 이러저러해도 카마에게 휘둘리는 것은 같은 입장인 만큼 서로 공감하는 점은 있었다.

하지만 둘 다 성격이 성격인지라 곧 죽어도 상대를 위로하지도 않았고, 자신의 나약한 생각을 입 밖으로 내지도 않았다. 둘은 묵묵히 수많은 생각을 삼킨 채 말 한마디 없이 카마의 뒤를 따랐다. 서로가 상대보다는 나은 입장이라고 생각하면서.

'그래도 카마께서 내 것을 좀 더 신경 써서 만들어주신 게 틀림없어. 저놈 것도 카마께서 만드신 귀한 것이지만, 아무래도 좀 더 나중에 만든 것이 그런 실력을 갖추기까지의 카마의 인고의 노력이 담겨 있지.'

'그래도 카마가 만든 두 번째 카펫은 내 거지. 저건 세 번째고. 게다가 내 거에는 색이 무려 네 개란 말이야. 손이 좀 더 많이 간 성가신 거라고.'

꿶꿶❤꿶꿶

식사를 마친 가우란은 수도에서 최근 정세에 대해 알아 온 내용을 풀었다.

별달리 특별한 것은 없었으며, 과거 아그니의 술탄 자마드가 카마에게 걸어두었던 현상금이 취소되었지만, 워낙 전국 곳곳으로 퍼져 나간 의뢰였던 만큼 한동안은 주의를 풀지 말아야 할 것이라 거듭 당부했다.

카마는 짜증스레 툴툴 거렸다.

"뭐야, 그러면 아직도 외출이 힘든 거야?"

"카마께서 정착하신다는 말에 인드라의 술탄이 신경을 쓴 지역이니, 이 근방은 걱정 놓으셔도 됩니다만 만약을 대비해서 말씀드리는 겁니다. 용병들 사이에서 내려온 공문은 철회했지만 시답잖은 양아치들이 주워들은 소식까지는 아직 처리가 안 되었으니까요. 근방에 외출하실 때는 꼭 저, 아니면 저자를 데려가시도록 하십시오."

가우란의 말에 카마는 지긋지긋하다는 듯 한숨을 내쉬었다. 카마는 소파의 팔걸이에 몸을 기댄 채 손등으로 턱을 괴고는 심드렁한 표정을 지었다.

"그거야 뭐, 지금까지도 그랬는걸. ……그리고 보니, 자마드 상태는 좀 어때?"

"저도 전해들은 것일 뿐입니다만, 여전하다고 합니다. 죽지 못해 사는 자처럼, 그저 정무만을 볼 뿐이라고."

"그 바보 같은 놈……."

카마는 아까보다도 더 깊은 한숨을 내뱉었다. 그녀의 가는 손가락이 얼굴을 가리듯 짚었다. 절절히 느껴지는 카마의 답답함에 가우란의 눈빛 위로 음영이 드리웠다.

가우란은 카마의 손톱 밑 가시 같은 자마드의 존재에 분노가 치밀었다. 그자가 도대체 뭐라고. 그저 술탄일 뿐 아닌가. 카마를 독점하려 했던 것만으로도 죽어 마땅한 죄였다.

그가 살아남은 것은 카마께서 자비롭게 용서했기 때문이지, 다른 무엇 때문이 아니었다. 그럼에도 불구하고 여전히 카마의 심기를 불편하게 하다니.

가우란은 카마에게 자마드를 잊고 버리시라, 그자가 죽든 말든 카마께서 신경 쓰실 아무런 가치가 없는 자라 고하기 위해 입을 열었지만, 조용히 고개를 내젓는 모크샤의 행동에 입을 다물었다.

가우란이 자마드에 대한 분노를 삭이고 있는 동안, 카마는 무언가에 골몰하고 있었다. 한참 끝에 카마가 조심스레 운을 떼었다.

"가우란, 오자마자 미안한데."

"카마께서 미안해하시다니, 당치도 않습니다. 무슨 명이든 내려주십시오."

"⋯⋯그러면 나중에 아그니 수도에 한 번 더 다녀와 줄 수 있겠어? 자마드에게 전해줄 게 있어서."

"알겠습니다."

가우란은 충직히 고개를 숙였다. 자마드에 대한 불만과 별개로, 카마를 위해 일할 수 있다는 것은 그에게 큰 기쁨이었다. 하지만 나중에, 카마가 자마드에게 전해주기를 바란다며 건넨 카펫을 받아 들게 되니, 감히 카마의 명임에도 불구하고 따르고 싶지 않다는 격렬한 유혹이 가우란을 흔들었다.

거기에 카펫이 하나 더 얹어졌다. 카마는 천연덕스레 「이건 레누카 카딘에게.」라고 덧붙였다.

그렇게 카마의 서신과 그녀가 손수 만든 카펫을 짊어진 가우란은 고행 길을 떠나는 것처럼 엄숙한 표정으로 저택을 떠났다. 마치 모습만 보면 성전을 떠나는 위엄 있는 신군의 자태였다. 가우란을 배웅하던 카마는, 가우란의 모습이 시야에서 사라지고 나서야 허리춤에 팔을 얹은 채 땅을 보며 깊은 숨을 토해내듯 뱉었다.

"아, 진짜."

"결국 술탄한테도 카펫 선물이냐. 심지어 카딘에게도."

"카펫이 어때서. 내가 그거 두 개나 만드느라 얼마나 힘들었는지 알아?"

"그러면 술탄 것만 만들지."

"어떻게 사람이 그러냐. 하여간 자마드, 걔는 끝까지 사람이 AS해주게 만들어요. 이제 좀 마음 다잡고 살지."

"그게 쉽겠냐."

모크샤가 덤덤히 답했다. 에이에스가 뭔지는 모르겠지만, 카마의 이상한 언행이 하루 이틀도 아닌 만큼 그는 별생각 없이 넘겼다.

카마는 먹먹한 시선으로 가우란이 떠나간 길을 다시 한 번 바라보았다.

모크샤는 카마의 어깨를 끌어안아 자신의 품으로 당겼다. 카마는 순순히 모크샤의 가슴팍에 고개를 기댔지만, 단지 그뿐이었다.

그녀는 입을 꾹 다문 채 한참을 그러고 있었다. 작게 엎어진 머릿속에 어떤 복잡한 생각이 들어 있을지 모크샤는 짐작도 되지 않았다.

카마는 언제나 그랬다. 어느 때는 놀라울 만큼 직설적이면서도, 정작 중요한 시기에는 입을 꾹 다물고 침묵한다. 그녀의 생각이 깊어질수록, 그녀의 침묵 또한 깊어져만 갔다.

그녀는 무슨 생각을 하고 있는 걸까. 자마드에 대한 불안감? 아니면 미안함? 죄책감? 동정심? 모크샤는 카마가 다른 사내, 그것도 자마드를 신경 쓰는 것이 무척이나 불쾌했다.

그놈이 뭐라고. 이런 점에 있어서만큼은 가우란과 모크샤의 뜻이 일치했다.

그 불쾌감을 카마에게 직접적으로 드러내지 못하는 것도 또한. 모크샤의 뱃속이 부글부글 끓었지만, 그는 천연덕스러움을 가장한 채 카마의 어깨를 다독였다.

꒰ঌ♥໒꒱

"나도 갈래."

외출 준비를 하는 모크샤를 침대에서 물끄러미 바라보던 카마가 대뜸 자신도 장에 나가겠다 말했다. 맡겨둔 무기를 회수하기 위해 대장간이 있는 마을로 외출할 준비를 하던 모크샤가 깜짝 놀라 뒤를 돌아보았다. 동이 트긴 했지만, 평소 카마는 해가 머리 꼭대기에 오른 느지막한 시간에야 비척비척 일어난다. 아직 카마가 일어날 시간이 아니었던 만큼, 가우란은 걱정스레 말했다.

"시간이 이른데. 너 일어날 시간 아직 멀었잖아. 이제 막 동이 텄다고."

"오늘 좀 못 자면 내일 자면 되지. 괜찮아, 괜찮아."

카마는 졸음이 아직 묻어 있는 눈을 비비며 자리에서 일어서서 옷을 주섬주섬 입었다.

짐에서 덜 깼는지 몸이 휘청휘청했다.

"정 가고 싶으면 다음 장이 설 때 따로 가자. 아니면 이따가 낮에 가든가. 좀 더 자."

"됐어, 번거롭게."

옷을 다 차려입은 카마는 허리춤까지 내려온 머리를 틀어 묶은 뒤 터번을 빙빙 둘렀다. 하지만 잠에 취해 몇 번이고 헛손질을 하니, 결국 모크샤가 도와줄 수밖에 없었다.

오늘따라 웬일로 이렇게 적극적인지 알 수가 없었다. 안 그래도 지난번, 가우란이 들렀을 때 외출에 관한 이야기가 나오기는 했다. 하지만 사실 지금까지도 카마가 원하기만 한다면 언제든지 외출할 수 있는 상태였다. 이 근방은 위협이 적고, 술탄들이 알게 모르게 심어둔 호위들이 수시로 불량한 이들을 배제했으니까. 다만 지금까지는 카마가 자신의 권능 때문에 이것저것 신경 써야 할 것이 많은 게 귀찮다며 본인 스스로가 움직이지 않았을 뿐이었다.

하여튼 이렇게까지 나서니 가지 말라 강경히 주장하기가 어려웠다. 모크샤는 마구간에서 카마가 타고 갈 말도 꺼내 왔다. 자주 장을 보러 나선 모크샤와 달리 카마는 정말 오래간만에 저택 밖을 벗어나는 것이었지만, 졸음이 더 큰 듯 말 위에서 꾸벅꾸벅 졸았다.

"이러니까 내가 나중에 오자고 한 건데."

모크샤는 투덜투덜 거리며 카마의 말 옆으로 말 속도를 늦췄다.

카마가 타고 있는 말은 순한 편이었지만, 그렇다고 해도 졸면서 말을 타는 것이 안전할 리가 없었다. 모크샤는 카마의 말고삐를 대신 쥐고 말의 속도를 조정했다.

그렇게 평소 모크샤가 장을 보러 오가는 왕복 시간보다도 훨씬 늦은 시간이 되어서야 그들은 장에 도착할 수 있었다. 그제야 잠이 깼었는지, 카마는 말 위에서 늘어지게 하품을 했다. 모크샤는 기우뚱거리는 카마의 목덜미를 낚아채며 혀를 찼다.

"이제 잠이 깼냐?"

카마는 배시시 웃으며 고개를 끄덕였다. 한마디 해주려고 벼르고 있다가도 저 천연덕스러운 미소를 보게 되면 말이 쏙 들어가 버린다. 모크샤는 어쩔 수 없다는 듯 고개를 내저었다.

마을 입구에 다다른 그들은 말에서 내렸다. 말 두 마리의 고삐를 쥔 모크샤가 말을 쓰다듬어 진정시키는 동안, 카마의 시선이 바로 마을 안으로 향했다.

각국의 수도를 전부 둘러본 카마가 이 작은 시골 마을이 신기할 리는 없을 터. 오늘 오고 싶어 한 것도 그렇고 카마가 장에 볼일이 있는 건 확실했다.

"내가 가야 하는 대장간은 마을 변두리에 있으니까, 너 구경하고 싶은 거부터 구경하고 천천히 보러 가자."

"뭐, 딱히 구경하고 싶은 게 있는 건 아니고."

그리 말하는 카마의 시선이 이곳저곳을 향했다.

시골마을 장이니만큼, 무언가를 전문적으로 팔기보다는 각자 집에서 만들거나 재배한 물건들을 가지고 와서 내다 팔았다. 매대를 샅샅이 훑는 카마의 시선이 집요했지만, 모크샤가 보기엔 별다른 게 없었다. 하지만 그녀가 더 많은 가게를 둘러볼수록, 그녀의 기세가 왠지 모르게 점점 꺾여가고 있었다.

"왜 그래?"

"아니, 뭐……."

의기소침해진 카마는 중얼중얼 말끝을 흐렸다. 그녀의 미간에 주름이 진 것이, 무언가 상당히 불만스러운 모양이었다. 매사 관심이 없는 것처럼 느껴질 정도로 무던한 카마가 이렇게까지 불쾌감을 드러내다니, 모크샤가 파악하지 못한 무슨 문제가 있을 수도 있었다.

모크샤는 휙휙, 카마의 시선이 닿았던 곳을 되짚어 훑었다. 하지만 아무리 봐도 이상한 점이 없었다.

카마는 솜털 같은 한숨을 폭 내쉬며 혼잣말하듯 말했다.

"도시도 아니고, 시골 장터 카펫 수준이 저렇게 높을 줄은 몰랐지. 이래서는 내가 몇 년을 연습해도 안 팔릴 거 같은데."

카마의 말에 모크샤는 당황했다. 몇 년을 연습해도 안 팔린다니? 그러면 애초에 카펫을 만들어서 팔 생각이었단 말이야? 저런 카펫을? 물론 팔 수 있는 수준이니 뭐니 하긴 했지만. 그저 농담인 줄 알았던 모크샤는 어안이 벙벙했다.

"몇 번이고 연습해봤으니까 이제 팔 수 있는 수준을 되었을 줄 알았는데."

가내수공업자의 삶은 무리인가. 카마는 그리 중얼거리며 고개를 내저었다.

어딜 보아도 취미 수준이 아닌, 진지하게 팔아먹을 생각이 만만한 카마의 모습에 모크샤는 할 말을 잃었다. 주변 사람들에게 선물하기 위해 취미 삼아 만드는 건 줄 알고 내심 감동했는데, 단지 팔기 위한 연습용이었다는 사실을 깨닫게 되니 알 수 없는 충격이 밀려들었다.

"아아, 카펫은 포기다, 포기."

모크샤의 심란한 심정을 아는지 모르는지, 카마는 그리 말하며 팔을 쭉 위로 펴며 기지개를 켰다.

모크샤는 어처구니가 없었다. 왜 저렇게 돈 버는 것에 집착할까.

여기저기든 돈 달라 그러면 줄 사람들이 한 가득인데. 카마가 손을 내밀기도 전에 세 나라의 술탄들이 앞다투어 금은보화를 그녀의 품에 안겨줄 텐데.

가끔 이렇게 카마의 사고가 이해가 가지 않을 때가 있었다. 만약 주신에게 궁금했던 것을 물을 수 있는 기회가 주어진다면, 모크샤는 다른 무엇보다도 도대체 자식교육을 어떻게 시킨 건지를 묻고 싶었다.

하지만 그런 기회가 오지는 않을 터이니 모크샤로서는 카마가 왜 저런 생각을 하는지 알 수 있는 방도는 없었다.

ೋ❤ೋ

카마는 금세 시골 장에 흥미를 잃었다. 수도의 화려한 문물에 익숙한 이이니만큼 당연한 일이었다. 이제 모크샤의 일을 보기 위해 그들은 대장간으로 향했다.

두문불출하던 카마와 달리 모크샤는 마을에 자주 오가던 편이었던 만큼, 주변 사람들이 그를 알아보고 가볍게 말을 건넸다. 예전에는 붉은 눈이라서 기피당했지만, 저주에서 벗어나게 되니 이제는 그저 잘생기고 몸 좋은 청년일 뿐이었다. 쾌활한 어조로 살갑게 구는 마을 사람들의 태도가 익숙하지 않은 모크샤는 무뚝뚝이 고개를 끄덕이고 넘겼다.

대장간에 들어서니, 대장간 주인 또한 모크샤를 반겼다. 모크샤의 등 뒤에 가려진 카마를 뒤늦게 발견한 그는 제법 친근한 말투로 물었다.

"형씨, 오늘은 동생이랑 함께요?"

"아아."

"형씨랑 안 닮았는데. 피부가 계집애처럼 허연 걸 보니 어지간히도 귀하게 큰 모양이로구만."

남복을 하고 있는 만큼, 카마는 당연스레 남자아이 취급을 받았다. 모크샤는 픽 웃었다. 아무리 그래도 그렇지, 어딜 봐서 저와 카마가 닮아 보이는지 알 수가 없었다. 모크샤는 용병으로 굴러먹던 이였던 만큼 숨길 수 없는 거친 기색이 남아 있었고, 카마는 대놓고 고귀하게 자란 귀족의 티가 났다.

카마는 천연덕스레 웃으며 어깨를 으쓱였다.

"형이랑 제가 안 닮긴 했죠."

"그래. 남자라면 형처럼 근육도 좀 만들어야지. 이 마을 모든 사내들이 네 형을 사윗감으로 찍어두고 있다고. 건실하고, 보아하니 돈도 꽤 모아둔 모양이고. 입도 무겁고. 하렘을 만들 생각이 생기면 바로 말하는 거 잊지 말게. 내 이 근방 미인들을 줄줄이 넣어줄 테니."

대장간 주인이 껄껄 웃었다. 호탕한 목소리가 대장간 안을 울렸다. 그는 마을에 알음알음 미인으로 소문난 여자들을 읊었다. 카두르가의 둘째의 머리카락이 밝은 볏빛이라더라, 슬타흐가의 첫째가 그렇게 살림을 잘한다더라, 르투가의 막내의 기악 실력이 수준급이라더라.

줄줄 이어지는 명단에 카마의 입술이 미묘하게 비틀렸다.

"흐응."

"그만 놀리고. 내가 맡겨둔 무기나 주시오."

"동생 앞이라고 무게 잡는 것이오? 하여간 알았소. 여기 있네."

듣다 못한 모크샤가 주인의 말을 끊었다. 흘끔 본 카마의 표정은 아까의 기묘한 비틀림 따위는 온데간데없이 평범했다. 좋지 않은 상황이다.

모크샤의 얼굴에 낭패가 서렸다.

대금을 치르고 무기를 받기가 무섭게 모크샤는 부랴부랴 카마를 데리고 대장간을 나왔다. 모크샤는 바로 카마에게 으름장을 놓았다.

"너 엉뚱한 생각 하지 마라."

"내가 뭘?"

"좌우지간."

모크샤의 눈이 가늘어지자, 천연덕스레 굴던 카마가 어깨를 으쓱이며 마을 어귀 쪽을 향해 발을 돌렸다.

"우리 모크샤가 인기가 좀 있을 수도 있지, 뭐. 잘생겼는데."

"또 놀린다."

망했다. 겉으로 보기엔 그냥 놀리는 것 같아 보이지만, 속으로는 화가 단단히 난 게 틀림없었다.

카마는 언제나 그랬다. 겉으로는 빈정거리듯 놀리는 태도를 취하며 뾰족한 소리를 해대지만, 속으로는 혼자 부정적인 생각을 곱씹으며 괜히 불안해했다. 반신임에도 불구하고 그녀는 스스로에 대해 자신이 없었다. 가끔은 저주받은 자인 모크샤, 그보다도 더한 것처럼 느껴질 때가 있었다. 특히, 사랑에 관한 것에 있어서는 더더욱.

하필 대장간 주인이 허튼 소리를 해서. 카마의 뒤를 쫓아가는 모크샤의 손바닥이 축축했다.

"애초에 모크샤 네 이상형은 착하고 조신한 여자잖아. 난 착하지도 조신하지도 않으니까……."

모크샤를 놀리는 게 재밌는지, 카마의 목소리가 높게 올라갔다. 하지만 모크샤는 그것이 속마음을 숨기려는 것이라는 걸 알았다.

"내가 그때 그런 뜻 아니라고 했잖아."

모크샤는 필사적으로 변명하듯 덧붙였다. 하지만 카마의 낯은 빙글빙글 웃는 그대로였다. 모크샤는 그것이 불안해서 견딜 수가 없었다. 모크샤는 계속해서 그녀의 화를 풀기 위해 애썼다.

"착하고 조신한 여자가 하렘 한가득한 게 무슨 소용이야. 나는 너만 있으면 돼. 알잖아. 나한테는 네가 유일하다고."

모크샤의 말이 떨어지기가 무섭게 카마가 우뚝 섰다. 휙, 하고 모크샤를 돌아보는 얼굴이 싸늘했다.

날카로운 눈총으로 모크샤를 째려본 카마는 다시 뒤돌아서
서 성큼성큼 걸어갔다. 모크샤는 자신이 한 말을 곱씹어보았
다. 하지만 더더욱 이유를 알 수가 없었다.

꩜꩜♥꩜꩜

이 마을에 정착한 이후로 처음으로 장에 다녀오는 것이다 보
니, 사하긴은 당연히 카마의 기분이 좋을 줄 알았다. 하지만 저
택으로 돌아온 카마의 얼굴은 좋은 기분과는 거리가 멀었다.
카마는 쿵쾅거리는 발걸음으로 방 안으로 들어가고, 모크샤는
말 두 마리의 고삐를 쥔 채 마구간으로 향했다. 사하긴은 어찌
된 일이냐 모크샤에게 눈짓을 했지만, 모크샤는 저도 모르겠다
는 표정으로 난처히 고개를 내저을 뿐이었다.

차를 우린 사하긴은 조심스레 카마의 방에 들어섰다. 카마는
소파에 길쭉한 다리를 뻗고 누워 있었다. 끌어안은 쿠션 위에
턱을 올린 그녀의 표정이 뚱한 것이, 무언가 단단히 마음에 안
드는 것이 있는 게 분명했다.

사하긴은 카마의 눈치를 살피며 다과를 내려놓았다. 이유를 물어보아야 할지, 아니면 침묵한 채 모르는 척해야 할지 알 수가 없었던 그녀의 입이 바싹바싹 말랐다. 하지만 사하긴이 운을 떼기 전에, 카마가 먼저 입을 열었다.

카마는 오늘 장에서 있었던 일에 대해 사하긴에게 줄줄이 털어놓았다.

"그런 일이 있었잖아."

"그런가요? 제가 듣기엔 모크샤님께서 카마를 엄청 좋아하는 것 같은데요."

이야기를 들었지만 도대체 왜 카마가 화가 났는지 더더욱 알 수가 없었다. 반려인 모크샤를 두고 하렘이니 뭐니 이야기가 나오는 것이 카마 입장에서 불쾌할 수는 있겠지만, 모크샤가 그럴 생각이 없다는 건 카마도 알고 사하긴도 알았다. 그리고 결정적으로, 카마가 불쾌해하는 것은 그게 아니었다.

카마는 차를 쭉 들이켰다. 탕. 철 쟁반 위에 빈 찻잔이 덩그러니 놓였다. 카마는 몸을 뒤로 기울이며 한숨을 내쉬었다. 그녀의 가는 갈비뼈가 숨결에 따라 오르내리는 것이 흘러내린 비단옷 위로 보였다. 카마는 그대로 카펫 위에 뒹굴듯 쓰러져 누운 채 사하긴을 빤히 올려다보며 말했다.

"결국 모크샤는 나한테 맞춰주는 것일 뿐이야. 맨날 남동생으로 착각당하는 여자라 l. 나만 있으면 된다고는 하지만 따지고 보면 결국 나 같은 스타일은 별로인 거라는 거잖아."

그리 말하며 카마는 손발을 허공으로 뻗었다. 길쭉한 팔다리를 따라 남자 옷이 흘러내렸다. 손가락은 가늘고 길었고 종아리는 늘씬하니 암사슴 같았다. 하지만 카마는 자신의 모습이 못마땅한 듯, 손바닥의 굳은살과 종아리의 상처에 대해 투덜거렸다.

"역시 남자들은 그런 여자들을 좋아하는 걸까."

"카마는 논외의 존재세요. 카마께서 남들의 기준에 맞추실 필요는 없답니다."

"그러니까, 내가 카마가 아니어도 말이야."

가끔 카마는 알 수 없는 말을 했다. 이상한 단어를 전혀 쓰지 않은, 사하긴도 알아들을 수 있는 말이었지만 그 의미를 전혀 짐작할 수가 없었다. 카마가 카마가 아니라니. 마치 해가 떠오르지 않으면 어떻게 될까와 같이, 사하긴으로서는 감히 짐작조차 하지 못할 일이었다.

카마의 기분이 풀어질 수 있도록 노력하는 것이 사하긴의 최선이었다.

"그러면 카마께서도 맞춰주시면 어떨까요? 모크샤님도 카마께 맞춰주시니까요."

"어떻게?"

"이런 건 어떨까요?"

사하긴이 낮게 소곤소곤 말했다. 사하긴의 말에 귀를 기울이던 카마는 깜짝 놀라며 손을 내저었다.

"엣, 자신 없는데. 분명 이상할 거야."

"그럴 리가요. 그래도 한번 확인은 해보셔야지요."

사하긴은 빙긋이 웃었다. 카마는 사하긴의 말에 의심이 간다는 듯 입술을 비틀었다. 그런 카마를 보는 사하긴의 웃음이 더 짙어졌다.

모크샤는 계속해서 카마의 눈치를 보았다. 자신이 뭔가 잘못 말한 거 같기는 한데, 뭐가 잘못인지 도통 알 수가 없었다. 모크샤는 짜증스레 머리를 헝클어뜨렸다. 뭐가 문젠지를 알아야 고치든가 말든가 하지. 그는 쯧, 혀를 차며 입을 꾹 다물었다.

이렇게 오도 가도 못한 상태로 있는 것이 답답했던 모크샤는, 직접 카마에게 물어야겠다고 생각했다. 이대로라면 꿍한 상태가 계속되나가 흐지부지될 뿐이다.

결국 모크샤는 카마가 화가 난 이유에 대해 알지 못할 테고, 이후에도 똑같은 일이 반복될 가능성이 있는 것이나 마찬가지였다. 실수는 한 번으로 족하다. 결심한 모크샤는 카마를 찾아 자리를 박찼다.

　하지만 여기저기를 뒤져봐도 카마의 모습이 보이지 않았다. 아마 사하긴이라면 알고 있을 것이다. 모크샤는 사하긴의 숙소로 발을 옮겼다. 본디라면 남자가 여자의 숙소에 발걸음 하는 것은 엄격하게 금지되어 있으나, 이 저택에서 만큼은 자유로웠다. 저택의 자세한 사정을 알지 못하는 이들이 본다면, 성욕의 신인 카마의 저택답다 할 게 분명했다.

　"사하긴. 있나?"

　"네. 잠시만요."

　문이 열리고 사하긴이 나왔다. 카마의 행방불명에 당황한 모크샤는 딱딱한 표정으로 급히 물었다.

　"카마가 안 보이던데, 어디 있는지……."

　"여기 계십니다."

　사하긴이 모크샤의 말을 끊어내며 답했다. 다급한 모크샤와 달리 사하긴의 목소리는 담담했다. 그러고 보니 안에서 들리는 부산스러운 소리 사이로 카마의 목소리가 간간히 섞여 있었다. 모크샤는 사하긴의 방으로 성큼 발을 디뎠다.

　"아, 그래? 내가 카마에게 할 이야기가 있는데 잠시……."

"지금 한창 중요한 일을 하고 계셔서요. 이따 저녁 시간 이후에는 곤란한 이야기신가요?"

"그건 아니지만."

"그러면 이따가 뵙도록 하지요."

사하긴은 허리 숙여 인사했다. 명백한 축객령이었다.

재차 사하긴에게 행동과 말을 저지당한 모크샤는 화가 나기보다는 당혹스러웠다. 한참 중요한 일이라니. 사하긴과 카마가 무슨 꿍꿍이를 꾸미고 있을 게 분명하다.

하지만 도대체 그 꿍꿍이가 무엇인지 짐작할 수가 없었다. 안 그래도 카마가 성이 나 있는 상태다. 모크샤는 끙, 혀를 차며 이마를 짚었다. 감당이 되는 선이었으면 좋겠는데. 물론 지금까지의 경험이 경험인 만큼, 모크샤는 그럴 가능성이 적다는 걸 그 누구보다도 잘 알고 있었다.

그리고 그날 저녁, 모크샤는 자신의 예상이 맞았다는 걸 깨달았다. 사하긴과 함께 저녁 식사 자리에 등장한 카마의 모습을 본 모크샤의 입이 떡 벌어졌다. 모크샤는 자신이 제대로 본 게 맞는지 몇 번이고 눈을 비볐다. 하지만 눈앞에 드리운 광경은 그대로였다. 모크샤는 그제야 지금 이게 현실이라는 걸 깨달았다.

평소 입고 다니던 쿠르타와 도티는 어디로 벗어던졌는지, 카마는 하늘하늘한 여성 옷을 입고 있었다. 푸른 옷감은 마치 카마의 다리에 휘감기는 바닷물처럼 맑았고, 유리알처럼 반짝였다.

카마의 늘씬한 팔다리에 걸쳐진 사르르한 비단천은 비단벌레의 날개처럼 얇았는데, 그 밑으로 다리선이 어슴푸레하게 비쳐 보였다. 일반 여자들의 평복과 다른, 고위 귀족의 하렘에 있는 여인들이나 입을 법한 요염한 옷이었다.

허리춤까지 내려오는, 언제나 모크샤가 빗어주는 머리카락은 곱게 땋인 채 보석과 꽃들로 장식되어 있었다. 평소 답답하다며 손목과 발목에 아무 장신구도 하지 않던 이가, 오늘은 척 보기에도 묵직한 장신구를 치렁치렁 몇 겹이나 하고 있었다.

흰 복부 위로 드리워진 천 사이로 살짝 보일 듯 말 듯 하며 시선을 잡아끄는 오목한 배꼽까지. 어디에 시선을 두어야 할지 알 수 없었던 모크샤의 얼굴이 홧홧 달아올랐다.

카마는 아무 말 없이 자신을 빤히 바라보는 모크샤에게 어색한 미소를 지으며 물었다.

"모크샤, 어때? 괜찮아?"

넋을 놓고 카마를 보고 있던 모크샤가 그제야 화들짝 놀라며 정신을 차렸다. 무언가 답을 하긴 해야 하는데, 목이 막혀서 아무 말도 나오지 않았다.

"아름답습니다, 카마시여. 카마께서 평소 남복을 하셔서 여복이 제대로 준비되지 않아 이 정도밖에 꾸며드리지 못하는 게 아쉬울 정도예요."

사하긴이 옆에서 카마를 추켜세웠다. 연이은 사하긴의 칭찬도 쉽게 카마에게 자신감을 주지는 못했는지, 카마는 뺨을 붉게 물들인 채 수줍은 표정으로 애꿎은 손가락만 매만졌다. 평소보다 뺨과 입술이 발그레한 걸 보니, 화장도 한 것 같았다.

분명 아까만 하더라도 기분이 안 좋았었는데. 카마가 화가 잔뜩 났을 거라 생각하고 각오를 다진 만큼, 모크샤는 지금 이 상황이 얼떨떨했다. 갑작스레 화가 풀린 것도 이상한데, 여자 옷이라니. 지금껏 카마와 몇 년을 함께 지냈지만 여자 옷을 입은 모습은 처음이었다.

모크샤는 카마가 웬일로 여자 옷을 입은 건지 도통 알 수가 없었다. 도대체 무슨 변덕 때문에? 모크샤는 지금이 꿈이 아닐까 하는 생각에 자신의 허벅지를 조용히 꼬집어보았다. 아프긴 아픈 것이, 꿈은 아닌 것 같았다.

꿈이 아니면 더 큰일이었다. 모크샤의 뒷목을 타고 등줄기로 식은땀이 주르륵 흘러내렸다. 평소에 선머슴 같은 모습도 예뻐 보이는데 이렇게 작정하고 꾸미니 정신을 차릴 수가 없었다.

눈을 뗄 수도 없고, 그렇다고 계속 바라볼 수만도 없으니 난처하기 그지없었다. 예전에 네가 무슨 성욕의 신이냐며 낄낄대며 놀렸던 것이 후회될 정도로, 오늘의 카마는 그녀가 만질 필요도 없이 주변의 모든 사내를 다 홀릴 수 있을 것 같았다.

낯선 카마의 모습이 당황스러웠던 모그샤의 목울대가 크게 울렁였다. 입은 바싹 말라가는데, 침은 자꾸만 꿀꺽꿀꺽 삼켜졌다.

모크샤는 간신히 입을 열어 물었다.

"……너 갑자기 그게 뭐야."

"내가 사리는 못 입어봤다고 하니까 사하긴이 입는 법 알려 줬어. 어때? 그럴듯해?"

"……어. 예쁘네."

"진짜?"

모크샤의 말이 떨어지기가 무섭게 카마는 말갛게 웃었다. 아까 부끄러워하는 모습도 사람 마음을 동하게 만드는 무언가가 있었는데, 이렇게 웃으니 심장을 강제로 두드리는 것 같았다.

모크샤의 칭찬에 자신감을 얻었는지, 주춤거리던 카마의 행동이 점점 평소처럼 돌아갔다. 조심스럽지 못하고 남의 눈치를 보지 않은 채 덤벙거리는 카마의 행동이야 익숙한 것이었지만, 문제는 바로 오늘 입고 있는 옷차림새였다.

때마침 시종들이 요리를 날랐다. 소파에 앉은 카마의 시선이 옮겨지는 음식들에게로 향하며, 자연스럽게 그녀의 옷깃이 살랑살랑 흔들렸다.

상이 차려지자, 들뜬 카마는 자신의 자리에 털썩 주저앉았다. 희고 매끈한 다리가 설핏 드러나 보였다. 평소 남장을 하고 다리를 흔들 때도 곧잘 보던 다리인데도, 오늘따라 살결에 꿀을 바른 듯 시선이 들러붙어 떨어지지가 않았다.

저거 저거, 다리를 좀 추스르라고 말해야 하나.

모크샤의 얼굴에 갈등이 스쳤다. 누구보다도 예쁘게 차려입었지만, 결국 그 안에 있는 것은 천방지축 카마였다. 평소처럼 남의 시선은 개의치 않는, 무신경한 행동에 모크샤는 딱 죽을 것 같았다.

그런 모크샤의 심정을 아는지 모르는지, 카마는 자신이 좋아하는 음식이라며 모크샤가 있는 쪽의 음식을 향해 손을 뻗었다. 이전에는 모크샤가 먼저 눈치채고 카마 쪽으로 슬며시 밀어줬을 테지만, 오늘의 모크샤는 혼을 빼놓은 듯 정신이 없었다. 카마는 멀리 있는 음식에 손이 잘 닿지 않자, 몸을 더 깊숙이 수그렸다.

평소 목깃이 있는 쿠르타를 입을 때야 괜찮았다지만, 쇄골이 훤히 들여다보이는 사리를 입고 있는 지금은 가슴골이 훤히 보였다. 카마의 맨가슴도 본 적이 있는 모크샤였지만, 지금 이 상황은 점입가경, 한계 이상이었다. 모크샤의 얼굴이 잘 익은 토마토처럼 시뻘게졌다. 모크샤는 저도 모르게 버럭 소리를 질렀다.

"야!"

"어? 왜?"

막 음식을 집어 먹으려 하던 카마는 갑작스러운 모크샤의 외침에 행동을 멈추고 그를 올려다보았다. 아까보다 더 노골적으로 보이는 가슴골 사이로 드리운 그림자가 모크샤의 시선을 잡아끌었다. 카마는 모르는 듯 고개를 갸웃댔다.

모크샤는 얼굴을 바닥으로 푹 수그린 채 더듬더듬 외쳤다.

"그, 가, 가슴팍!"

"아아, 깜빡했다."

카마는 정말 아무렇지도 않은 듯 대꾸하며 자신의 가슴을 흘끔 보았다. 하지만 단지 그뿐이었다. 먹고 싶어 하던 음식을 이제는 접시째 옮기려는 듯, 그녀는 아랑곳하지 않고 좀 더 몸을 숙였다. 결국 참지 못한 모크샤가 접시를 카마의 앞으로 불쑥 내밀며 그녀를 다그쳤다.

"깜빡하지 말고 신경 좀 쓰라고!"

"응응."

카마는 씩 웃으며 접시를 받아 들었다. 모크샤는 여전히 시선을 비스듬히 바닥으로 향한 채였다. 곧 식사가 이어졌다. 새 옷을 입은 카마는 평소보다도 더 자주 모크샤에게 말을 걸었지만, 모크샤는 단답형으로 무뚝뚝이 대답할 뿐이었다.

그런 모크샤와 카마를 주시하고 있던 사히긴은 고개를 내저었다. 어딜 보아도 모크샤가 카마를 좋아하는 건 훤했지만, 이래서는 될 일도 안 되겠다. 모처럼 카마께서 이리 아름답게 치장하셨는데 좀 예쁘다는 칭찬도 다양하게 계속해주고 그래야 카마의 마음을 붙들지, 옆구리 찔러서 받는 칭찬 같은 한마디로 끝내려 하다니 염치가 없다.

안 그래도 카마께서 이런 남녀상열지사에 약한데, 그녀의 상대인 모크샤 또한 둔하기 그지없으니 사하긴의 속이 돌덩이가 틀어막은 것처럼 답답해졌다. 용병으로 잔뼈가 굵은 만큼 이것저것 잡지식에 능한 모크샤였지만, 이런 상황에서는 맹추가 따로 없었다. 주신이시여, 저 근육 멍청이를 구원하소서. 사하긴은 속으로 주신의 이름을 부르짖고 또 부르짖었다.

໑໑☙໑໑

식사가 끝나고 사하긴까지 물러나고 나자 이제 방 안에는 모크샤와 카마, 단둘만이 남았다.

둘은 그때까지도 침묵했다. 모크샤의 반응이 탐탁지 않으니 카마도 입을 다물었다. 그녀의 가는 눈썹 사이에 한 줄의 선이 그어졌다. 질린 표정이었다.

장에서부터 무언가 모크샤에게 화가 난 상황이었다. 그사이 무슨 심정의 변화가 있었는지는 모르겠지만, 다행히도 그녀가 마음을 풀고 화기애애한 분위기를 조성했다. 심지어 쉽게 입지 않는 여자 옷까지 입었다. 그것도 하늘하늘한, 누구에겐가 잘 보이고 싶어 하는 게 명백한 옷차림을. 그녀가 잘 보이고 싶어 하는 그 대상이 누구인지는 손바닥 들여다보듯 뻔했다.

그녀 나름으로는 용기를 내어 이런 분위기를 조성했는데, 정작 모크샤의 반응이 떨떠름하니 그녀의 기분이 좋을 리가 없었다. 다정한 말이라도 계속해주고 그랬어야 했는데. 그 한마디가 쉽게 나오지를 않았다. 모크샤도 이런 머저리 같은 자신이 싫었다.

모크샤는 흘끔, 곱게 차려입은 채 자신에게서 등을 돌리고 있는 카마의 뒷모습을 바라보았다. 곧게 선 척추 뼈가 오목 들어간 부분을 손끝으로 쓸어보고 싶은 충동이 모크샤를 달궜다. 하지만 모크샤는 꿈쩍도 하지 못했다. 손가락 하나 까딱조차. 오늘은 확실히 위험했다. 카마에게 닿아버리면, 도저히 참지 못할 것처럼 뱃속이 홧홧했다.

'진짜 돌아버리겠네.'

모크샤는 머리를 벅벅 긁었다. 카마와는 언제든 그럴 기회가 있었다. 하지만 지금껏 하지 않아온 것은 카마가 매력적이지 않기 때문이 아니라, 유사를 밟고 있는 것 같은 그들의 관계 때문이었다.

모크샤와 카마 사이의 관계는 모래성만큼이나 위태로웠다. 단단하게 쌓아 올린다 노력했지만, 물이 한번 끼얹어지면 쉽게 허물어질 것이다. 지금은 카마의 권능 때문에라도 모크샤, 제 가 그녀를 독점할 수 있지만…….

그녀와 그는 결혼이라는 서약으로 연결되어 있지만, 이런 인간의 관계라는 것이 카마인 그녀에게 구속력이 있는 건 아니었다. 그저 그녀에게 이런 식으로라도 안정을 주고 싶었던 모크샤의 바람이었을 뿐이었다. 그녀는 쉽게 불안해하고, 초조해하고, 결정적인 순간에 모크샤를 믿지 못했으니까.

그리고 그녀만큼이나 모크샤도 불안했고 초조했다. 지금 카마가 모크샤, 자신을 좋아한다 하여 그녀의 곁에 서는 것은 자신의 욕심이 아닐까? 권능을 질색하는 카마지만, 나중에 가서 후회하기라도 하면? 그녀의 권능은 모크샤의 저주와 궤를 같이하면서도 달랐다. 모크샤는 혹여나 카마가 자신을 미워할지도 모르는 미래가 끔찍했다.

사실 카마가 모크샤에게 잠자리를 재촉하지 않는 것도, 처음에는 모크샤 자신을 위해서였다. 그때는 분명히 그게 옳은 선택이라고 믿었다. 하지만 지금 와보니 어떠한가. 마음은 제대로 다잡지도 못한 채, 그녀에 대한 욕망만 커져 가고 있었다.

물론 언제까지 이런 불안정한 관계가 지속될 거라고 생각하지는 않았다. 어느 방향으로든 변하겠지. 하루는 카마가 불안해할 테고, 어느 하루는 그가 불안해할 테고. 모크샤는 그러면서 나아가는 방향이 도달하는 결론이 긍정적이고 견고하기를 바랐고, 그런 만큼 그녀와 그, 둘 다 서로의 사랑을 확실히 이해하고 받아들이기까지 좀 더 준비가 필요했다.

카마가 욕심을 내는 이상으로 모크샤도 그녀가 욕심났지만 아직 멀었다. 괜한 짓을 해서, 모래성이 허물어질 일을 하고 싶지는 않았다.

모크샤의 상념이 깊어지는 만큼, 둘 사이의 분위기는 더더욱 무거워져만 갔다. 카마의 둥근 어깨가 어두워진 방 안에서 파르스름하게 빛났다. 모크샤는 그녀를 끌어안고 싶은 본능과, 그것만으로는 참지 못할 것 같다는 이성 아래에서 갈등했다.

"마음에 안 들어?"

그 상황에서 대뜸 운을 뗀 건 카마였다. 갑작스러운 그녀의 질문에 모크샤는 화들짝 놀라 말을 더듬으며 답했다.

"······응? 아, 아니. 예쁘다고 했잖아."

"하지만 너 아까부터 계속 짜증 내고 화내고······. 내가 이런 옷 입는 게 별로인거 같아서."

"별로는 아닌데."

모크샤는 말을 하고 후회했다. 불퉁하니 들리는 제 말투가 마음에 들지 않았다. 좀 더 좋게 말하는 방법이 있을 텐데. 카마가 듣기엔 무척이나 무례할 게 분명했다.

아니나 다를까, 모크샤의 말에 카마가 씩씩거리며 그를 휙 돌아보았다. 모크샤는 그녀가 화를 낼 줄 알았다. 하지만 마주친 그녀의 암갈색 눈동자에 서려 있는 것은 풀 죽은 서러움뿐이었다.

"솔직히 말해봐."

"뭘……?"

모크샤가 침을 꿀꺽 삼켰다. 도대체 왜 그녀가 화를 내는 대신 저리 서러워하는지 알 수가 없었다. 모크샤의 손이 슬며시 들렸다. 그녀의 뺨을 쓰다듬어 어르고 싶은 것까지는 참을 수는 없었다.

모크샤의 손끝이 카마의 뺨에 닿기 직전, 돌연 카마가 말했다.

"나, 이 옷 정말 안 어울리지."

"뭐?"

모크샤는 어처구니가 없이 되물었다. 안 어울린다니. 무슨 소리를 하는 건지 이해할 수가 없었다. 그러고 보니 아까부터 계속해서 예쁘니 안 예쁘니, 어울리니 안 어울리니 하는 소리만 해댔다. 모크샤로서는 당연히 카마가 이 세상 그 누구보다도 예뻐 보이는 만큼, 카마가 그저 자신을 떠보는 거라고만 생각했다. 그런데 정말로 진지하게 고민하고 있을 줄이야. 모크샤는 예상치 못한 당혹스러운 상황에 땀만 뻘뻘 흘렸다.

카마의 두 눈이 곧이라도 눈물을 뚝뚝 흘릴 듯 깜빡였다. 눈동자 위로 내리앉는 속눈썹이 모크샤의 심장을 간지럽혔다.

"역시, 여자 같은 옷은 나랑은 안 어울리는 거야. 사하긴이야 내가 뭘 해도 예쁘다 좋다 멋있다 해주니까……. 나도 내가 남자애 같은 거 알고 있다고."

"잠깐, 잠깐."

카마의 중얼거림을 듣고 있던 모크샤는 더는 안 되겠다 싶어 그녀의 말을 자르고 끼어들었다.

예전에, 인드라에서 바르나로 넘어가던 시기에 있었던 일이 떠올랐다. 익숙하지 않은 낙타를 타고 여행을 하는 것이 불편한지, 카마는 아주 곯아떨어져 있었다. 모크샤는 자고 있는 카마의 뺨을 쓸었다. 거끌한 제 피부와 다른 보드라운 살갗의 감촉이 모크샤의 손등에 느껴졌다. 여자란 원래 이런 것인지, 아니면 상대가 카마라서 이리 매혹적인 것인지. 자신이 알고 있는 여자가 카마뿐이었던 모크샤의 목울대가 크게 움직였다.

모크샤는 카마를 끌어안았다. 사람의 체온. 저주받은 자이기에 그 누구에게도 끌어안겨 본 적 없고, 그 누구를 끌어안아 본 적 없이 서른 번의 해가 지났다. 그런 그에게 카마의 온기는 무척이나 생소하고 따뜻하며, 갖고 있으면서도 더더욱 갈구하게 되는 것이었다.

물론 두려웠다. 그녀에게 섣불리 다가가다가 내쳐지게 되는 것은 생각만 해도 끔찍했다. 카마가 지금 그를 곁에 두는 것은 모크샤가 「안전」하기 때문이라는 걸 그 자신도 잘 알고 있었다.

그럼에도 불구하고 차오른 욕망에, 모크샤는 저도 모르게 홀린 듯 카마에게 입술을 맞추었다. 카마는 잠귀가 어두운 편이었다. 슬쩍 입술만 닿았다가 떨어지면, 아무도 모를 것이다.

그는 그리 확신했다.

하지만 하필 그 시점에 가우란이 천막 안에 들어설 줄이야. 가우란은 바로 칼을 빼 들었고, 모크샤도 그에 응대했다. 가우란의 눈에 노기가 그득했다.

모크샤 또한 필사적이었다. 그만큼 그는 카마가 자신의 욕망을 알게 되는 것이 두려웠다.

소란 끝에 카마가 일어섰고, 가우란은 바로 모크샤의 부정을 카마에게 증언했다. 카마가 도대체 어떤 반응을 보일까. 경멸할까, 자신을 피할까. 모크샤의 모골이 송연했다.

그러나 카마의 입술이 열리며 흘러나온 말은, 전혀 생각지도 못한 말이었다.

―모크샤 취향은 내가 아니야. 쟤는 좀 더 청순가련한 애를 좋아한다고 했단 말이야. 네가 잘못 봤겠지.

가우란은 뒤통수를 망치로 후려 맞은 표정을 지었다. 그리고 모크샤, 그 또한 마찬가지였다. 분명 모크샤 자신이 바라던 결과였는데 전혀 기쁘지가 않았다.

카마는 진심으로 자신이 매력이 없다고 생각하고 있었으며, 모크샤가 그녀를 좋아할 수도 있다는 상황에 대해 고려하지 않았다. 그렇기에 대놓고 뻔한 상황에서도 그럴 리가 없다는 말로 일축한 것이겠지.

그래. 카마는 눈치가 없다. 특히 「이런 쪽」 일은 전혀.

얘는 전부 설명해줘야 한다는 걸 잠시 잊고 있었던 모크샤의 뒷골이 당겼다.

"아냐. 잘 어울려."

"거짓말."

"아냐, 진짜야. 정말 예뻐. 눈 마주치기도 힘들어서 계속 고개 돌리고 있었잖아."

모크샤는 필사적으로 그녀에게 그 옷이 얼마나 잘 어울리는지 한참을 설득했다. 지금껏 목구멍에 틀어막힌 듯 나오지 못하던 달달한 말들이 목에 기름칠이라도 한 듯 술술 나왔다. 진작 이렇게 말했으면 좋았을 걸, 멍청한 자신에 대한 자책이 거듭 치솟았다.

어여쁘다 거듭 말해주는 모크샤의 칭찬에 울컥했던 감정이 조금 누그러졌는지, 카마의 벌겋게 달아올랐던 눈가가 많이 진정되었다. 카마의 몸이 모크샤 쪽으로 슬쩍 다가왔다. 모크샤는 저도 모르게 주춤, 뒤로 물러서려 했다. 다가온 카마의 몸에서는 달달한 향이 났다. 카마는 모크샤 쪽으로 몸을 기울인 채, 그를 빤히 올려다보았다. 모크샤는 자신의 모습이 가득 담긴 카마의 눈동자를 바라보며 침을 삼켰다. 정말 심장 건강에 좋지가 않다.

"그러면 계속 이렇게 입고 있을까?"

"아니. 다신 입지 마라, 그거."

"왜?"

"그건……."

모크샤가 말끝을 흐렸다. 카마가 좀 더 다가왔다. 그녀의 가슴이 몸에 닿을 듯 말 듯 아슬아슬한 위치에 있었다. 모크샤가 팔을 조금만 움직이면, 그가 몸을 조금만 비틀면 그대로 닿을 것만 같았다.

카마는 가슴이 그다지 풍만한 편은 아니었지만, 그렇다고 해서 부족한 것은 아니었다. 모크샤는 몽글한 저 가슴의 감촉이 얼마나 부드러운지 알고 있었다. 매일 밤 자신의 등에 닿아오는 그 느낌을 모르는 척하느라 얼마나 애를 썼던가.

지금까지는 어떻게든 버텨왔던 이성이었지만, 오늘은 연이은 사건사고로 정신력이 한계였다. 지금 손을 뻗어서 그녀를 품에 안아버리면, 정말로 카마가 착각하고 있는 대로 흘러갈 것이다. 모크샤는 크게 숨을 들이마시고, 그대로 카마의 어깨를 잡은 채 그녀를 자신에게서 떨어트렸다.

그의 손아귀에 꽉 잡힌 카마는 깜짝 놀라 어리둥절해했다. 자신을 애써 억누른 모크샤는 더할 나위 없이 진중한 표정으로, 나직한 목소리로, 단호하게 말했다.

"너무 예쁘긴 한데, 안 돼."

"……."

"다른 사람이 네 그런 모습 보는 기 싫어."

모크샤의 짙은 눈썹이 와락 구겨졌다. 이런 카마의 모습을 모크샤 홀로만 볼 수 있다면 참 좋겠지만, 상대는 카마였다. 그 혼자만이 소유할 수 없는, 그런 존재.

그녀는 스스로 뭐든지 할 수 있다고 주장하지만, 잘 살펴보면 모든지 손끝 하나만큼 어설퍼 남들의 도움을 받아야만 했다. 하다못해 이렇게 치렁치렁한 옷도 마찬가지다.

이 옷은 어떻게 입었을까. 사하긴이 도와준다고는 하나 결국 손을 대지 못하는 만큼, 어딘가 한구석이 부족하다. 모크샤의 예리한 눈길에 간당간당하게, 곧이라도 풀어 헤쳐질 것 같은 옷매무새가 보였다. 이런 꼴로 남들 앞에 돌아다니는 꼴을 보느니, 차라리 남복이 백배 천배 나았다. 모크샤는 오랫동안 검을 잡아 뭉툭한 손끝으로 카마의 흐트러진 매무새를 꼼꼼히 다잡아주며 투덜거리듯 덧붙였다.

"가우란 놈도, 네 종복이니 뭐니 하는 소리를 쉼 없이 해대고……. 술탄들도 그렇고. 온 세상이 내 연적이라고."

"질투해?"

"너 오늘따라 당연한 걸 자꾸 묻는데 말이야."

말갛게 저를 향해 오늘 눈동자에 모크샤는 어처구니없다는 듯 카마에게 눈을 흘겼다.

"당연히 질투하지."

물론 모크샤도 자신이 지금껏 질투한다는 티를 그다지 내지 않았다는 걸 알고 있었다. 카마에게 고용되어 함께 여행을 하던 당시에는 자신이 그럴 만한 위치가 아니라고 생각했었다. 저주받은 자와 신의 사랑을 받는 반신. 카마의 주변에 보란 듯이 존재하는 다른 사내들의 존재를 생각하면 카마를 제 품에 끌어안고 있는 와중에도 피가 식었다.

하지만 이 저택에 온 이후로는 그런 자신의 마음을 어느 정도 표현한다고 생각했고, 직접적으로 말했던 적이 있는 만큼 카마도 충분히 알 거라고 생각했는데 그걸로는 부족한 모양이었다.

카마는 잔뜩 억눌렀던 심정을 토해내듯 입을 열었다.

"……나도 질투했어."

카마의 말에 모크샤의 미간이 일그러졌다. 주변에 친밀히 지내는 여자라고는 카마뿐이었고, 꼭해야 사하긴이 끝이었다. 다른 여자들과는 만날 일도 없거니와 가까이하지도 않았고, 사하긴은 제2의 가우란이나 다름없는 이였다. 도대체 뭐에 질투를 하는 거야. 전혀 짐작도 가지 않았던 모크샤의 머릿속이 뒤죽박죽이 되었다.

도대체 자신의 행동 어디에 문제가 있는지 궁금했던 모크샤는 침을 꿀꺽이며 그녀의 이어질 말을 기다렸다. 그런 모크샤의 혼란스러움에 대한 답을 줄 수 있는 유일한 대상인 카마는 한참을 말을 골랐다. 카마의 꽃잎색 입술이 슬쩍 열리며, 모크샤가 그리도 궁금해하던 답이 흘러나왔다.

"안 그래도 잘생기고 능력도 좋은 용병인데, 이제 저주도 풀렸으니까 일등 신랑감이잖아. 마을의 미인들도 줄줄이 소개받을 만큼. 그런데 나는 그냥 남자아이 같고……."

"……너 지금 시골 마을 미인들하고 널 비교하고 있는 거야? 그렇게 치면 신군이나 술탄들이랑 비교해야 하는 내 처지를 더 생각해주지 않을래?"

카마의 표정은 정말로 진지했다.

그만큼 모크샤는 더 어처구니가 없었고, 그러니 말투가 곱게 나가지가 않았다. 상상력하고는. 괜히 카펫을 만들어서 내다 파느니 뭐 하느니 하는 것보다, 저 상상력으로 소설이나 쓰는 게 더 돈이 잘 벌릴 것 같았다.

"몇 번이고 말하지만, 허튼 생각 하지 말아. 어차피 네가 무슨 차림새를 하든, 너는 너잖아. 아무 데나 덤벙덤벙 앉는 버릇은 여전하고 말이야."

모크샤의 엄한 말에 카마의 입술이 삐죽였다. 하지만 아까 같은 서러움은 많이 누그러진, 새초롬한 투정에 가까웠다.

하여간. 정말 생각도 못 한 걸 신경 쓰기는. 반신인 카마가 이런 사소한 것까지 신경 쓰며 전전긍긍하는 모습을 보면, 모크샤의 가슴 한구석이 저리게 메어왔다. 지금껏 그 누가 모크샤를 위해, 모크샤의 사랑을 갈구하며 이래 본 적이 있었던가. 자신에게 매력적으로 보이기 위해 질색하던 여자 옷을 입다니.

모습의 매력적임보다도, 모크샤는 그런 카마가 짠하면서도 사랑스러워 견딜 수가 없었다.

"옷만 여자답게 입는다고 달라지는 거 아니고, 남자처럼 입는다고 해서 달라지는 것 역시 아니야, 카마. 뭘 입든, 넌 내 카마인걸."

모크샤의 손이 카마의 어깨를 끌어안았다. 너른 가슴에 폭 안기는 가녀린 어깨는, 손에 힘을 주면 그대로 바스스 흩어질 것만 같았다.

모크샤의 옷자락을 쥐고 있던 카마의 손에 힘이 들어갔다. 등을 마주 안아오지도 못하는, 남녀 관계에 익숙하지 못한 어색함이 미칠 듯이 모크샤를 충동질했다. 마치 카마의 권능이 통하기라도 하는 것처럼. 모크샤는 자신의 욕망을 한껏 억누른 채, 그녀의 둥근 이마에 입술을 내리찍으며 중얼거렸다.

"나에게 있어 유일한, 나의 신."

카마는 그제야 손을 뻗어 모크샤를 끌어안았다. 품에 안긴 카마가 어떤 표정을 짓고 있는지 모크샤가 알 방도는 없었다. 하지만 등을 꽉 쥔 가는 손가락의 필사적임이, 그녀의 뜻을 대신하고 있었다.

모크샤는 카마의 등에 너울 드리워진 그녀의 머리카락을 손으로 조심스레 쓸었다. 펑퍼짐한 남자 옷과 달리 달라붙는 여자 옷이 카마의 날렵한 등선을 그대로 드러내고 있었다.

오목하게 들어간 날개뼈 뒤에서 쭉 내려간 척추 선이 사라지는 곳까지. 지금껏 잘 참아왔던 인내심이 슬슬 바닥날 것 같았다.

모크샤는 카마를 자신에게서 떨어트리려 했다. 하지만 평소와 다른 여복 차림이, 모크샤를 곤혹스럽게 했다. 거칠고 커다란 손바닥에 닿은 맨 팔뚝의 느낌. 술탄의 궁에나 있는 비단결을 쓸어내리는 듯 부드러운 감촉을 자각한 모크샤의 몸이 딱딱하게 굳었다.

아, 큰일이다.

한번 깨닫기 시작하니 욕망에 걷잡을 수 없이 불이 붙었다. 모크샤는 거칠게 숨을 내쉬었다. 그야말로 진퇴양난. 몸에서 떨어트리자니 하늘하늘한 복장 사이로 그녀의 가늘고 낭창한 몸매가 훤히 드러났고, 몸으로 끌어당겨 시야에서 가리자니 몸에 닿아오는 부드러운 느낌에 정신이 아찔해졌다.

설상가상으로 카마는 아무런 상황조차 깨닫지 못한 채 모크샤에게 더더욱 들러붙었다. 견디지 못한 모크샤가 눈을 질끈 감고 카마를 밀쳐내려는 순간, 카마가 모크샤의 귀에 속삭였다.

"아직도, 확신 못 하겠어?"

카마의 말에 모크샤는 그대로 굳었다. 모크샤가 행동을 멈춘 사이, 카마는 모크샤의 허벅다리 위로 올라왔다. 가벼운 그녀의 무게가 모크샤의 하체를 지그시 누르자, 아래부터 치솟는 열기에 모크샤는 입술만 잘근 씹었다.

카마는 눈을 깜빡이며, 이빨에 짓눌린 모크샤의 아랫입술에 가볍게 입을 맞추며 중얼거렸다.

"재촉하는 건 아니야. 난, 언제까지 널 기다릴 거니까. 설령 네가 확신하지 못한 채 늙는다 해도."

그로 인해 내가 권능을 버리지 못한다 해도.

바람이 문틈으로 스며드는 것처럼 조용한 카마의 속삭임은 모크샤의 마음에 불을 붙였다. 카마가 이렇게까지 자신만을 바라봐주는데도, 자신이 모르는 척 눈을 감는 것은 부끄러운 일이다.

모크샤가 두려워하는 것은 앞으로 벌어질지, 벌어지지 않을지도 확실하지 않은 불확실한 미래였다. 그 허깨비 같은 가능성에 벌벌 떨며, 겉으로는 우리의 관계를 위해서 좀 더 시간이 필요하다 가식을 떨었다.

모크샤는 이제야 자신이 해야 하는 일을 깨달았다. 도피가 아닌, 내가 얼마나 그녀를 사랑하는지 그녀에게 표현하는 것. 목숨마저 내어놓을 정도로 사랑하는 그녀를 이리 불안하게 만들면서, 내가 그녀에게 사랑받을 가치가 있겠는가? 어불성설이다. 사내로서 한심하기 그지없는 일이었다.

모크샤는 그대로 카마의 입술에 자신의 입술을 겹쳤다. 그녀는 꿀과 같이 달콤하고 녹진하게 그를 끌어당겼다. 마치 당연스레 정해진 수순인 것처럼. 모크샤의 무릎이 그녀의 허벅다리 사이를 파고들었다.

침실에 달빛이 들이쳤고, 엉겨 붙은 두 사람의 인영이 어슴 푸레 빛났다. 흐트러진 카마의 바다 같은 옷감은 너울대는 달빛을 머금고 호수처럼 반짝반짝 빛이 났다. 경이로울 정도로 아름다운 광경이었지만, 그 어느 누구도 비단에 신경을 기울일 정신은 없었다.

남은 밤은 길었지만, 그들이 지금껏 기다려온 것을 생각하면 너무나 부족했다. 그들은 순간이 사라져버리는 것이 아쉽다는 듯이, 아니면 그에 대해 생각할 시간조차 아쉽다는 듯이 서로에게 집중했다.

하지만 밤은 몇 번이고 있다. 오늘도, 내일도. 그들의 목숨이 다하는 그날까지 하늘에 달은 매일 떠오를 테고, 그동안 그들은 매일의 사랑을 속삭이면 되리라.

오늘의 밤과 내일의 밤은 다르지만, 그들의 머리 위로 빛나는 달은 언제나와 같았다. 그리고 앞으로도 계속해서 같을 것이다. 그들의 행복을 지켜보며. 영원히.

『카마수트라』마침.

작가 후기

안녕하세요, ken입니다.

『카마수트라』는 2015년부터 2016년 사이에 집필한 소설입니다. 이렇게 종이책으로 나오게 되니 감개무량합니다.

『카마수트라』를 쓰면서 자료 조사 겸 터키에 잠시 다녀왔는데, 운이 좋았다고 생각합니다. 제가 갔다 오고 나서 바로 테러가 나서 여행 제한 지역이 되더라고요. 그래도 무사히 다녀왔고, 지금은 풀린 것 같아 다행이네요.

『카마수트라』에 나오는 나라들은 터키와 인도, 모로코, 기타여러 나라들을 참고하였습니다. 그러다 보니 뒤죽박죽인 구석도 있네요. 일단 기본적 베이스는 인도입니다. 제목부터가 카마수트라이기도 하구요.

인도에서는 인생의 3대 목적을 다르마(법), 아르타(실리), 카마(성애)라고 합니다. 추구하는 이상은 모크샤(해방)죠. 카마수트라에 나오는 다르마인은 법에 얽매인 존재들입니다. 그들은 율법을 수호하고 신을 경배하는 것이 인생의 목적인 이들이에요. 『카마수트라』는 그 사이에 떨어진 성욕의 신 카마가, 저주에 얽매인 모크샤를 이름 그대로 해방시키기까지의 과정이었습니다.

『카마수트라』를 쓰게 된 계기는 간단했습니다. 성욕의 신이 되어버린 여자아이에 관한 이야기를 쓰고 싶었어요. 그래도 그렇지, 제목이 너무 노골적인 게 아닐까…… 하는 걱정이 들긴 했습니다. 음란물로 신고당하는 거 아닐까 하고요. 당시 담당자님이 흔쾌히 괜찮다 해주신 덕분에 이런 제목을 단 소설이 출간되었습니다…….

성욕의 신! 제목이 『카마수트라』! 다들 야시시한 내용을 기대하셨을 텐데 펼쳐진 것은 카마의 모험기…….

시놉도 많이 고민했습니다만, 결국 현재의 단출한 카마 파티가 꾸려지게 되었습니다. 그래도 일당백이니까요! 처음에는 무력으로 일당백이었지만, 이제 날이 갈수록 카마 뒤처리 일당백이 되겠지…….

소설을 완결 지을 때는 언제나 시원섭섭합니다. 주인공들과 헤어져야 하니까요. 하지만 나중에 또 다른 만남이 있을 테니, 개운하게 떠나야겠죠!

중동의 화려한 분위기를 살려주신 삽화가 에나님의 그림 덕에 소설이 한층 더 섬세해졌습니다. 언제나 삽화가 의욕을 부채질해줍니다! 원고의 활력소죠. 더불어 장편이다 보니 설정에 틈틈이 구멍이 있었는데, 편집부 여러분들 덕에 그 부분이 촘촘히 메워져서 좀 더 좋은 소설이 되었습니다. 모두 감사드리고, 읽어주신 독자 여러분께도 감사드립니다. 그럼 차기작에서 뵈어요!

2017년 8월 KEN